L'HOMME TOTAL

TOTAL

aujourd'hui

D1331814

AUX ÉDITIONS SÉLECT

L'HOMME TOTAL

aujourd'hui

PAR

Dan Benson

PRESSES SÉLECT LTÉE
1555 ouest, rue DE LOUVAIN
MONTRÉAL, QUÉBEC

Dépôt légal :
Bibliothèque Nationale du Canada
Bibliothèque Nationale du Québec
Deuxième trimestre 1978

Original Title : THE TOTAL MAN
                by Dan Benson

Copyright © 1977 **Tyndale House Publishers, Inc.**
Wheaton, Illinois, U.S.A.

© 1978 **Presses Sélect Ltée**, Montréal, Qué.
pour l'édition en langue française pour le monde entier.

ISBN: 2-89132-215-0

TABLE DES MATIERES

Première partie
L'homme libéré

Deuxième partie
Le mari libéré

A Kathy,
ma femme,
ma maîtresse,
ma conseillère,
ma meilleure amie
et partenaire
dans la plus grande
aventure de la vie :
devenir des
personnes totales
équilibrées
et épanouies

C'était il y a deux ans, tandis que je feuilletais des livres dans une librairie. Là, tandis que je parcourais les titres des yeux, sur les étagères consacrées aux « Mariage et famille », l'étincelle jaillit en moi.

Quelque chose n'allait pas. J'y vis : *Comment satisfaire votre homme, La Femme totale, Féminité fascinante, Vous pouvez être la femme d'un mari heureux,* et bien d'autres titres pour femmes. D'après les titres de ce qui avait été écrit ou lu, il semblait que la femme fût le seul conjoint responsable d'un mariage réussi et d'une famille heureuse.

Où était la place de l'homme ? Eh bien, il était là-bas, dans la division sept, sous les rubriques : « Succès », « Direction des affaires », « Comment faire de l'argent ». Ses livres, *à lui,* lui disaient comment devenir le prochain millionnaire miracle, comment s'élever dans le monde des affaires, comment réagir positivement devant une imposition plus élevée. Il y avait vraiment quelque chose qui n'allait pas. Et la flamme s'éleva en moi, plus claire, plus chaude.

Il y avait plusieurs années que j'observais un étrange phénomène. Je voyais des hommes, certains d'entre eux, amis très proches, consacrer leur vie à leur carrière. Je les voyais travailler dix, douze heures par jour. Parcourir des milliers de kilomètres par an. Rester assis pendant des heures à d'importantes réunions de conseils. Trier des rapports, des dossiers et des projets avant d'en avoir assez.

Mes amis s'élevaient rapidement, faisaient un travail « qui avait un sens », avaient de meilleurs salaires et des bénéfices plus substantiels. Mais j'étais à même de voir, qu'au fond, une certaine inquiétude leur rongeait le foie.

Et s'ils étaient mariés, cette inquiétude était encore plus évidente. On les avait laissés derrière soi, la charmante épouse et les beaux enfants. Quel dommage que le travail fût aussi prenant. « Chérie, je suis en retard... pouvons nous parler de cela une autre fois ? » « Pas maintenant mon garçon, je suis occupé, que dirais-tu de Dimanche ? » Mais pour quelque obscure raison, « une autre fois » et « Dimanche » n'arrivaient que rarement. J'observais, impuissant, tandis qu'entre mari et femme, entre père et enfant, un gouffre se creusait lentement.

Ce jour-là, à la librairie, j'acquis la conviction que les choses devaient changer. *Il le fallait.* Il était grand temps qu'il y eut un livre pour *hommes,* qui les aiderait à trouver cet équilibre si important entre la réalisation personnelle, la carrière et la vie familiale. Il était grand temps qu'un livre pour *hommes* aille au-delà de la théorie, au-delà des sermons, pour explorer les centaines de façons très pratiques qui permette't à l'homme contemporain de réussir chez lui et dans sa vie professionnelle.

Aujourd'hui, deux ans plus tard, la flamme est encore plus vive en moi, mais elle brûle d'impatience et non plus de désespoir. Car je sais que j'ai dit ce qu'il fallait dire. Je suis convaincu que le message de ces pages est ce que,

INTRODUCTION

nous les hommes, avons besoin d'entendre, de comprendre et de faire depuis des dizaines d'années. J'ai hâte d'aborder ce que nous allons découvrir ensemble, en nous asseyant pour parler d'homme à homme, à cœur ouvert.

Nous allons explorer et faire explorer quelques mythes sur la condition d'homme. Nous allons étudier la nécessité d'un meilleur équilibre entre notre vie personnelle, notre vie familiale et notre carrière. Et surtout, nous allons rencontrer certaines façons pratiques, et même *drôles,* d'instaurer et de conserver cet équilibre.

Mes remerciements sincères à plusieurs amis qui ont partagé cette ardente flamme avec moi. Maman et Papa, Dale et Barb, Jay et Vicky, Paul et Barb, tous du clan Benson ; Maman et Papa, Dennis et Elma, de la famille Means, qui m'ont fait part de bon nombre d'excellentes suggestions, et qui ont adressé bon nombre de prières au ciel. Lowell et Pam Heim, mes amis intimes et couple très harmonieux à leur façon qui ont consacré plusieurs heures en séances de créativité, en ma compagnie et qui ont émis des critiques très constructives. Caroly Jones a toujours été une très gaie et très efficace secrétaire, souvent dans des délais très courts.

A Tyndale House, j'ai la plus grande gratitude pour Vic Oliver, qui m'a aidé de ses encouragements et de ses conseils dans la rédaction du manuscrit ; pour son équipe dont l'expérience en matière de publication a transformé quelques unes de mes pensées les plus brutalement dites en opinions nuancées.

Mais surtout : Kathy Benson, toi, petite épouse douce et charmante, je te remercie publiquement, que le monde entier le voie ! Car ton amour, ta confiance et tes encouragements étaient tout aussi solides quand les mots jaillissaient que lorsque la source tarissait. Viens, mon amour. Le livre est terminé. Il porte mon message. Fêtons cela.

Dan Benson, Colorado Springs

Première
Partie
L'HOMME
LIBERE

1 Libre d'être un homme

Homme :
Un animal
si absorbé
par la contem-
plation
enthousiaste de
ce qu'il pense
être qu'il né-
glige
ce qu'il devrait
incontesta-
blement être.
AMBROSE
BIERCE

L'agence de publicité qui conçut l'homme « Marlboro » devait avoir de grandes facultés de perception.

Il est debout là, grand et mince, farouche et libre. Le soleil se reflète sur son visage buriné et hâlé. Derrière lui, un troupeau de mustangs au galop symbolise sa force, son audace et sa masculinité.

Ceux qui l'ont créé savaient qu'il représenterait le rêve américain de l'homme, notre symbole subconscient de l'indépendance songeuse et farouche qu'on appelle *virilité*. Que nous nous adonnions à sa marchandise tubulaire ou non, son genre de vie résume ce à quoi nous aspirons : la Liberté et le Succès. La capacité de faire face à toute situation imprévue. Un caractère fort mais réservé qui exprime rien moins que l'état d'homme total.

Hommes, asseyez-vous. Regardez.

Le rêve américain de l'homme nous tue. On nous enseigne depuis des an-

13

nées que l'homme doit être l'inébranlable incarnation de la force. L'émotion et la gentillesse, c'était bon pour les filles. A l'école, jouer au foot-ball était viril, pleurer ne l'était pas. A la maison, si on fendait du bois ou si on réparait la voiture, on était un homme, si on aidait à faire la vaisselle ou au ménage, on ne l'était pas. Au bureau, c'est être un homme que de faire preuve d'une froide perspicacité au nom d'une marge bénéficiaire ; c'est ne pas l'être que d'éprouver de la sensibilité et de se soucier des difficultés d'un camarade de travail.

Bref, nous avons admis ce que les Espagnols appellent *machismo*, idée selon laquelle notre masculinité serait fonction de la qualité de notre ténacité, forte et silencieuse. De nos jours, le mot a été ramené à *macho*.

Selon Jack O. Balswick ; professeur de sociologie à l'Université de Georgie « En apprenant à être un homme, un garçon en Amérique en arrive à accorder de la valeur aux preuves de masculinité données surtout par le courage physique, la dureté, la compétitivité et le désir du progrès. La féminité, au contraire s'exprime surtout par la gentillesse et la sensibilité. Les parents inculquent à leurs fils qu'un homme digne de ce nom ne montre pas ses émotions ».

Résultat ?

Quand vous en aurez l'occasion, observez les gens âgés. Dans la plus grande majorité des couples mariés de gens du troisième âge, vous remarquerez l'une des choses suivantes : (1) le mari a disparu et sa femme lui a survécu plusieurs années ; (2) ou bien si les deux sont encore vivants mais que l'un est infirme, c'est souvent le mari. Celui qui fut la force personnifiée est maintenant dorloté, promené en petite voiture et nourri à la cuiller par sa femme encore en bonne santé.

Il est la victime d'un code social que personne n'exprime mais qui interdit à un homme de pleurer, de chercher de l'aide, d'exprimer la tendresse ou de donner libre cours à ses émotions étouffées de quelque autre façon, car de telles choses ne sont pas viriles. Si bien qu'au fil des années, la culpabilité, les craintes et les frustrations épuisent son corps et son esprit. Il cherche à fuir par la maladie plus souvent psychosomatique qu'organique. Et finalement, la vie physique et émotionnelle de l'homme est vidée de toute substance aux dépens de sa femme, de sa famille, de ses relations sociales et de son travail — toutes choses sur lesquelles il a construit sa vie. Est-ce surprenant, quand nous jetons un coup d'œil à ce qu'est supposé être le style de vie américain, dont le rythme démentiel dépasse celui de presque tous les autres pays ?

Le magazine *Time* a récemment rapporté que « les Américains ont l'un des taux de maladies de cœur les plus élevés du monde : 378 sur 100 000 meurent d'infarctus chaque année ». L'article cite une étude de chercheurs de Berkeley, à l'Université de Californie, qui concluent que « la tension, est la cause principale des maladies coronaires ».

L'équipe a étudié la façon de vivre de 4 000 Japonais (qui ont l'un des taux *les plus bas* de maladies de cœur), fouillant « leurs régimes, leurs taux de cholestérol, leurs habitudes de fumeurs et d'autres facteurs habituellement associés aux maladies de cœur. Quand les différentes indications furent enfin analysées, on s'aperçut que les Japonais qui restent très attachés à leurs traditions, qui atténuent la tension en insistant sur l'acceptation de l'individu tant chez lui qu'à son travail, se portent bien... Mais ceux qui adoptent l'agressivité, la compétitivité et l'impatience comme la plupart des Américains succombent à la surtension... Ceux qui plongeaient le plus profondément dans les contraintes du style de vie américain avaient cinq fois plus de chance d'avoir des infarctus que ceux qui avaient gardé les coutumes japonaises ».

Hommes, nous souffrons d'une épidémie très étendue de pseudo-masculinité.

Macho.

Elle a placé notre vie entière sur des bases de résultats, le succès ou l'échec de notre condition d'homme étant déterminé plus par *ce que nous faisons* que par ce que nous sommes. Cela porte atteinte à notre santé physique, mentale, émotionnelle et spirituelle. Et, en imposant ces heures dures et longues, ces qualités de silence et de force, elle a créé d'énormes gouffres entre nous et nos familles dans les domaines de l'amour et de la communication.

Etes-vous témoins de cela ? En nous efforçant d'être l'homme « Marlboro », nous sommes bien plus prisonniers que libres.

Voilà pourquoi nous avons un besoin urgent de libération.

La libération. Ce mot effraie bien des gens. Et s'il est une chose que le mouvement féministe m'a enseignée, c'est qu'il faut clairement définir votre vocabulaire. Pour les uns, le Mouvement de Libération de la Femme est une liberté totale et sans retenue qui vous débarasse des responsabilités ménagères. Pour d'autres, c'est l'égalité dans le travail et dans la position. D'autres encore y voient l'égalité des personnes avec une différentiation des positions. D'autres enfin, peuvent ramener ce mouvement à la liberté de porter ou de ne pas porter de soutien-gorge. La libération en soi entraîne la controverse, surtout si elle n'a pas été définie avant toute discussion.

Donc, lorsque je parle de la « libération des hommes », je ne veux pas que mes lecteurs fassent d'erreurs quant à ma définition.

« La libération des hommes » c'est *se débarrasser* résolument et sans se décontenancer, des faux modèles de masculinité imposés par la société *pour* se tourner vers l'état d'homme plus détendu et plus assuré. Ceci repose sur le simple fait qu'il n'est pas nécessaire de *prouver* que vous êtes un homme — vous *êtes* un homme. Ce qui vous libère et vous permet :

— de faire preuve d'amour, de douceur et de gentillesse.

— de ralentir votre rythme et de vous détendre.

— de considérer votre femme et votre famille comme plus importants que votre métier.

— d'éprouver de l'émotion — même de pleurer — si vous en avez besoin.

— de prendre le temps d'être en bonne santé.

— d'apporter un plus grand épanouissement à votre femme tant sur le plan émotionnel que sexuel.

— d'accorder plus d'intérêt aux choses les plus importantes de la vie.

— *d'apprécier* la vie au maximum.

— de dire « non » aux activités qui vous privent de votre temps et de votre énergie.

— de profiter de votre argent avec sagesse, sans que ce soit lui qui vous possède.

— d'être à la recherche d'une autre qualité de succès.

...et de ne pas vous sentir menacé le moins du monde en tant qu'homme. Parce qu'au fond de votre cœur, vous serez entrain de découvrir une nouvelle dimension de la virilité qui vous apportera plus que mille histoires de grands succès américains. Vous découvrirez la liberté d'être l'homme, le mari et le père que vous avez toujours voulu être.

Vous découvrirez l'homme total.

2 Votre tour de la réussite

Il faut réussir,
à tout prix,
même si cela
implique
que vous soyez
un millionnaire
mort à
cinquante ans.
LOUIS
KRONENBERGER

Qu'est-il arrivé

— quand H. G. Wells, après avoir acquis la renommée mondiale comme écrivain et comme historien écrit : « Je ne connais pas la paix. Toute vie est à bout de forces » ?

— quand Samuel T., maintenant vice-président de son entreprise et qui doit recevoir une autre augmentation en Mai prochain, se rend compte tout à coup que ses enfants ne le respectent pas ?

— quand Howard Hughes, après être devenu l'un des magnats les plus riches du monde s'enterre dans un isolement complet pendant des années et meurt finalement de malnutrition ?

— quand un sénateur américain célèbre, après une ascension vertigineuse au sommet est conduit au divorce par sa femme qui déclare « notre mariage est mort, tout simplement » ?

— quand Michael W., après avoir passé soixante-dix heures par semaine à faire tourner une affaire « de rêve », est soudain terrassé par une crise cardiaque et immobilisé sur un lit d'hôpital ?

— quand Ralph Barton, autrefois l'un des dessinateurs humoristiques les plus en vue du pays, laisse ce message en se suicidant : « J'ai rencontré peu de difficultés, beaucoup d'amis et de grands succès, je me suis promené d'épouse en épouse et de maison en maison, j'ai visité les grands pays du monde, mais je suis las d'inventer des astuces pour remplir les vingt-quatre heures du jour » ?

— quand Ernest Hemingway, le plus grand auteur de son époque et encore l'un des auteurs qui ont connu le plus de succès de l'histoire, est hanté par la paranoia jusqu'à se faire sauter la cervelle avec un fusil de chasse ?

Qu'est-il arrivé ?

Tous ces hommes étaient au sommet des professions qu'ils avaient choisies ou presque. Des hommes que ne lâchaient pas leurs buts. Ils n'avaient pas d'ennuis d'argent, de réputation ou de puissance. Tous avaient trouvé ce que nous en sommes arrivés à appeler « le succès ».

Alors, pourquoi ce désespoir ?

Un coup d'œil à ces hommes, puis un autre coup d'œil à la multitude qui nous entoure et qui fait les mêmes efforts vous rappelle un autre concept dont il est urgent que nous nous libérions : l'idée que se font les Américains du succès. Elle est à l'origine de plus de déceptions, de difficultés conjugales, de distance entre générations et d'ulcers que n'en aurait pu rêver le plus prolifique auteur de feuilleton.

Attention, je ne dis pas du tout que le succès est mauvais. C'est comme de dire que le sexe et l'argent sont mauvais, et en ce qui me concerne, j'ai besoin des trois. Notre coupable, c'est *le concept* mal compris du succès. Il nous a entassé dans un moule qui non seulement déforme le potentiel de chacun d'entre nous, mais qui nous disperse tandis que nous le pourchassons.

Le vrai succès devrait être une valeur dans la vie qui signifie que *nous vivons et progressons au maximum de nos possibilités en tant que personnes.* Il devrait nous

20

amener à conjuguer nos capacités mentales, physiques, spirituelles et sociales pour atteindre l'épanouissement, à « être tout ce que nous pouvons être ».

Mais nous Américains, sommes un peuple impatient, qui ne voit que le résultat. Nous ne pouvons voir ou mesurer une valeur, encore moins la suspendre parmi les trophées. Donc, comme chacun des hommes cités plus haut, qui ont échoué mais ont connu le succès, nous avons associé cette valeur à quelque chose de tangible : un compte en banque, une voiture, une maison, une position, un but statistique (même si certains sont de grande valeur). Et en obtenant ce qui est concret, nous espérons éprouver assez d'euphorie pour pouvoir appeler cela réussir.

Dans *The American Idea of Succes,* R. Huber confirme cette observation :

« En Amérique, réussir, c'était gagner de l'argent et le transformer en position sociale ou en célébrité... La réussite ne se gagnait pas en étant un ami loyal ou un bon mari. C'était la récompense pour des résultats dans le travail... Réussir, ce n'était pas seulement *être* riche ou célèbre. Cela signifiait *acquérir* des objets de valeur ou *atteindre* la notoriété ».

Le résultat est une conviction déformée, qui ne tient compte que du résultat et qui prétend que notre état d'homme dépend de ce que nous réussissons à gagner.

L'autre jour, j'ai surpris une conversation. Une femme disait à une autre qu'il était pénible pour Joe, en tant qu'homme, de ne pas avoir l'avancement pour lequel il se donnait tant de mal. Je me demande en quoi la promotion de Joe est liée au fait qu'il soit un homme.

En rien, absolument !

Pourquoi pensons-nous de travers ? Au départ, une confusion entre nos *besoins* et nos *désirs*. Pour illustrer ce concept important, construisons « une tour » de parpaings qui représentera l'homme qui a réussi.

A la base doivent se trouver nos *besoins pour l'épanouissement,* ces aspects de la vie essentiels et obligatoires qui compteront pour notre épanouissement personnel. L'assise de la tour de la réussite de l'homme total comportera quatre parpaings représentant les quatre dimensions fondamentales de notre personnalité : physique, mentale, sociale et spirituelle. Ce n'est qu'en satisfaisant ces besoins pour l'épanouissement qu'on peut trouver cette paix intérieure que les psychologues appellent : actualisation du moi, en s'apercevant qu'on devient une personne vivant au maximum.

Mais comment se fait-il que tant de gens ne satisfassent pas ces besoins ? Parce qu'ils n'ont pas bien distingué ce qu'ils sont. Parce que cette assise est de première importance pour un mode de vie satisfaisant, nous allons y revenir et l'examiner de plus près dans un moment.

Au-dessus de cette assise, nous placerons nos *Besoins pour Subsister,* la nourriture, les vêtements, le métier, l'argent, les loisirs etc. Tout cela est vital pour notre existence, et en quantité convenable, ils contribuent à la satisfaction de nos Besoins pour l'Epanouissement.

Puis, moins important des trois groupes mais pourtant digne d'envie, il y a nos *Souhaits et Désirs,* une maison plus agréable, de plus hauts revenus, une chaîne stéréo, une voiture de sport... Appelons-les, les épices de la vie, pas entièrement nécessaires, mais capables de rehausser notre épanouissement et notre survie.

La tour bien construite sera ainsi :

VOTRE TOUR DE REUSSITE

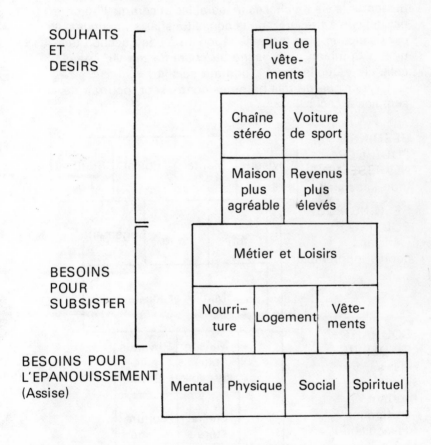

SOUHAITS
ET
DESIRS

Plus de vêtements

Chaîne stéréo | Voiture de sport

Maison plus agréable | Revenus plus élevés

Métier et Loisirs

Nourriture | Logement | Vêtements

BESOINS
POUR
SUBSISTER

BESOINS POUR
L'EPANOUISSEMENT
(Assise)

Mental | Physique | Social | Spirituel

L'HOMME TOTAL

Peut-être commencez-vous à voir maintenant ce qui est arrivé aux hommes cités au début de ce chapitre. Chacun avait à sa façon, laissé ses *Souhaits et Désirs* prendre le pas sur ses Besoins pour L'Epanouissement. C'est une erreur courante. Bien trop courante. Nous aimons nous représenter la vie en choses mesurables, et comme l'homme est difficile à mesurer, nous consultons les statistiques. Il est beaucoup plus facile de répondre à une question telle que : « Combien ai-je gagné au cours de ma vie ? » qu'à celle-ci : « Quelle sorte d'homme suis-je ? »

La tour que de tels hommes contruisent, pourrait ressembler à ceci :

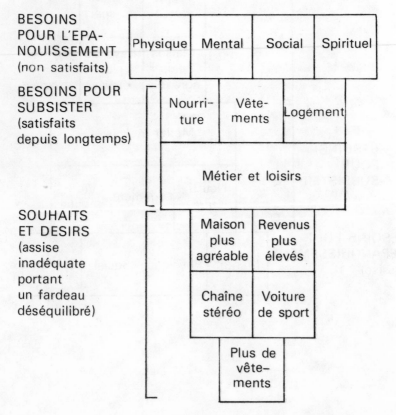

BESOINS POUR L'EPA-NOUISSEMENT (non satisfaits)

Physique | Mental | Social | Spirituel

BESOINS POUR SUBSISTER (satisfaits depuis longtemps)

Nourriture | Vêtements | Logement

Métier et loisirs

SOUHAITS ET DESIRS (assise inadéquate portant un fardeau déséquilibré)

Maison plus agréable | Revenus plus élevés

Chaîne stéréo | Voiture de sport

Plus de vêtements

VOTRE TOUR DE REUSSITE

Mais une fois que ces hommes avaient satisfait leurs *Souhaits et Désirs* (ils avaient depuis longtemps résolu les Besoins pour Subsister) cette question commençait à les hanter « Quelle sorte d'homme suis-je ? ». Ils ne pouvaient plus se fier aux statistiques. Ils s'aperçurent soudain qu'ils étaient des individus non-satisfaits. Pendant tout ce temps, la vie avait recelé quelque chose de plus profond et ils y avaient été aveugles.

Ils avaient parcouru la vie sens-dessus-dessous, poursuivant les choses *les moins* importantes jusqu'à presque ignorer les choses *les plus* importantes. Leur assise, renversée et faite d'un mauvais matériau ne pouvait pas supporter le fardeau de tous les autres aspects de la vie. Elle ne pouvait que crouler.

Et maintenant, abordons les choses personnelles. Si nous devions construire une tour représentant *votre* vie, comment serait-elle aujourd'hui ?

Vous êtes probablement arrivés à la conclusion que le secret pour une vie de réussite de bonne qualité repose sur *l'assise quelle que soit* la rubrique que vous y ayiez placée, elle est votre repère de réussite.

Votre assise personnelle est-elle assez solide ? Voici un petit questionnaire qui vous aidera à déterminer les critères de réussites que vous avez suivis :

1. Demandez-vous : « Si j'étais soudain dépouillé de tout argent (et de la capacité d'en gagner), de toute position (et de la capacité d'en acquérir une) et de tout but statistique pour lequel j'ai lutté, que resterait-il de moi pour faire un homme qui réussit » ?

2. Etudiez cette liste des domaines de la vie d'un homme : tous les buts, les événemerts et les choses qui contribuent à faire un jour normal. Il est possible que vous en trouviez d'autres ; si c'est le cas, ajoutez-les.

- maison
- argent
- voiture(s)
- amitiés
- métier

L'HOMME TOTAL

- loisirs
- relations avec ma femme
- relations avec les enfants
- situation plus élevée, meilleur salaire
- santé physique
- nourriture
- développement mental
- lecture
- golf — tennis — autres sports
- épanouissement spirituel
- camping
- chaîne stéréo
- meubles
- atteindre un but
- éducation
- programmes de télévision
- vêtements

Maintenant, soyez honnêtes, personne ne regarde que vous. Faites un signe devant les rubriques qui ont le plus retenu votre attention au cours des deux ou trois derniers mois.

Bien sûr, il y aura des exceptions mais il semble raisonnable de supposer que les rubriques que vous avez marquées sont vos critères de réussite, ou votre assise. Du moins, vous vous en êtes préoccupé comme si elles l'étaient.

3. Maintenant répondez à cette question révélatrice : « Est-ce que les rubriques que j'ai marquées indiquent que je veux réussir en tant que personne, ou est-ce que je veux réussir simplement en possédant et en faisant des choses ? »

C'est à dessein que j'ai tardé à développer ce qui contribue à l'élaboration d'une assise solide, de façon à ce que vous puissiez évaluer la votre. Si ça ne s'est pas trop bien passé, ne vous inquiétez pas. L'important, c'est d'avoir un esprit ouvert et un cœur acceuillant, le désir d'une qualité de succès plus vraie, plus estimable.

Si c'est votre cas, continuez votre lecture. Vous êtes sur la voie d'une perspective de vie nouvelle et rafraîchissante.

3 Une assise solide

Certains hommes réussissent grâce à ce qu'ils savent, certains grâce à ce qu'ils font et quelques-uns grâce à ce qu'ils sont.
ELBERT HUBBARD

Il est certain que la définition populaire du succès laisse bon nombre d'entre nous insatisfaits.

Certains d'entre nous sont tendus et malheureux parce que nous sommes incapables d'atteindre nos propres modèles. L'inflation, le chômage, une promotion manquée, une urgence, ou même la malchance empêchent beaucoup d'entre nous d'atteindre cette belle vie dont nous avons envie.

D'autres parmi nous surmontent ces difficultés et atteignent vraiment leurs buts. Pendant un certain temps, il y a un sentiment de bonheur. Il est possible que la vie devienne un peu plus facile avec l'argent supplémentaire, les vêtements de meilleure qualité et une maison plus agréable dus au succès. Mais après ?

Comme l'a écrit John Peterson dans le *National Observer,* « la maison en banlieue, les voitures, les télévisions, les enfants, les week-ends près du barbecue ou derrière la tondeuse » (sont appréciés de plus de la moitié des Américains aujourd'hui, mais) *des études indiquent que les deux tiers d'entre eux aimeraient changer de vie de façon radicale.*

« La belle vie, à ce qu'il semble, non seulement ce n'est pas assez, mais par moments elle est même fade » (ce commentaire est de moi).

En demandant la libération des hommes, je suis convaincu qu'il est grand temps de débarrasser le succès de ses pièges artificiels. De toute évidence, notre définition habituelle n'apporte pas le bonheur. Si quelque chose ne marche pas, il faut nous en défaire et trouver quelque chose qui *marche.*

Il est temps de tirer le succès du royaume de ce que nous *gagnons, possédons* ou *faisons.* Tout ça est très bien, mais ce n'est pas assez. Il est temps de placer la réussite dans un domaine qui aurait plus de sens : quelle sorte d'hommes nous « sommes ».

Nous sommes. Ceci ne veut pas dire entasser l'argent ou les objets, ni même faire des exploits. Il *n'est pas nécessaire de grimper* les échelons corporatifs ou d'occuper de hautes fonctions dans des conseils. Les comptes en banque, actions en bourse, Cadillacs ou rubriques dans le *Botin mondain* sont inutiles.

Tout ce qu'il faut, c'est vous, vous qui développez la personnalité que Dieu vous a donnée pour devenir un homme complet !

Et c'est là que vos *Besoins pour l'Epanouissement* interviennent.

L'assise solide, votre garantie assurée d'une condition d'homme accomplie, est une base de quatre blocs qui s'intéresse en priorité à la façon *d'être,* plutôt qu'à avoir ou à faire. Chaque bloc *(un besoin pour l'épanouissement)* dépend des autres pour un maximum de résistance, impliquant une action équilibrée sur chacun des quatre. Nous retrouvons cette assise en quatre parties chez Jésus-Christ, homme en développement.

UNE ASSISE SOLIDE

« Et Jésus continuait à croître en sagesse et en stature, et Dieu et les hommes l'aimaient davantage » (Luc 2-52)

```
┌──────────────┐
│   LA         │
│   SAGESSE    │
│              │
└──────────────┘
```

La sagesse. Une étude de la vie du Christ indique que ce n'était pas un empoté et qu'il était bien informé des événements, de la politique et de la nature. Il comprenait les Ecritures plus profondément que les hommes les plus « religieux » de son époque. Mais c'était une capacité hors du commun qui lui permettait de conjuguer ces connaissances afin d'avoir un genre de vie qui le rendait vraiment sage. Le Christ était un homme de pensée, qui mettait en pratique ce que d'autres savaient seulement en théorie.

```
┌──────────────┬──────────────┐
│   LA         │   LA         │
│   SAGESSE    │   STATURE    │
│              │              │
└──────────────┴──────────────┘
```

La stature. Pouvez-vous imaginer ce que trente ans de travail dans un atelier de charpentier feraient aux muscles du dos et des épaules. On ne nous dit pas grand chose de l'apparence du Christ, mais les preuves indirectes suffisent à me convaincre que je n'aimerais pas le rencontrer dans un match de foot-ball.

— Il pouvait traverser des kilomètres de désert, d'une ville à l'autre et avoir suffisamment d'énergie pour répondre aux besoins des gens.

— A deux reprises, il se saisit d'un fouet et, tout seul, il chassa la foule de colporteurs du temple.

— Sa voix était suffisamment forte pour que 5 000 personnes l'entendent à la fois, en plein air.

— Il avait un charme physique qui poussait les gens à abandonner ce qu'ils faisaient et à le rejoindre quand il disait : « Suivez-moi. »

L'HOMME TOTAL

— Il prenait soin de son corps. A plusieurs reprises, nous le voyons « s'éloigner » pour se reposer et se raffraîchir par la prière et le sommeil. Il savait à quel moment le repos était plus important que le travail.

LA SAGESSE	LA STATURE	L'AMOUR DE DIEU

L'amour de Dieu. Le fait que le Christ était le fils de Dieu ne lui donnait pas droit à un traitement de faveur. La mission du Christ sur la terre était double : 1) mourir comme dernier sacrifice nécessaire pour notre péché, rendant possible notre relation intime avec Dieu et 2) être l'exemple parfait de l'homme total sans l'aide de ses divines facultés. En d'autres termes, il mit temporairement de côté ses pouvoirs pour nous montrer ce que peut être un homme total.

Mais en tant qu'homme, homme total, il savait qu'un être humain n'est pas seulement une créature qui existe physiquement et mentalement, mais aussi un être doué d'existence *spirituelle.*

C'est pourquoi le Christ passa beaucoup de temps en conversations privées avec Dieu, considérant Dieu comme un partenaire dans toutes ses actions. Puis, comme aujourd'hui, toutes sortes d'« expériences spirituelles » factices demandèrent son attention. Mais le Christ avait posé les yeux sur le seul vrai Dieu pour satisfaire ses aspirations spirituelles.

LA SAGESSE	LA STATURE	L'AMOUR DE DIEU	L'AMOUR DES HOMMES

L'amour des hommes. Le Christ était un être *social* qui s'entendait bien avec les gens parce qu'il les aimait. Mais être vainqueur d'un concours de popularité ne l'intéressait pas (il remua l'ordre établi plus d'une fois). Ou bien on l'aimait, ou bien on le détestait. Il était haï parce que son intégrité ne se laissait pas acheter par les dirigeants juifs. Il était aimé, car bien que chef et sage, il gardait l'humilité d'un *serviteur*. Répondre aux besoins des autres était sa grande joie.

Le Christ passait la plus grande partie de son temps, cependant, avec un groupe d'intimes connu comme ses disciples ; il les aimait et leur enseignait les choses essentielles dont ils auraient besoin pour comprendre la vie. Nous pourrions les comparer à *la cellule familiale* d'aujourd'hui. Et voilà où son exemple pourrait ébranler quelques-uns d'entre nous : bien que certain de sa virilité et fort de sa position de chef, le Christ fut au mieux dans son rôle de serviteur *parmi ceux avec qui il vivait.*

Pourquoi ces quatre blocs font-ils la définition du succès de l'homme libéré ? *Parce qu'ils vont au-delà de la définition insuffisante et superficielle de la société.* D'après les normes du monde, Jésus-Christ était un raté complet. Il ne possédait pas grand chose, avait tout juste assez d'argent pour subsister, et s'habillait simplement. Son moyen de transport le plus compliqué était un âne. De ses meilleurs amis, un l'a trahi et l'autre a nié le connaître.

Et puis, il est mort à trente trois ans, condamné, battu, dépouillé et crucifié devant une populace haineuse de contemporains.

Un lamentable raté, c'est ce que pensait le monde. Trois jours plus tard, lors de sa résurrection, son but devint clair. Il est aujourd'hui le vivant exemple d'un être humain entièrement épanoui. Il donne aux hommes une preuve vivante que la vie riche et éternelle leur appartient. Il suffit de la demander.

Quelle assise ! La définition de la réussite du Christ ne permettrait pas à la société d'imposer ses règles. Il était son propre maître, tout à fait en paix avec lui-même parce que sa vie était parfaitement équilibrée, mentalement, physiquement, spirituellement et socialement.

Ce n'est que sur une telle assise que nous pouvons

L'HOMME TOTAL

faire porter nos besoins d'épanouissement personnel et de vie totale. Lorsque nos besoins essentiels seront satisfaits, nous accorderons à nos *« Besoins pour Subsister »* et nos *« Souhaits et Désirs »* l'importance qui leur est due. Mais notre but essentiel dans la vie, notre repère de réussite doit être une vie personnelle équilibrée.

Messieurs, le système de réussite du monde ne marche pas. N'est-ce pas le moment de le démolir et de le remplacer par un système qui *marche ?*

Combien d'entre nous sont si absorbés par leur métier et leurs causes qu'ils n'ont pas appris à *vivre ?* Avons nous *vraiment* des relations profondes avec nos femmes et nos enfants, ou avons nous permis au travail de l'emporter sur notre vie familiale ? La tension et le désir d'arriver nous ont-ils donné de l'énergie et la grande forme ou bien nous ont-ils transformés en masses de gelée tremblotante ? Depuis combien de temps n'avons nous pas lu un bon livre qui nous secoue l'esprit (et *appliqué* à notre existence) ? Dieu est-il seulement une force cosmique dans les cieux ou bien fait-il partie de notre vie quotidienne ?

Nous avons poursuivi les sirènes alors que la clé d'une réussite maximum est devant nous. Je le sais, car j'écoutais moi-même le chant des sirènes il y a longtemps, et je suis encore tenté, de temps en temps, de me lancer à la poursuite des biens matériels. Mais je pense témoigner de tout mon cœur que la formule de Dieu pour réussir marche. Elle a élargi ma vision de la vie, mon amour pour Kathy, mon opinion de moi-même, mon amour pour les autres sans pour autant porter atteinte à la satisfaction de mes souhaits et désirs.

Voilà la raison d'être de *L'Homme Total.* Je veux que vous éprouviez la joie de savoir que vous réalisez progressivement tout ce qui est en vous, que vous soyez capables, à n'importe quel instant de votre vie, de dire sans restriction : « J'ai réussi ». Je veux que vous retrouviez le sens de l'amour, de la communication et de la vie en commun avec votre femme et vos enfants, celui du foyer heureux qui en résultera. Je veux que vous vous libériez de ce concept faux imposé par la société, qu'être un homme, c'est avoir des résultats, que vous vous sentiez *libre d'affirmer que vous êtes un homme grâce à votre caractère.*

La réussite, c'est ce que vous « êtes ».

Vous me suivez ? Alors, allons-y ! Etudions quelques moyens pratiques et indispensables de renforcer cette assise.

4 Trois moyens de se libérer de la pendule

*La moitié
de notre vie
se passe
à essayer
de trouver
quoi faire
du temps que
nous avons ga-
gné
après avoir
foncé
toute notre vie.*
WILL ROGERS

Une idée dont il nous faut nous débarrasser tout de suite, c'est que la hâte conduit à la grandeur.

Il y a un siècle, si un voyageur qui voulait aller dans l'Ouest ratait la diligence de Wells Fargo, ça n'avait pas d'importance. Après tout, une autre diligence passerait la semaine d'après. Mais aujourd'hui c'est une autre histoire, nous paniquons si nous manquons le premier quart d'une porte tambour.

Nous vivons dans une culture dont le rythme s'intensifie en fonction de la technologie et des profits à réaliser. Ça va très vite. Ça ne suffit plus de travailler dur. « Rattraper le temps perdu » veut dire travailler plus dur et plus longtemps, essayer d'arracher le moindre dollar ou le moindre résultat aux minutes qui nous sont attribuées.

En même temps, nous nous sommes attribué d'étonnantes vertus. Celle de l'attaché-case plein à ras bord qu'on rapporte chez soi le soir. Celle d'aller d'un bout à l'autre du pays par avion pour affaires. Celle d'être à des conseils. Celle d'un bureau en désordre. Celle du petit-bisou-sur-la-joue à l'épouse. Celle des soirées tardives et des nuits au bureau. Celle de dire, en toute honnêteté : « Je n'ai pas le temps ».

Le fait de se presser est devenu un grand avantage et distingue l'homme, le vrai. Cela signifie que nos vies sont pleines de choses importantes et urgentes. Nous travaillons sur quelque chose de « grand ». Nous sommes *responsables*. Si nous ne nous pressons pas, nous ne pouvons qu'être paresseux.

On dirait que l'Amérique était fauchée quand Dieu a distribué les heures du jour. Voyagez hors de notre pays et vous serez surpris, et probablement déçus, du mépris apparent des autres nations pour la pendule. La ponctualité et la hâte ne sont pas si importants que ça pour eux. Certains pays d'Asie, par exemple, appliquent ce qu'ils appellent « l'heure extensible », un instant de repos ou une pause dans le travail qui peut aller au-delà de la limite de temps donnée, si la personne en ressent le besoin. C'est un moment de souplesse et de mise au point de l'esprit pour toute la journée. Cela nous déçoit mais cela les rend forts et sains. Nous considérons souvent comme inutile ce qui en réalité pourrait être sage.

Trop de travail n'est qu'une manifestation de plus du *macho*. Clarence Randall, ancien président de « Inland Steel », en parle comme du « mythe du cadre surchargé de travail ». Randall nous dit : « Ce genre de personne est surchargée de travail parce qu'elle le veut bien. Et souvent, plus elle travaille dur et longtemps, moins elle est efficace... Ayez-en pitié, mais voyez en elle quelqu'un de dangereux ».

Comparez l'homme éreinté d'aujourd'hui avec la vie de Jésus-Christ, et vous découvrirez des différences saisissantes. Le Christ a accompli sa tâche totale en trois ans de ministère public exactement. Il donnait satisfaction aux besoins du peuple, faisait face à l'hypocrisie des chefs religieux, répandait un évangile de vérité spirituelle que devait changer la vie de millions de gens, il préparait un groupe de onze hommes les plus inattendus à continuer son œuvre après son départ. Et bien qu'il sût qu'il n'avait que trois ans, le Christ ne s'inquiéta jamais d'un éventuel manque de temps.

Son allure était régulière et progressive, mais jamais précipitée. Il se retirait souvent seul ou avec sa « famille » de disciples pour se reposer ou se détendre. Cependant, à la fin de ces trois ans, il pouvait lever les yeux vers son Père, dans les cieux, en toute confiance et dire : « Je vous ai glorifié sur terre, ayant accompli la tâche que vous m'aviez donnée. »

Donc, à quoi ressemble *notre* hâte ?

Le Christ était une preuve vivante que *Dieu nous a donné tout le temps dont nous avons besoin pour faire ce qu'il nous a demandé de faire.* S'il vous a donné le sens des affaires, il vous a aussi fourni assez de temps pour être le meilleur homme d'affaires possible, sans ce rythme frénétique. Si vous êtes mari et père, vous avez bien assez de temps pour faire votre travail au bureau et être encore un mari et un père réussis.

« Rattraper le temps perdu » ne veut pas dire travailler plus et plus longtemps, c'est simplement diluer la qualité dans la quantité. « Rattraper le temps perdu », c'est l'investir avec sagesse pour qu'il *vous* serve au mieux. Vous pouvez faire en sorte que le temps vous libère ou le laisser vous malmener à mort.

N'êtes-vous pas prêt :
— a être libéré de la pendule, de l'allure effrénée qui peut vous éreinter (si ce n'est déjà fait) ?
— à établir votre propre emploi du temps et à le suivre, plutôt que celui qu'un autre a établi.
— à disposer de plus de temps avec votre femme et vos enfants ?
— à désencombrer votre vie de la multitude de tâches et de responsabilités qui s'amoncellent ?
— à faire les choses importantes sans se laisser distraire par des vétilles ?

Vous pouvez commencer à l'instant même. Je vais vous donner trois « clés » qui vous seront d'un grand prix toute votre vie. Si vous vouliez leur accorder quelques instants maintenant et les étudier, puis les mettre en pratique, vous serez surpris de la vitesse à laquelle vous y verrez plus clair dans votre emploi du temps.

CLE NUMERO UN :
Reconnaître
les activités
qui vous monopolisent

Asseyez-vous et faites une liste des rubriques qui vous ont pris trop de temps ces dernières semaines. Parmi les « croqueuses » de temps les plus courantes, il y a :

L'organisation. Ce n'est pas la Mafia, bien que parfois ; elle s'empare de votre temps et de votre énergie comme un voleur. Telle est la compagnie ou la cause pour laquelle vous travaillez.

Combien de temps faut-il vraiment en plus des huit ou neuf heures quotidiennes ? Bien sûr, un travail urgent exceptionnel peut vous retarder, mais certaines entreprises semblent spécialisées dans ce genre de travaux. Si votre travail vous a volé vos soirées et vos week-ends ces derniers temps, il est temps de vous arrêter. Quelle que soit « l'urgence » ou « l'importance » du travail, un tel horaire empoisonne la santé et une vie équilibrée.

La hâte. C'est drôle, mais il semble qu'à chaque fois que je me dépêche, je perds du temps.

Je sortais du collège et roulais en direction d'une ville, à soixante kilomètres, pour passer ma première entrevue de travail. Bientôt, je m'aperçus que j'avais sous-estimé le temps qu'il me faudrait. Il y avait beaucoup de circulation, et les voitures devant moi allaient si lentement que je commençai à m'énerver.

SE LIBERER DE LA PENDULE

A la sortie d'une ville, je vis une ouverture et fonçai, dépassant les autres voitures. En l'espace de quelques minutes, je vis une lumière clignotante rouge derrière moi.

«Vous avez coupé une double ligne jaune là-bas», dit le gendarme, «et vous dépassiez la vitesse limite de quinze kilomètres à ce moment-là».

Saviez-vous qu'il fallait *quinze minutes* pour rédiger une contravention ?

J'appelai mon éventuel employeur et lui dis que je serais un peu en retard. «Il y a beaucoup de circulation aujourd'hui» lui dis-je. Je n'allais certainement pas lui donner la *vraie* raison. Foncer de cette façon était tout bonnement stupide. De la stupidité à vingt-cinq dollars.

J'ai reçu cette leçon à de nombreuses reprises. Au travail, mon rendement est meilleur quand je travaille lentement et régulièrement. Quand je travaille sur la voiture, les écrous ne veulent jamais se dévisser si je suis très pressé. Question à se poser : «Comment se fait-il que je n'aie jamais le temps de faire les choses bien, mais que j'aie toujours le temps de les recommencer ?».

L'incapacité de dire «Non», soit à l'organisation ou à la multitude de conseils, projets ou causes qui réclament votre attention.

Un de nos voisins, jeune marié, travaille comme représentant d'une entreprise mondiale de services. Au cours des trois premiers mois de mariage, il a été éloigné de sa femme pendant *deux mois.* Ce n'est pas qu'il souhaitait voyager autant. Ses supérieurs l'avaient convaincu que la cause pour laquelle il travaillait méritait des sacrifices.

C'est flatteur d'entendre des gens vous demander d'aider à l'élaboration de ce projet ou d'assister à ce conseil, mais beaucoup d'entre nous sont flattés à mort. Nous devenons les «décharges» où d'autres jettent les responsabilités qu'ils ne veulent pas assumer. Nous devons établir un ordre de priorités strict, qui nous aide à dire «oui» au meilleur et «non» au reste.

La télévision. Il n'y a rien de tel qu'un match de football ou une émission spéciale de John Denver pour me déten-

41

dre après une journée chargée, mais je suis le premier à reconnaître que je suis un drogué de la télévision en puissance. Je suis tout à fait capable de regarder le poste depuis le bulletin de six heures jusqu'aux informations de onze heures. Ça fait *cinq heures.*

En dépit de tous ses programmes risibles et de ses points faibles, la télévision vous ensorcelle et en peu de temps, elle vous engourdit l'esprit et provoque la paresse continue.

Reconnaissant ma faiblesse, je « dois » essayer d'organiser d'avance, des choses créatives que Kathy et moi pouvons faire ensemble, des projects que je veux commencer depuis longtemps, de bons livres à lire. Je ne veux pas être coupable de consacrer cinq heures de mon temps chaque jour à cette boîte cyclopéenne.

Mauvaise gestion personnelle. Voleter de façon anarchique d'un projet à l'autre ou passer trop de temps à des choses d'importance secondaire. Le signe le plus courant de mauvaise gestion du temps, c'est l'exclamation : « J'ai tout simplement trop de choses à faire ! ». Un homme d'intuition appelé La Bruyère écrivit autrefois : « Ceux qui font le plus mauvais usage de leur temps, sont les premiers à se plaindre de ce qu'il passe trop vite ». L'homme sage n'entreprendra pas autant, tout d'abord, et si par hasard il s'est mis à être sage, il continuera à s'occuper de chaque domaine d'une façon ordonnée et sans précipitation.

Les soucis et les rêvasseries. Combien de fois êtes-vous obligé de vous secouer d'un instant de rêvasseries ou de cafard trop long, pour vous apercevoir que le temps ne vous a pas attendu ?

Les rêvasseries peuvent être constructives ou inutiles. Celles qui sont constructives peuvent donner naissance à de nouvelles idées, pleines d'imagination : une nouvelle invention, un livre qu'il faut écrire, des soirées familiales enrichissantes, une chanson, ou même une nouvelle façon de vous voir. Les rêvasseries inutiles, au contraire, prennent une tournure négative et de fuite. Elles geignent :

« Je voudrais » tandis que les autres demandent : « Pourquoi pas ? » Avec ceci présent à l'esprit, la prochaine fois que vous rêvasserez, vous saurez si vous tuez le temps ou si vous le faites fructifier.

Les soucis ne sont *jamais* constructifs, et avec le mal qu'ils vous causent, vous allez vous demander pourquoi ils sont devenus l'un de nos passe-temps favoris. Les soucis sont en général le résultat d'une mauvaise gestion de nos priorités : le temps ou les finances. Ce serait mieux utiliser ce temps perdu à se faire du souci que de corriger cette mauvaise gestion, plutôt que de se morfondre sur les circonstances.

Les réunions. Celle-ci est-elle vraiment nécessaire ? Est-elle organisée pour une information de routine qu'un rapport ou un coup de téléphone pourrait traiter ? A la lumière de la préparation du conseil, s'agira-t-il d'une mise en commun d'ignorance ou d'un catalyseur d'idées.

Les piles de papiers. R. Alec MacKenzie, un conseiller en gestion du temps, fait remarquer qu'en matière de travail de bureau ou de papiers, nous avons tendance à dire : « Regardez tous ces papiers, ils montrent à quel point je suis indispensable. »

Dans une interview à *US News and World Report*, MacKenzie mentionne cette remarque de l'un de ses clients :

« Savez-vous pourquoi nous encombrons nos bureaux ? C'est à cause de tous ces papiers que nous considérons comme si importants que nous ne voulons pas les oublier. Nous les laissons au-dessus de façon à les voir. Bientôt nos bureaux sont envahis de toutes ces choses importantes que nous ne voulons pas oublier. Puis, à chaque fois que nos yeux s'égarent du travail que nous sommes entrain de faire, ils s'arrêtent sur ces objets que nous ne voulons pas oublier. Si bien que nous sommes interrompus et dérangés toute la journée par nos bureaux encombrés ! »

Débarrassez votre bureau de tous les papiers et travaux qui ne se rapportent pas à ce que vous êtes entrain de faire. Vous pourriez avoir une table spéciale tout près

L'HOMME TOTAL

(hors de votre vue) pour trier ces papiers jusqu'à ce que vous vous en occupiez. En ne gardant qu'un dossier à la fois sur votre bureau, votre concentration sera plus grande, et le travail que vous serez entrain de faire vous paraîtra plus simple qu'avant. Selon Publius Syrus, un sage du premier siècle avant Jésus-Christ : « Faire deux choses à la fois, c'est n'en faire aucune ».

Le téléphone. Il est étrange que notre société se soit conditionnée à tout laisser tomber et à démarrer à la simple sonnerie du téléphone. C'est vrai, il y a de vrais cas d'urgence et des fois où les amis dans le besoin ont priorité sur toute autre chose que je fais, mais ce même téléphone peut être un tyran. Notre téléphone a interrompu plus de soirées de détente, de dîners aux chandelles, de nuits d'amour, d'échanges de conseils ou de moments de prière et d'étude de la Bible en famille... mais tout ça, c'était avant que je n'apprenne à le décrocher.

Howard Ball, un de mes bons amis qui est aussi président d'une organisation de conseils aux églises dit qu'il est amusant de s'apercevoir qu'il faut quitter la maison pour avoir de l'intimité, loin du téléphone. « C'est *ma* maison et j'y suis responsable, pas le téléphone », dit Howard. Exprès pour les moments où il se trouve avec sa femme et ses enfants, il a demandé à la compagnie du téléphone d'installer des interrupteurs qui ont un grand avantage par rapport à un téléphone décroché : pour le correspondant, le téléphone sonne, pour lui, cependant, la sonnerie ne retentit pas.

Attention, Howard n'est pas associal, en fait, c'est un des hommes les plus chaleureux et un des meilleurs voisins que j'aie eu la chance de connaître. Tout simplement, il sait à quel moment faire passer sa détente personnelle et les moments consacrés à la famille avant les exigences du téléphone.

Eh bien ! voici quelques uns des voleurs de temps les plus représentatifs de notre époque, et vous en avez probablement trouvé d'autres qui vous ennuient. Maintenant que vous les avez identifiés, il leur sera plus difficile de s'immiscer sans se faire remarquer.

CLE NUMERO DEUX :
Prenez maintenant la résolution de ralentir un peu

L'agence Associated Press a récemment mené une enquête sur les hommes pris dans un rythme trépidant :

« Le rapport final d'une étude de huit ans et demi confirme des découvertes antérieures selon lesquelles l'individu agressif et fonceur risque davantage d'avoir une crise cardiaque qu'une personne détendue... L'étude, récemment publiée dans le *Journal of the American Medical Association* révéla que les hommes dont le profil de caractère était défini par « une agressivité accrue, l'ambition, une conduite de compétition et un sens chronique de l'urgence dans le temps » avaient plus de deux fois plus d'attaques cardiaques que les individus caractérisés par le calme ».

Vous ferez une bonne chose pour vous et pour ceux que vous aimez si vous commencez à ralentir immédiatement. Il est possible que cela crée un précédent chez ceux qui travaillent avec vous, mais ils ne mettront pas longtemps à détecter de sains effets secondaires.

D'abord, ils seront plus calmes parce que vous serez calme. Votre travail s'améliorera en qualité. Vous commencerez à remarquer et vraiment faire attention aux gens. Et surtout vous apprécierez d'une façon nouvelle la beauté et la finalité voulues par Dieu dans le monde qui vous entoure, parce que vous aurez l'audace de vous arrêter et de découvrir.

Vous êtes vous jamais demandé pourquoi le temps

L'HOMME TOTAL

passe si vite pour nous, adultes ? Lorsque nous étions enfants, il nous semblait que le temps refusait de passer assez vite. Les jours étaient longs, les semaines et les mois semblaient *se traîner.* Nous avions hâte d'être adultes. Mais comme il nous arrive souvent d'envier tout le temps et toute l'énergie que nous avions, enfants. Qu'est devenu tout ce temps ? Pourquoi les jours, les mois et les années défilent-ils devant nous, trop vite ?

La routine. Nous avons permis à la pendule de nous lier à des horaires si réguliers et si trépidants que nous avons une impression de culpabilité si nous nous arrêtons pour réfléchir, nous détendre, écouter ou apprendre. Thomas Mann et Georges Gissing sont deux hommes qui ont suffisamment ralenti leur rythme pour remarquer ceci.

« Lorsqu'une journée est comme toutes les autres, (écrit Mann), alors, toutes ne font qu'une. L'uniformité complète rendrait courte la vie la plus longue, comme si elle nous avait échappé à notre insu ».

Gissings écrit : « C'est la connaissance de la vie qui fait que le temps file vite. Quand chaque jour est un pas dans l'inconnu, comme c'est le cas pour les enfants, les jours sont longs d'apprentissage. »

Alors, ralentissez un peu. Prenez le temps d'essayer des nouveautés. Libérez tous les sens que Dieu vous a donnés pour découvrir la vie au maximum. Cette expérience vous rajeunira, vous verrez !

Mais si vous êtes comme moi, il vous faudra répéter le mot « ralentir » un certain temps avant d'y parvenir. A chaque fois que vous aurez l'impression agaçante que les circonstances vous dirigent, arrêtez ! Fermez les yeux et posez-vous ces trois importantes questions :

1. « Est-il vraiment nécessaire que je me précipite de cette façon ? »

2. Quelles sont les conséquences de mon rythme actuel sur moi-même, ma famille, mes relations avec Dieu et mes camarades de travail ?»

3. « Ce projet en vaut-il la peine ? »

Si votre rythme actuel porte atteinte à l'équilibre de

votre vie, alors vous pouvez être sûr que Dieu n'est pas satisfait de vos efforts, quelle que soit leur noblesse. Il s'intéresse bien plus à ce que vous *êtes* qu'à ce que vous *faites*. Et une vie déséquilibrée et démentielle n'a aucun intérêt.

CLÉ NUMÉRO TROIS :
Suivez ces conseils pour profiter pleinement de votre temps

Y a-t-il une longue liste de choses à faire qui vous pourchasse ?

Rappelez-vous : Dieu vous a donné tout le temps dont vous avez besoin pour accomplir les tâches qu'il veut que vous accomplissiez. Donc, si vous n'avez pas assez de temps, c'est que vous en avez fait mauvais usage, ou bien que vous avez accepté des responsabilités que Dieu ne vous avait pas attribuées.

1. Réfléchissez à ce qui est prioritaire dans la vie.

Qu'est-ce qui vous importe le plus dans la vie ?

Si vous vous efforcez de vivre de façon équilibrée, alors votre métier ou votre appartenance à l'Association pour les Dignes Causes ne passeront pas avant votre santé mental et physique ou vos liens avec Dieu et votre famille. Si tout cela se passe bien, alors un peu de temps supplémentaire au travail ou dans un comité ne vous fera pas de mal. Mais si n'importe lequel de ces domaines fondamentaux est négligé, il est temps de dire « non » à tout ce qui est supplémentaire.

Un de mes amis, plein de sagesse, qui n'est pas un fai-

néant en matière de travail, m'a un jour confié l'ordre de priorités qu'il respecte :
- La première, mes relations avec Dieu
- Deuxièmement, mes relations avec ma femme
- Troisièmement, mes relations avec mes enfants
- Quatrièmement, mon évolution personnelle
- Cinquièmement, mon travail.

J'ai pu constater par son sourire épanoui, sa famille unie, sa santé resplendissante et sa réussite en affaires qu'une telle liste de priorités marche.

2. Faites une liste de toutes les choses qui doivent être faites.

Les choses importantes, celles qui ne le sont pas. A quoi pensez-vous ? Ne rejetez rien.

3. Eliminez toutes les rubriques non prioritaires.

Cette étape est particulièrement importante si vous vous êtes laissé « enterrer » sous les tâches et les responsabilités. Prenez votre liste de choses à faire et pour chaque élément, demandez-vous : « A la lumière des priorités de mon existence, est-ce tellement important, immédiatement ? » Est-ce que le fait de s'occuper de cela maintenant vous oblige à reporter quelque chose de plus urgent à plus tard ? Alors il y a de grandes chances que vous éliminiez volontairement cet élément d'importance secondaire de votre liste.

Parfois cette décision implique une procédure très humiliante mais nécessaire : se dédire gentiment. J'ai plus d'une fois fait l'erreur d'accepter plus que je ne pouvais faire. Le problème, c'est que j'aime les gens, et quand il me demandent de participer à une association, d'écrire un discours à l'occasion d'une promotion ou d'aider de quelqu'autre façon, j'en suis très honoré. Il m'est difficile de dire « Non ». Donc, après avoir dit : « Bien sûr, j'en serais ravi » pendant deux ou trois mois, le retour à la réalité est douloureux : Je suis débordé. Je fais tant de choses que je n'en fais aucune de mon mieux. Et tout cela fait de moi un individu déséquilibré et à la dérive.

Premièrement, il me faut admettre mon erreur : je n'ai pas tenu compte des priorités en acceptant des attributions et des responsabilités. Puis vient le moment difficile : aller voir ceux qui m'ont demandé quelque chose, en admettant que j'ai accepté trop de travaux pour être efficace, et demander à être dégagé de cette responsabilité. »

N'ayez jamais peur de vous dédire gentiment si vous vous apercevez que vous vous êtes laissé submerger par les services à rendre aux gens. Vous retirer est peut-être ce que vous pouvez faire de mieux pour cette association, parce qu'ils pourront alors vous remplacer par quelqu'un qui pourra consacrer plus de temps à leur entreprise.

Important : en éliminant les rubriques secondaires de votre liste, rappelez-vous que le repos et la relaxation ne sont pas forcément secondaires. Depuis combien de temps n'avez-vous pas interrompu la routine pour vous amuser avec les vôtres ou avec des amis ? Etes-vous à bout depuis quelques temps ? Votre corps vous dit peut-être qu'il est temps de vous reposer. Soyez honnête avec vous-même lorsque vous rayez ce qui n'est pas essentiel.

4. Classez les rubriques qui restent par ordre d'importance.

Y a-t-il des choses qui ne peuvent absolument pas attendre ? Ecrivez le chiffre 1 en face de chacune d'elles. Ecrivez le chiffre 2 en face de celles qui doivent être faites rapidement, et le chiffre 3 en face de celles qu'il faut faire dès que possible etc. Cette façon de procéder vous évitera de passer votre temps aujourd'hui à des choses de moindre importance, tandis que d'autres, prioritaires, attendent.

5. Déléguez des tâches si possible.

Ceci ne signifie pas « laisser tomber » vos responsabilités et les passer à quelqu'un d'autre parce que vous ne voulez pas y faire face. Déléguer, c'est admettre qu'il peut y avoir quelqu'un de plus qualifié, ou qui dispose de plus de temps que vous.

Si vous avez une secrétaire, ce serait une perte de temps stupide que de vous escrimer à taper une lettre ou à rédiger un rapport. Elle a l'habitude de ce genre de choses, et c'est une bonne affaire que de lui déléguer un projet à taper. De même, votre adolescent de fils peut donner un coup de main à réparer des objets à la maison. Si vous passez un mauvais moment à réussir à monter les étagères, mettez votre fils au défi de le faire. Confiez-lui comment vous essayez de faire le meilleur usage de votre temps, ce sera pour lui aussi un bon apprentissage.

6. Déterminez ce qui peut être fait dans une collaboration mari-et-femme, ou en famille.

Devez-vous vidanger la Chevrolet ce week-end ? Peut-être est-ce le moment de montrer à Mike et à Jim comment le faire eux-mêmes. Ou si vous vous décidez enfin à refaire le débarras vétuste, pourquoi ne pas convenir d'une date avec votre femme et y travailler ensemble ?

Les projets touchant la maison *peuvent être amusants. Je connais un père qui a mis au point l'art d'organiser des journées de travail familial. Tandis que chacun des membres de la famille ratisse les feuilles, lave les carreaux ou désherbe les plate-bandes, il va de l'un à l'autre et les aide, chacun leur tour, pendant environ une demi-heure. Il met ce temps à profit pour parler avec chaque enfant de l'école, des sports, des amis ou des petites amies, de tout sujet qui lui vient à l'esprit. Puis, avant d'aller aider le suivant, il dit : « Tu sais, je t'aime beaucoup, et je suis ravi que tu sois mon fils (ou ma fille). Merci d'avoir apporté ton aide aujourd'hui. » En fin de journée, tous les projets étant réalisés, la famille décide d'un régal particulier : une visite* au golf miniature, la piscine, ou quelqu'autre réjouissance après une journée de travail bien fait.

Voilà un père qui multiplie son temps de trois façons. Il fait faire les travaux, il enseigne la responsabilité à ses enfants et surtout, il est plus proche des siens grâce à la communication et au travail en commun.

7. Organisez vos rubriques en un emploi du temps mensuel ou hebdomadaire.

L'emploi du temps est un bon investissement. Prévoir quinze ou vingt minutes d'avance peut vous être profitable des heures plus tard, car un bon emploi du temps vous aidera à voir d'un seul coup d'œil :
— quand vous devrez commencer
— quand il vous faudra terminer
— si votre vie quotidienne est équilibrée ou chaotique.

Le calendrier mensuel que je vous propose vous aidera à voir trente jours à l'avance les périodes de temps nécessaires. Vous trouverez commode de faire d'abord la liste des choses à faire en haut de la page sous les chapitres « PERSONNEL », « FAMILLE », « METIER », « DIVERS ». Puis en utilisant un crayon pour pouvoir faire des modifications, organisez votre mois selon l'ordre de priorité numérique distribué plus tôt.

Quand vous aurez jeté un coup d'œil à ce que vous réserve le mois prochain, vous voudrez être plus précis. « *Quand* les 22 et 23 trouverai-je le temps de rédiger mon discours ? Et que se passera-t-il si des incidents arrivent, comme d'habitude ? » Pour répondre à ces questions, préparez un emploi du temps hebdomadaire comme celui que je vous suggère.

Vous remarquerez que les jours sont simplement divisés en « matins », « après-midis » et « soirées » plutôt qu'en demi-heures ou quarts d'heures. Ceci m'inspire un mot d'avertissement : rappelez-vous qu'un emploi du temps a pour but de *vous* servir, ce n'est pas vous qui devez le ser-

SCHEMA D'EMPLOI DU TEMPS MENSUEL

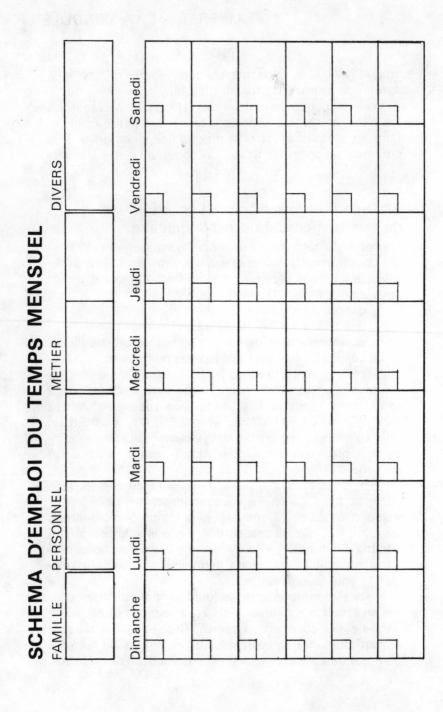

FAMILLE PERSONNEL METIER DIVERS

Dimanche Lundi Mardi Mercredi Jeudi Vendredi Samedi

vir. Un emploi du temps peut vous entraver ou vous libérer. J'ai utilisé le système des quarts d'heure pendant plusieurs mois, mais cela m'emprisonnait dans une routine trop rigide pour mon goût. Ou bien je m'éreintais à le respecter, ou bien j'étais déçu et coupable lorsque j'étais en retard. Certaines personnes font leur meilleur travail avec ce genre d'emploi du temps, pas moi. C'est à vous de juger quel style vous convient le mieux.

Dans l'emploi du temps hebdomadaire vous pouvez être aussi précis que vous le voulez. Tout d'abord, placez vos tâches quotidiennes : la toilette, les repas, les activités familiales, les moments d'exercice, les heures de bureau etc. Puis, en utilisant votre calendrier mensuel comme référence, décidez des meilleurs moments de la journée pour entreprendre vos tâches spéciales.

Je garde mes calendriers hebdomadaires et mensuels en face de moi, sur mon bureau. J'ai découvert qu'être organisé est l'un des sentiments les plus reposants qu'un homme actif puisse éprouver.

8. Cessez de temporiser.

« Le meilleur moyen pour qu'une chose soit faite, c'est de commencer ».

Cette petite perle de sagesse a fait des merveilles en ce qui me concerne. On m'a surpris entrain de la répéter plus d'une fois tandis que je faisais des pieds et des mains pour me mettre à l'ouvrage.

Commencer est toujours le moment le plus difficile d'une entreprise, alors COMMENCEZ MAINTENANT, avant de penser à des loisirs.

9. Allez jusqu'au bout de votre emploi du temps.

Une fois que vous l'avez établi, *persévérez !*

SCHEMA D'EMPLOI DU TEMPS HEBDOMADAIRE

	Dimanche	Lundi	Mardi	Mercredi	Jeudi	Vendredi	Samedi
Matin							
Après-midi							
Soirée							

Consultez fréquemment votre emploi du temps. Chaque soir, étudiez-le pour le lendemain de façon à vous concentrer sur ce que vous ferez. Revoyez-le encore le matin. Ceci vous aidera à ne pas vous en éloigner.

Puis, décidez de vos petites récompenses. « Quand j'aurai terminé ce rapport, alors seulement j'irai prendre un café ». « Encore deux coups de téléphone et j'irai faire un petit tour ». Parfois la seule récompense nécessaire est le simple plaisir de rayer une rubrique de l'emploi du temps avec la mention « fait ».

10. Apprenez à dire « Non ».

Vous rencontrerez beaucoup de travaux de première urgence et d'occasions tentantes dans votre recherche de la meilleure utilisation de votre temps. Si tout se passe bien et que vous avez besoin d'un nouveau défi, alors très bien, allez-y ! Mais sachez toujours évaluer ce nouveau travail ou cette nouvelle occasion en fonction de votre série de priorités d'abord.

Un jour, quelqu'un a demandé au Président Dwight D. Eisenhower comment il réussissait à travailler en dépit de tout le temps qu'on exigeait de lui. Ike répondit : « J'ai appris à différencier urgent et important. »

Réfléchissez-y un instant. Est-ce que toutes ces urgences qui nous tirent par la manche sont vraiment les choses *importantes ?*

Une fois, j'ai travaillé pour une firme dont les représentants avaient l'habitude de demander un projet juste avant d'en avoir besoin dans sa forme définitive. Résultat, on se pressait, on y passait plusieurs soirées et quelques nuits entières.

Bon, je ne vois aucun inconvénient à faire parfois ce genre de choses « si » le projet « urgent » est vraiment important. J'ai commencé à y réfléchir sérieusement, cependant, quand à trois reprises je passai x heures supplémentaires à terminer le travail, tout cela pour que les représentants changent d'avis un peu plus tard et décident de ne plus donner suite à tout cela, finalement.

Ces expériences m'ont appris que la plupart des choses cataloguées comme « urgentes » sont simplement le résultat d'une organisation mal faite. Maniez-les avec précaution. Je me suis vu depuis renvoyer un travail à celui qui le demandait en disant : « Pourquoi tant de précipitation ? Prenons le temps de faire cela bien. »

Quelle que soit l'occasion qui se présente confrontez-la à vos priorités. Est-elle vraiment importante, ou simplement « urgente » ou flatteuse ? Si votre emploi du temps ne vous permet pas de vous en occuper, soyez aimable mais ferme et dites « Non. »

On nous a donné du temps, outil que nous devons utiliser pour profiter avec plénitude de la vie. Apprenez à l'utiliser avec sagesse, mais ne permettez jamais aux emplois du temps et aux pendules de mécaniser votre vie quotidienne. Nous utilisons minutes et heures à travailler dur, mais nous disposons aussi d'heures et de minutes pour ralentir, pour regarder et peut-être pour voir pour la première fois ; pour écouter et entendre ce que Dieu et ceux que nous aimons nous disent ; pour sentir, toucher et goûter un monde qui attend que nous le découvrions.

Dietrich Bonhoeffer, qui passa une bonne partie de son temps enfermé dans un prison, aurait pu être furieux de tout le temps qu'il perdait. Mais il avait un point de vue différent. « Le temps perdu » écrivait Bonhoeffer, « c'est quand on n'a pas vécu pleinement sa vie d'homme, un temps enrichi par l'expérience, des tentatives créatives, le plaisir et la souffrance. »

Alors, à quoi rime votre hâte ?

5. Votre courbe de forme personnelle

Je ne cours jamais alors que je pourrais marcher.Je ne marche jamais alors que je pourrais rester tranquille. Je ne reste jamais debout alors que je pourrais être assis. Je ne reste jamais assis alors que je pourrais être couché. Dès que je sens un besoin d'exercice, je m'étends jusqu'à ce que ça passe.
ROBERT
MAYNARD
HUTCHINS

David Frost, de la télévision, recevait autour de sa piscine récemment lorsqu'un invité observateur jeta un coup d'œil sur ceux qui prenaient un bain de soleil et lança cette pointe : « Comment se fait-il que presque tous les hommes ont l'air d'attendre un enfant de nos jours ? »

Regardez autour de vous la prochaine fois que vous serez à la plage ou à la piscine et vous verrez si vous n'êtes pas d'accord. Certains d'entre nous ne seront même pas obligés d'attendre cette occasion. Au bureau, en ville ou dans nos propres miroirs, il n'est que trop évident que nous avons laissé la société de facilité nous saisir par le fond de culotte.

Je ne sais pas bien pourquoi, mais nous avons réussi à négliger la gravité de la panse. D'abord, il va presque de soi qu'un homme qui travaille dur pour gagner sa vie prenne un peu de poids, surtout à un travail de bureau. La graisse fait partie de ce qu'il paie.

Mais un autre phénomène plus

étrange s'est passé : on a fait croire à notre culture que la graisse fait gai. Le Père Noël est gai. Le grand Oncle Herman a toujours de bonnes joues roses et une bonne histoire à raconter. La tante Lotta plaisante sur son impossibilité de se glisser dans les toilettes des avions. Dans les publicités, les films et le folklore, les bons gros sont toujours des gens heureux.

La dramatique vérité, c'est que l'Amérique provoque presque des tremblements de terre par surabondance de poids, et que l'obésité incite bien plus à la tristesse qu'à la félicité. Pratiquement tous les obèses *veulent* perdre du poids, mais les tentations de la nourriture moderne, combinées à une vie sédentaire, font que perdre du poids est une lutte difficile. Il est bien souvent difficile de trouver des vêtements qui vont bien. Et dans la plupart des cas, le miroir s'avère plus déprimant qu'encourageant.

Mais les signes extérieurs d'obésité, même s'ils sont minimes, ne sont que les symptômes d'un danger potentiel à *l'intérieur* de l'individu. La recherche a montré que l'obésité est une cause directe ou indirecte de nombreux autres troubles physiques, favorisant la maladie et empêchant la guérison. Par exemple, ces « bonnes joues roses » pourraient être le signe d'une extrême fatigue du cœur. Et le Dr Kenneth Cooper, auteur de *The New Aerobics* dit que :

> « La maladie de cœur est un désastre national. Chaque année, près d'un million d'Américains meurent de maladies de cœur et de circulation sanguine, taux de mortalité plus élevé que dans n'importe quel autre pays.
> 600 000, « ce qui signifie un mort toutes les 50 secondes », [*meurent*] de lésion de l'artère coronaire seule. »

Ce genre de chose n'arrive pas uniquement à ceux qui sont trop gros, parce qu'eux sont vigilants. La maladie de cœur, des lésions de poumons et les infarctus sont de plus en plus courants chez ceux d'entre nous qui n'ont que deux, cinq ou huit kilos de trop, et même chez ceux dont le poids est surveillé.

Les statistiques du Dr Cooper montrent que la santé, ou son manque, doit être une préoccupation de première importance pour chacun de nos contemporains. Le corps est une machine merveilleuse, ayant un rapport étroit avec tout ce que nous sommes et ce que nous faisons. Sa santé donne de la vitalité à notre vigilance, à nos relations, et à notre conscience spirituelle autant qu'à notre travail ou à nos plaisirs. De la même façon, le manque de santé entraîne des réactions engourdies, lentes et souvent désorientées à la vie.

John F. Kennedy toucha le problème du doigt lorsqu'il dit : « En tant que nation, nous manquons d'exercice. Nous regardons au lieu de jouer. Nous roulons au lieu de marcher. Notre existence nous prive du minimum d'activité physique nécessaire à une vie saine. »

Je crois sincèrement que notre société, si avancée en médecine et en technologie, a avancé au point d'en arriver à une réelle dégénérescence physique.

Les éléments suivants, qui contribuent à notre déclin général en matière de santé personnelle, sont presque spécifiques à notre génération :

Un travail orienté vers les résultats et une éthique du succès. Les métiers s'exercent de plus en plus à des bureaux et ont augmenté de rythme et d'intensité. Pour arriver au « succès » on passe plus de temps, à travailler plus dur, sans les efforts physiques qui servaient de détente quotidienne aux générations précédentes. La tension des obligations au bureau, combinée au manque d'exercice favorise de plus en plus la nervosité, la fatigue et l'obésité.

Etroitement lié à cela, il y a *le régime.* La vie moderne nous a apporté le café et le petit pain au petit déjeuner, un énorme sandwich et de belles frites au déjeuner, des montagnes de pâtes, de frites et de gâteau au chocolat au dîner. Au travail, il n'y a qu'à aller à l'autre bout du couloir pour acheter une sucrerie ou une glace, et bien sûr, il nous faudra un peu de jus de fruit ou un café de plus. Le mercredi et le vendredi, il y a les déjeuners ou les dîners d'affaires. Pendant les soirées «libres», eh bien !, un sac de chips serait agréable en regardant la télévision... un sandwich aussi... et puis une poignée de ces petits gâteaux au chocolat, et puis pour faire descendre tout ça...

La multiplication des divertissements : L'Américain moyen passe plus de temps devant une télévision qu'à n'importe quelle autre activité en dehors du travail et du sommeil. Promenez-vous dans le voisinage ou dans votre résidence et comptez combien de murs de salons reflètent la pâle lumière du téléviseur. Et qu'y a-t-il comme divertissements hors de la maison ? Un match de football ou de baseball professionnel, un film, une pièce, un dîner ou un pot dehors, occupations qui sont toutes sédentaires. Pour ceux qui veulent «vraiment» se distraire activement, il est difficile d'organiser un groupe, en particulier à l'heure de *Starsky and Hutch* ou des *Rockford Files.*

La pollution de l'air, la pollution par le bruit. L'air dans beaucoup de nos villes est si empoisonné par les gaz d'échappement, les fumées industrielles, qu'il est souvent déprimant de simplement mettre le nez dehors. Les yeux piquent, la respiration devient plus lourde, et la fatigue et les maux de tête s'installent. Dans certaines villes, les exercices à l'extérieur sont découragés par des alertes à la fumée qui préviennent les gens, en particulier les enfants et les malades du cœur, qu'il faut rester à l'intérieur de bâtiments jouissant d'air conditionné.

Et en dépit des avertissements des chirurgiens américains, on fume de plus en plus: Le Dr Thomas Mulvaney, de l'Ecole de Médecine de Harvard, estime que les fumeurs américains envoient dans l'air l'équivalent de près de quarante tonnes de pollution solide, quotidiennement, sous forme de particules de fumée.

La pollution de notre air s'associe à la cacophonie de sources diverses : avions à réaction, tondeuses, enfants qui hurlent, parents furieux, camions, voitures, radios as-

VOTRE COURBE DE FORME PERSONNELLE

sourdissantes et télévisions. Les médecins enregistrent une augmentation inquiétante de l'hypertension, des maladies de cœur et de circulation, causées en partie par le bruit fréquent et les situations de tension. Sans soupape de sécurité, de telles tensions peuvent tuer.

Tous les facteurs mentionnés plus haut semblent contribuer à *une diminution de la motivation* personnelle dans la recherche de la forme physique. Non pas que l'homme moderne ne souhaite pas être en forme, les livres sur la forme physique sont sur la liste des succès de librairie depuis dix ans. Le problème, j'en suis convaincu, c'est notre complexe de l'amélioration « immédiate » : si ça ne peut se faire maintenant, ça prend trop de temps. En dépit des publicités qui prétendent : « J'ai perdu trente centimètres de tour de taille en quinze jours », se mettre et rester en forme exige du temps et de la discipline. Et avec le temps, notre désir de forme physique est victime d'entreprises plus immédiates.

Le corps humain est une machine si sophistiquée, qu'elle nous arrive tout équipée de toutes sortes de signaux de danger qui nous avertissent que nous la maltraitons ou la surmenons. Certains d'entre nous refusent de prendre la peine d'écouter ces signaux tant qu'ils ne sont pas immobilisés. Pour les autres, il existe d'inépuisables réserves de pilules qui ne traitent que les symptômes — non les racines — du mal. Nous avons des cachets pour la migraine, pour les douleurs dans le dos, la tension ou les douleurs de poitrine, et les cachets nous apportent l'énergie ou le sommeil. Dépendre d'eux, c'est comme donner du super à une voiture qui a besoin d'une révision complète.

Quels sont ces signaux de danger ? Pour vous aider à évaluer votre propre niveau de forme physique, nous en avons réuni quelques uns sous forme de « Profil de forme personnelle ». Lisez chaque affirmation avec attention, avec les implications qui suivent. Puis écrivez **V** pour vrai, **F** pour faux à la gauche de chaque affirmation.

VOTRE PROFIL DE FORME PERSONNELLE
Vrai ou Faux

— 1. *Mon métier m'oblige à être longtemps assis.*
Nous avons déjà vu ce que la vie d'aujourd'hui, au bureau, peut faire à votre résistance et à votre tour de taille. Si vous êtes cloué au bureau, il vous faudra des efforts supplémentaires pour vous protéger de la nervosité et des centimètres en plus.

— 2. *Je me sens souvent crispé et agité intérieurement.*
Quand les circonstances, les détails, les problèmes, et les innombrables choses à faire quotidiens deviennent insupportables, vous vous sentez souvent oppressé et à bout. Un tel état, s'il se prolongeait pourrait faire grimper votre tension en flèche, user vos nerfs et porter atteinte à votre cœur.

— 3. *Je me retrouve quelquefois « à bout de souffle » après de brefs efforts physiques (tels que grimper les escaliers, marcher d'un bon pas...).*
C'est un signe courant de mauvaise condition, vos poumons sont incapables de fournir assez d'oxygène à votre cœur et à votre cerveau pour contrebalancer l'effort. Le résultat : on se sent hors d'haleine, le cœur cogne et la tête tourne.

— 4. *Selon le tableau de la compagnie d'assurances, j'ai trois kilos en trop, ou plus.*
Selon les médecins, chaque livre de graisse du corps humain contient un kilomètre et demi de vaisseaux sanguins. C'est pourquoi chaque livre de graisse en trop que vous portez, entraîne un travail supplémentaire pour votre cœur. Etant donné que les compagnies d'assurances investissent sur la santé des gens, leurs normes des poids souhaitables valent la peine qu'on y réfléchisse. Le tableau ci-dessous vient de la « Metropolitan Life Insurance Co., New York ».

VOTRE COURBE DE FORME PERSONNELLE

POIDS SOUHAITABLES POUR DES HOMMES AGES DE 25 ANS OU PLUS*
en kilos, en fonction de la taille et de l'ossature, en vêtements d'intérieur et chaussures

Taille		Petite Stature		Stature moyenne		Grande Stature	
Mètres	Feet	Kilos	Pounds	Kilos	Pounds	Kilos	Pounds
1,55	5'2"	50,7-54,5	112-120	53,5-58,5	118-129	57 -64	126-141
1,58	5'3"	52 -55,8	115-123	55 -60,3	121-133	58,5-65,3	129-144
1,60	5'4"	53,5-57	118-126	56,2-61,6	124-136	59,9-67	132-148
1,62	5'5"	55 -58,5	121-129	57,6-63	127-139	61 -69	135-152
1,65	5'6"	56,2-60,3	124-133	59 -64,9	130-143	62,6-70,5	138-156
1,67	5'7"	58 -62,2	128-137	60,8-66,7	134-147	64,5-73	142-161
1,70	5'8"	59,9-64	132-141	63,5-69	138-152	66,7-75,3	147-166
1,73	5'9"	61,6-65,8	136-145	64,5-70,5	142-156	68,5-77,1	151-170
1,75	5'10"	63,5-68	140-150	66 -72,5	146-160	70,3-79	155-174
1,78	5'11"	65,3-69,8	144-154	68 -75	150-165	72 -81,2	159-179
1,80	6'0"	67 -71,6	148-158	69,8-77,1	154-170	74,4-83,5	164-184
1,82	6'1"	68,9-73,5	152-162	71,6-79,4	158-175	76,2-85,8	168-189
1,85	6'2"	70,7-75,8	156-167	73,5-81,6	162-180	78,4-88	173-194
1,87	6'3"	72,5-77,6	160-171	75,8-84	167-185	80,7-89,8	178-199
1,90	6'4"	74,4-79,4	164-175	78 -86,2	172-190	82,5-92,5	182-204

*Tiré de la « Metropolitan life Insurance Co., New York : les nouvelles normes de poids pour hommes et femmes. Statistical Bulletin 40.3, Nov.-Déc. 1959.

— 5. *Quand je suis bien droit, debout et détendu, et que je regarde vers le bas, je ne vois pas mes pieds.* Signe certain que votre tour de taille est beaucoup plus conséquent qu'il ne devrait l'être. « Vous regardez votre poids » au sens propre du terme.

— 6. *Au cours du mois dernier, j'ai été contrarié, à deux reprises ou plus, de sembler débordé par mon travail.* L'anxiété au sujet du travail porte de plus en plus atteinte à la santé et au bien-être. Votre contrariété indique que votre travail prend peut-être trop d'importance à ce moment précis de votre existence.

— 7. *Mon pouls est à plus de 80 battements par minute.* Si votre pouls, au repos, est à plus de 80 battements par minute, ceci peut aller avec un certain nombre de maux possibles, y compris l'hyperthyroïdisme. Le mieux est de demander au médecin de faire un bilan dès que possible. Le Dr Laurence E. Morehouse, auteur de « La forme totale », professeur de physiologie de l'exercice et directeur du Laboratoire des Performances Humaines à UCLA, s'est aperçu que la moyenne, en matière de pouls, pour les hommes, est de 72-76 battements par minute. « Lorsque le pouls, au repos, dépasse 80 battements par minutes, » affirme-t-il, « cela sous-entend une mauvaise santé, une forme physique précaire, et un risque accru d'infarctus et de mort vers la cinquantaine. La mortalité, chez les hommes et femmes dont le pouls dépasse 92, est quatre fois plus grande que chez ceux dont le pouls est inférieur à 67. »

— 8. *Quand j'ai pris mon pouls, mes battements cardiaques étaient irréguliers.* Selon le Dr Morehouse, « la maladie est annoncée par un pouls trop rapide, ou des battements irréguliers. » Un rythme cardiaque désordonné exige une vérification immédiate par votre médecin.

— 9. *Le mois dernier, la migraine m'a gêné deux ou trois fois.*

A moins d'avoir une cause organique, les maux de tête sont presque toujours signes de tension. Qu'est-ce qui vous tracasse ?

— 10. *Le docteur m'a prévenu que j'avais trop de tension.*

Bien que les agressions du monde extérieur aient une certaine portée, une tension trop forte est, dans la plupart des cas, causée par des dérèglements organiques. Elle peut être le signe avant-coureur d'une maladie de cœur, d'un infarctus, d'une attaque, ou d'insuffisance rénale. Heureusement, elle peut se contrôler par un régime approprié, de l'exercice, des médicaments et de la vigilance. Suivez les recommandations de votre médecin à la lettre.

— 11. *Je n'ai subi aucun examen médical au cours des deux dernières années.*

Ça fait un an de trop !

— 12. *Je fais des exercices physiques sérieux moins de 2 fois par semaine.*

Non seulement des exercices réguliers vous aident à vous sentir mieux et à avoir meilleure mine, mais des études récentes par les Drs Cooper et Morehouse, et beaucoup d'autres, montrent que l'exercice donne de la force et de la résistance tout en faisant diminuer les risques de maux cardiaques, pulmonaires ou digestifs. La plupart des médecins pensent que « l'athlète du Dimanche » cherche des ennuis, et la plupart recommandent des activités trois fois par semaine.

— 13. *Je fume.*

Maintenant, on connaît bien les rapports qui lient les cigarettes aux cancers de la gorge et des poumons, mais des études récentes montrent aussi que ne fumer *qu'un demi paquet* par jour augmente votre risque de décès par infarctus de 60 pour cent. *Un paquet* par jour augmente vos risques de 110 pour cent. Oui, fumer *est* l'une des habitudes les plus difficiles à perdre*. Mais vous aurez grande opinion de vous-même si vous le faites. Des millions de non-fumeurs aussi.

L'Association Américaine pour le Poumon rapporte qu'il y a quatre fois plus d'oxyde de carbone dans la fumée sortant du bout incandescent de la cigarette, que dans la fumée aspirée par le fumeur.

— 14. *Mon régime se compose souvent de pain, sucreries (y compris les boissons), pommes-de-terre et pâtes.*

Si vous observez la ménagère moyenne dans les queues, au super-marché, vous verrez de vos yeux comment l'Amérique est devenue obsédée de sucre et d'hydrates de carbone. Ces derniers se trouvent généralement dans les aliments les moins chers, ceux qui sont aussi les moins nourrissants. Le Dr Robert C. Atkins, auteur du célèbre *Diet Revolution* dit que : « ...un grand nombre de médecins et de chercheurs médicaux ont remarqué que l'obèse, le diabétique, l'hypoglycémique (celui qui a un faible taux de sucre dans le sang), la personne prédisposée aux infarctus, ont tous un point commun : il y a quelque chose qui ne va pas dans la façon dont leur corps traite le sucre et les hydrates de carbone. »

Les chercheurs remarquent de plus en plus que des taux de sucres et d'hydrates de carbone importants *diminuent* vraiment l'énergie, jusqu'à la somnolence. Et le Dr Laurence Morehouse ajoute : « Une grande partie du cholestérol déposé

---

*Si vous envisagez sérieusement de vous arrêter de fumer, achetez ces fascicules excellents : 1. *Me Quit Smoking ? Why ?* et *Me, Quit Smoking ? How ?* disponibles au bureau de l'Association Américaine pour le Poumon le plus proche. 2. *How to Quit Smoking By Really Trying—A Five-Day Plan.* Five-Day Plan, 6840 Eastern Avenue, N.W., Washington DC 20012.

dans les vaisseaux sanguins des gens inactifs semble venir d'une surabondance de sucre dans l'alimentation, plutôt que de la graisse, comme beaucoup le pensent. »

— 15. *Je mange habituellement six œufs, ou plus, par semaine.*

Les œufs sont une des meilleurs formes de protéines qu'on puisse acheter, mais ils ont le plus fort taux de cholestérol après le foie et la cervelle. Le cholestérol est une substance ressemblant à la cire qui peut s'accumuler dans les vaisseaux et dans le cœur, bloquant la circulation vitale du sang et de l'oxygène vers le reste de notre corps. C'est une des toutes premières causes d'infarctus. La Commission Inter-Société pour la lutte contre les maladies de cœur recommande que l'absorption quotidienne moyenne de cholestérol soit réduite à moins de 300 milligrammes par jour. Un œuf à lui seul en contient 252 milligrammes.

— 16. *Je prends habituellement quatre tasses de café, ou plus, par jour.*

Tout ce qui dépasse 250 milligrammes de café par jour est considéré comme trop, et chaque tasse que vous buvez en contient 100 mg. Il est prouvé (bien que ce soit controversé) que deux tasses de café, ou plus, augmentent le risque d'infarctus, et d'autres rapports indiquent que le café fait monter la tension. Il existe un lien étroit entre la caféine et les troubles du système nerveux. Le *Journal of the American Medical Association* rapporte que dans un cas, une infirmière qui buvait de dix à douze tasses de café par jour eut une période de maux de tête et de rythme cardiaque irrégulier de trois semaines. Quand elle cessa de boire du café, les symptômes disparurent en trente six heures.

— 17. *Mes cuisses sont molles et flasques.*

Le Dr Paul Dudley White, le cardiologue qui suivit

le Président Eisenhower, dit un jour : « Avant d'envisager une opération du cœur, je tâte toujours la cuisse du malade. Si la cuisse est ferme, je sais que le chirurgien trouvera un cœur solide sur lequel travailler quand il ouvrira. Mais si la cuisse est flasque, le cœur sera pareil, et il aura des problèmes. »

— 18. *J'ai souvent du mal à dormir calmement.*
Il arrive à chacun de nous d'avoir des problèmes, mais les insomniaques chroniques sont souvent ceux qui ont des journées surchargées et tendues. Vous n'êtes pas seul. On estime qu'aux Etats-Unis, on avale 15 millions de cachets somnifères chaque soir. *Ne prenez pas* de somnifères régulièrement. La plupart d'entre eux peuvent occasionner des effets secondaires graves et dont on parle peu. Dans le chapitre suivant, nous aborderons de meilleurs moyens de s'endormir et de dormir.

— 19. *Je me sens souvent fatigué et j'ai souvent sommeil au milieu de la journée.*
Autre signe évident que l'alimentation, le sommeil et la résistance ne sont pas ce qu'ils devraient être.

— 20. *Je suis habituellement si épuisé quand j'arrive à la maison, le soir, que tout ce que je veux, c'est aller me coucher, ou m'asseoir en face de la télévision.*
Nous vous indiquerons un bon moyen de vous débarrasser de cette impression d'épuisement, et d'apprécier la soirée qui vous attend.

— 21. *J'ai remarqué des cernes sous mes yeux.*
Plusieurs éléments contribuent à cela : un sommeil insuffisant, des yeux fatigués, une longue maladie, le manque de soleil, d'air ou d'exercice.

— 22. *Mon tour de poitrine fait tout juste quinze centimètres de plus que mon tour de taille.*
Je ne voudrais en aucune façon devenir obsédé de

centimètres, mais s'il y a bien une différence de quinze centimètres entre votre tour de taille et votre tour de poitrine, ceci indique clairement que quelque chose ne va pas dans vos formes arrondies. Les proportions corporelles sont relatives, et vous pouvez être satisfait d'une silhouette en baril de bière au-lieu d'une silhouette en V, mais la norme citée plus haut vous aidera à savoir si votre ventre ne devient pas trop prohéminent pour que le reste de votre corps le porte sans dommage.

— 23. *Au cours des deux dernières années mon tour de taille a augmenté de cinq centimètres ou plus.*
Pour la foule d'entre nous qui a dépassé vingt-cinq ans, ces centimètres de plus semblent s'ajouter chaque jour plus astucieusement. Si vous avez pris ces cinq centimètres en deux ans, il y a de grandes chances que vous continuiez au même rythme à moins de commencer à changer un peu de genre de vie.

— 24. *Je n'ai absolument pas le temps de m'occuper de forme physique.*
Vous n'avez absolument pas le temps de prendre une douche, de vous laver les dents, d'aller aux toilettes le matin non plus. Mais, qu'est-ce que vous faites ? Vous le *trouvez* ce temps, parce que ces gestes de routine font partie de votre confort et de votre aspect. De bons exercices physiques et du bon sens ne sont pas moins nécessaires. Quelques heures passées chaque semaine peuvent être considérées comme un *investissement* en vue d'une meilleure qualité de vie. Vous vous apercevrez que toutes ces tâches et choses que vous essayez d'accomplir dans la précipitation se feront beaucoup plus facilement quand vous serez en forme. Donc, si vous n'avez pas le temps, *trouvez-le.* Si vous ne le faites pas, il n'est pas impossible que vous ayez un jour plus de temps qu'il n'en faut, dans un lit de convalescent.

L'HOMME TOTAL

Quand vous aurez complété votre Profil de Forme Personnelle, reprenez tout et comptez les V que vous avez écrits. Regardez en face la réalité dure et froide : si votre total est de 10 ou plus, il y a de grandes chances que vous puissiez vous permettre d'accorder plus d'importance à votre forme physique personnelle.

6 Votre programme de forme personnelle

Peut-être êtes-vous l'un des milliers de gens qui ont fait un chapelet de vingt belles résolutions de Nouvel An — non réalisées — sur la façon de prendre de l'exercice. Vous avez admis la nécessité d'un rajeunissement physique et vous vous êtes lancé dans un programme intensif de course à pied, d'amaigrissement et autres balivernes. Tout ça pour flancher deux ou trois semaines plus tard.

Le secret pour mener à bien un programme de grande forme est de se lancer dans un programme *amusant*. Si vous détestez courir sur place, faites du vélo. Si ça ne vous plaît guère de le faire seul, trouvez deux ou trois partenaires convaincus. Il est agréable et encourageant de faire de l'exercice en groupe. Ce qui est important, c'est de trouver une forme de divertissement qui vous développera et vous détendra en même temps.

Parfois, le meilleur moyen de rester

discipliné, c'est de prendre des engagements à longue échéance. Une appartenance au YMCA vous servira d'encouragement toute l'année à une activité physique régulière. Il y a quelques temps, quand Kathy et moi avions du mal à nous en tenir à notre programme de maintien de forme, nous nous sommes inscrits à un club local pour la santé. C'est l'un des meilleurs investissements que nous ayons pu faire pour nous apporter la santé, la force et la détente.

Et puis, soyez créatif en faisant des exercices une activité « familiale ». C'est amusant pour les enfants, et quelque chose, lors de ces séances rapproche la famille dans l'amour et les efforts partagés.

De quoi a-t-on besoin ?

Laissez de côté le mile en moins de quatre minutes et « l'épaulé-jeté » des 225 kilos. C'est le domaine des médaillés olympiques. Votre but, c'est un corps sain, pas un corps surhumain. A la base, un bon programme comprend des exercices modérés, pour fortifier les muscles, combinés à un entraînement pour augmenter la force et la résistance cardio-vasculaires. Le principe sous-jacent est celui d'une *surcharge progressive.*

« Progressive » parce qu'il ne faut pas vous exténuer. La trop grande fatigue rend l'exercice douloureux, et personne n'aime cela. Le débutant zélé qui essaie de courir ses six kilomètres par jour toute la première semaine, passera très certainement la seconde au lit. Commencez lentement, puis augmentez progressivement votre allure ou la distance au fur et à mesure que vous vous habituerez.

« La surcharge », c'est simplement en faire un peu plus que d'habitude. Par exemple, si vous parcourez rarement plus que le tour du pâté de maisons à pied d'un coup, une bonne « surcharge » de débutant serait de parcourir *deux fois* cette distance. Quand ceci deviendra trop facile, allez jusqu'à trois fois.

Puis, au fur et à mesure que votre cœur, vos poumons et vos muscles des jambes s'adaptent à cette distance, vous pourriez commencer à faire le tour de ces trois pâtés de maisons en mettant cinq secondes, puis dix de moins chaque semaine. Quand le rythme devient très facile à tenir, commencer à courir lentement. Puis courezplus vite. Voilà ce qu'est la *surcharge progressive.*

Que valent les programmes existants ?

Jetons un coup d'œil aux trois plus célèbres.

Le 5BX de l'Armée de l'Air Canadienne et Royale. Il se vend bien en librairie depuis près de quinze ans maintenant et comprend cinq exercices de base. Ceux-ci concernent les principaux muscles du corps et vous proposent un schéma de course à petite foulée ou sur place pour les poumons et le cœur. Un de mes amis et moi avons utilisé ce programme pour nous préparer à l'ascension du Mont-Whitney, et nous avons été agréablement surpris par son efficacité.

Tandis que nous avancions dans le programme, nous éprouvions un réel sentiment de tâche accomplie et de motivation renouvelée quand nous barrions chacune des rubriques tour à tour. Nous nous sommes aperçus que garder présent à l'esprit le but que nous nous étions fixé, nous aidait : atteindre le sommet de telle montagne sans auparavant s'effondrer d'épuisement. Chaque exercice quotidien ne durait que onze minutes (vingt si vous comptez la traditionnelle douche d'après l'effort). Le seul inconvénient que nous ayons trouvé, c'est que courir sur place comme il est demandé dans le tableau quatre était trop difficile (avez-vous jamais essayé de lever les genoux à hauteur de la taille 300 fois) et pas drôle du tout. Après avoir conquis de Mont-Whitney, nous avons tous deux laissé tomber ce programme.

La Nouvelle Aerobie. Les études du Dr Kenneth Cooper sur les effets de l'exercice sur les maladies de cœur et autres maux qui y sont liés, méritent une recommandation. Son programme d'aérobie a maintenant remplacé le précédent comme Bible dans l'armée et les écoles, et pour les individus. L'aérobie retient nos formes de divertissement *actives,* telles que la course, la marche, la bicyclette, la natation, le tennis, etc. et détermine ce que nous devons faire, et dans quels temps, pour améliorer efficacement notre santé cardio-vasculaire.

Ma première rencontre avec l'aérobie s'est faite dans un cours pour la forme, au collège. Mon programme consistait en une course de trois kilomètres trois fois par semaine, à parcourir en moins de quatorze minutes. J'ai aimé cela, je me suis senti mieux, et j'obtins une amélioration visible lors d'un test sur la forme, à la fin de la session. La seule chose que je reproche à l'aérobie, c'est qu'elle n'accorde que peu d'importance au développement musculaire. Mes jambes étaient en grande forme, mais je ressentais le besoin d'exercices supplémentaires pour raffermir et tonifier le ventre, la poitrine et les bras.

La forme totale. Les recherches du Dr Morehouse à l'UCLA sont rassemblées dans un succès de librairie intéressant et qui vous informe bien. *La forme totale* défie le concept selon lequel des exercices efficaces impliquent des heures de transpiration, et d'efforts fastidieux et astreignants, et Morehouse illustre son point de vue de preuves cliniques convaincantes. Il recommande un programme qui est peut-être le plus modéré que j'aie jamais vu, et qui donc serait idéal pour l'homme de quarante ans et plus.

L'un ou l'autre de ces programmes peuvent faire de bons débuts si vous le voulez. Avant de vous lancer dans quoi que ce soit, cependant, *prenez rendez-vous pour une visite médicale.* Dites au médecin que vous envisagez de commencer des exercices réguliers, mesurés et progressifs, et demandez-lui si les examens révèlent quoi que ce soit qui puisse vous limiter.

Puis commencez votre programme. Il devrait se composer 1) d'au moins deux exercices de base pour la poitrine, les bras, et les muscles du ventre, 2) une seconde étape d'exercices libres pour les jambes, le cœur et les poumons.

Ces deux types d'exercices devraient être faits trois ou quatre fois par semaine. Certains des hommes qui entreprennent ce genre de programme préfèrent faire leurs exercices des deux types, un jour sur deux. D'autres peuvent préférer faire les exercices de base le lundi, le mercredi et le vendredi, et faire les autres (après quelques exercices d'échauffement) le mardi, le jeudi et le samedi.

Mouvements de base pour la poitrine, les bras et le ventre

Pour renforcer la musculature et l'endurance, rien ne vaut les bonnes vieilles « pompes ».

Le premier jour, après vous être étiré un peu pour vous délier, faites en autant que vous pouvez *sans forcer*. Puis les jours suivants, quand vous commencerez à vous sentir à l'aise, augmentez en fonction de vos progrès et vous vous apercevrez que votre poitrine, vos muscles des bras et du ventre se raffermiront. Ayez de la patience, il faut du temps. Mais si vous suivez le principe de la surcharge progressive (et êtes vigilant en matière de régime) votre graisse commencera à fondre.

Mouvements libres pour les muscles des jambes, du cœur et des poumons

Quand vous aurez terminé les mouvements précédents, passez aux mouvements libres pour la remise en condition de votre cœur et de vos poumons. Le temps que vous y passerez dépendra de votre condition et des activités que vous choisirez. Voici quelques possibilités :

- la marche (d'un bon pas)
- la course en petite foulée
- courir sur place
- sauter à la corde
- nager (non plonger, ni jouer)
- le handball, le squash
- le basket-ball de compétition
- le tennis (en jouant sérieusement)
- ramer
- faire du vélo (avec un minimum de roue libre)

Allez-y doucement les premiers jours. Exercez-vous un peu pour trouver jusqu'à quel point les mouvements vous stimulent sans trop vous fatiguer. Votre but est de respirer à fond sans suffoquer, et de faire monter votre pouls pendant *cinq bonnes minutes ou plus* pour le faire redescendre ensuite. Appliquez le principe de la surcharge à tous vos mouvements libres aussi, mais nous insistons encore, allez-y *progressivement*.

L'athlète débutant commet une erreur courante : c'est d'ignorer la période cruciale de *retour au calme.* Après avoir parcouru huit cents mètres en courant, par exemple, vous aurez tendance à cesser tout mouvement et à vous allonger sur la pelouse la plus proche. Ne faites pas cela. Après un exercice violent, une quantité importante de votre sang se situe dans vos jambes, et il est nécessaire de continuer à faire circuler ce sang pour qu'il remonte. Vous arrêter soudain et complètement peut entraîner un évanouissement. Après avoir couru, marchez un certain temps, jusqu'à ce que votre respiration redevienne normale. Faites lentement un retour au calme, puis offrez-vous une bonne douche tiède.

Voilà le schéma de base. Vous ne le trouverez pas difficile si vous le faites progressivement. Et en quinze jours, je vous garantis que vous vous sentirez plus fort, plus vif et plein d'énergie.

Et mon régime ?

On a certainement écrit plus de livres sur les régimes que sur tout autre sujet. Nous avons entendu parler du régime à l'eau, au pamplemousse, aux œufs, aux protéines, aux légumes, aux vitamines et aux détritus. Maintenant, les diététiciens ont fait le tour de la question et sont revenus au régime équilibré. Les régimes trop stricts, quels qu'ils soient, se sont avérés dangereux pour le corps humain, car ils le privaient de substances essentielles. Des quantités modérées de toutes les sortes d'aliments sont nécessaires à la santé, même pour perdre du poids.

Les aliments qui tendent à nous donner, à nous les hommes, le plus de difficultés sont les *graisses riches, les sucres* et *les féculents.* Nous pourrions les appeler les « aliments mortels » car, lorsqu'on en mange trop, c'est ce qu'ils sont.

Les graisses riches sont toutes celles qui restent solides à la température ambiante : toutes les graisses et viandes animales, les produits laitiers, la margarine, le beurre de cacahuètes, le chocolat, les jaunes d'œufs et tous les aliments faits avec ces ingrédients. Les graisses riches sont responsables de vos muscles flasques et du cholestérol dans votre organisme. N'en abusez pas.

Les sucres et les féculents sont présents dans la plupart des casse-croûtes, dans le pain, les confitures, le miel, la farine, les pâtes, les boissons sucrées, les pommes-de-terre, la bière, la glace et autres aliments similaires. On a estimé que l'Américain moyen consomme l'équivalent d'un kilo de sucre par semaine. En dehors du fait que c'est une catastrophe pour le cholestérol et le tour de taille, les quantités de sucre importantes sont liées aux maladies de cœur et au cancer intestinal.

77

Mais,
que puis-je manger ?

Mangez de tout, un peu, seulement UN PEU : Dieu a créé le régime équilibré pour que l'homme l'apprécie, mais il a aussi encouragé l'apôtre Paul à écrire : « Usez de toutes choses avec modération ». Voilà le secret de la perte de poids et de la bonne santé.

La « modération » est souvent le problème principal de ceux qui prennent du poids. Si vous en êtes, il est possible que ces deux stratégies très simples — *et qui marchent* — vous aident à retrouver la forme.

La première est un programme sans absurdité, recommandé par les médecins de l'hôpital Methodiste d'Indianapolis, en Indiana, appelé « Les quatre grands ». On garantit qu'il supprime une livre de graisse par semaine. La seconde stratégie pour un retour de la forme, c'est ce que nous appellerons notre programme de « maintien ». Il contient les grandes lignes de ce qu'il faut faire pour *garder* le nouveau physique que vous obtiendrez grâce aux « Quatre grands ».*

« LES QUATRE GRANDS : »
pour vous débarrasser de ces kilos indésirables.

1. *Pas de casse-croûtes.* Trois repas équilibrés par jour sont sains. Toute chose avalée entre les repas vous fera grossir. (Des amuse-gueules à zéro calorie sont permis pour calmer les affres de la faim).
2. *Ne vous reservez pas.* Servez-vous modérément une fois, pour vivre. Vous grossirez si vous vous resservez.
3. *Pas de boissons sucrées ou de boissons riches en calories* (surtout la bière). Le coca-cola moyen contient 150 calories. (Les boissons de régime sucrées sont autorisées).

*Tiré de : *The Problem Oriented Practice,* 1976 — Methodist Hospital, Inc. Cité avec leur permission.

4. *Seulement de petites parts de dessert.* Une petite part de dessert donnera satisfaction à votre gourmandise, une part normale vous fera grossir.

« C'est simple, oui » dites-vous peut-être « Mais si vous me connaissez, c'est aussi impossible. »

Je ne vois pas pourquoi. Pensez aux quatre grands comme à quelque chose de *temporaire,* qui doit être observé jusqu'à ce que vous ayez perdu le poids voulu. Puis vous appliquerez la stratégie de « maintien » pour empêcher ces kilos perdus de revenir. Et en obéissant aux quatre grands, il est possible que suivre quelques unes des recommandations pour le maintien, (ne pas suivre, bien sûr, celles qui sont en contradiction avec les « quatre grands » vous aide.

LA STRATEGIE DE « MAINTIEN »
pour empêcher ces kilos perdus de revenir :

1. Essayez d'organiser votre journée de façon à ce que votre exercice se termine à peu près une demi-heure avant l'heure du repas. Les exercices feront partir le sang de votre estomac, diminuant votre faim pour le repas à venir, et vous ne mangerez pas autant que d'habitude.
2. Ne faites jamais les courses l'estomac vide. Faire les courses en ayant faim rendra le pâtissier ou le glacier encore plus tentant et si vous êtes dans une épicerie, il vous arrivera de prendre quelques articles « spontanément », sans en avoir besoin.
3. Mangez lentement. Savourez chaque bouchée en la mâchant avec application. Certains diététiciens efficaces recommandent de poser la fourchette entre les bouchées pour vous obliger à prendre votre temps en mangeant. Vous vous apercevrez qu'en allant moins vite, moins de nourriture vous donnera autant satisfaction.

4. Prenez une boisson chaude une demi-heure avant le repas. Le café, le thé ou le bouillon assouviront un peu votre faim et vous aideront à manger moins.

5. Attendez au moins vingt minutes votre dessert. Les diététiciens disent qu'il faut au moins cela pour que l'estomac fasse savoir au cerveau qu'il est plein. Vous pouvez décider qu'après tout vous n'avez pas besoin de dessert, et ce temps peut être bien utilisé pour des conversations familiales, des dévotions, etc.

6. Rien n'incite autant à grignoter que l'ennui, alors rendez votre vie intéressante ! Entreprenez un passe-temps qui vous empêchera de vous égarer du côté de la cuisine toutes les heures. Trouvez quelque chose à faire de vos mains (à part manger) quand vous regardez la télévision.

7. Avant de grignoter, demandez-vous : « Pourquoi est-ce que je mange cela ? ». Quelle en est la cause ? Si vous avez pris un repas équilibré au cours des cinq dernières heures, ce n'est pas par faim, après tout. Est-ce l'ennui ? La frustration ? La tension ? Tournez vite le dos à la cuisine ou au distributeur, et mettez-vous au travail pour rechercher la *vraie* raison pour laquelle vous grignotez.

8. S'il faut *absolument* que vous mangiez, essayez d'avoir à portée de la main des aliments pauvres en calories mais agréables au goût tels que le céleri, les carottes ou les têtes de chouxfleurs. Ils peuvent vous donner autant de satisfaction que les chips ou les petits pains, et votre satisfaction sera encore plus grande, psychologiquement, d'avoir consommé une « nourriture saine ».

9. Demandez à votre femme de vous aider à réduire certaines sources les plus courantes de cholestérol et de graisse. Utilisez la margarine (certaines sont sans cholestérol) au lieu du beurre. Vous pourriez ne manger que trois ou quatre œufs par semaine. Ne lui faites acheter que de la viande maigre. Ne buvez qu'un ou deux verres de lait par jour, et habituez-vous à ai-

mer le lait écémé ou demi-écrémé. Demandez-lui de remplacer les desserts riches en calories par des fruits frais.

10. Si vous vous laissez tenter, n'abandonnez pas. Une orgie de gâteau au chocolat ou de glace à la banane ne signifie pas que vous êtes un tricheur invétéré. Retournez simplement au programme de « maintien » immédiatement et demandez-vous : « Que ferai-je pour résister avec succès à la tentation la prochaine fois ? » Ne vous sentez pas coupable si vous vous faites une petite gâterie à l'occasion. C'est seulement lorsque ces gâteries deviennent *régulières* que vous savez que la situation vous échappe à nouveau.

LE SOMMEIL :
combien en faut-il
et comment y parvenir ?

Récemment, on a fait des découvertes sur le sommeil, qui peuvent nous éviter beaucoup d'anxiété, à vous comme à moi.

D'aussi loin que je me souvienne, j'ai toujours eu du mal à bien dormir. J'ai tendance à emmener mes problèmes et mes difficultés au lit et à être allongé là, à ressasser ce que je dirai si jamais Untel me fait ceci ou cela. Après m'être tourné et retourné pendant deux ou trois heures, je suis encore bien éveillé. *Oh, j'espère pouvoir terminer ce travail demain.* Voyage jusqu'au frigo, puis retour au lit. *Que vais-je faire pour cette facture ?* Voyage jusqu'à la télévision, juste à temps pour l'hymne national et les Moments de Méditation. Puis je commence à me faire du souci car j'aurai bien peu de sommeil.

Kathy est tout le contraire de moi. Elle vient se coucher et déclare : « Je n'ai pas sommeil », et cinq minutes plus tard, elle dort comme un loir. Je reste là à grincer des dents : *n'ai-je pas* travaillé dur aujourd'hui, est-ce que ce ne sera pas *pareil* demain ? Est-ce-que-je-ne-mérite-pas-de-m'endormir-aussi-facilement-qu'elle ? Ce qui me tient éveillé pendant plusieurs heures au cours desquelles je combats mon impression d'être un martyr.

Nous travaillons dans un monde coincé, et souvent, il est difficile de faire dévier le cours de nos pensées de façon à passer une bonne nuit. Mais les médecins qui ont étudié le sommeil ont appris quelque chose d'important qui m'a beaucoup aidé. Nous n'avons pas vraiment *besoin* de huit heures de sommeil par jour. Chacun de nous est différent. Nous devrions faire de notre mieux pour avoir la même durée de sommeil chaque nuit, mais si nous ne le faisons pas, nous ne devrions pas nous en soucier.

Ceci commença à m'intéresser et je me mis à lire d'autres ouvrages sur ce sujet, pour voir comment d'autres gens réussissaient à vaincre l'insomnie. Il y avait autant de « trucs » que pour le hoquet :

- lisez quelque chose de calmant
- buvez du lait chaud
- écrivez vos mémoires (vous verrez si *ça* ne réussit pas...)
- comptez les moutons
- comptez les billets d'un dollar
- comptez à l'envers à partir de cent
- ne pensez à rien
- passez de la musique douce
- dormez la tête aux pieds, etc.

Au cours de mes expériences, j'ai découvert des trucs, qui marchaient pour moi. J'affirme que s'ils peuvent venir à bout de *mes* insomnies, ils peuvent venir à bout de toutes les vôtres.

82

Y parvenir
implique...

Tout d'abord *de savoir que le travail du jour a été bien fait.* Si j'ai fait de mon mieux dans ce qu'on m'avait demandé de faire, si j'ai fait preuve de chaleureuse gentillesse avec les miens, si j'ai vécu aujourd'hui en homme total et équilibré, alors je suis en paix avec moi-même.

Deuxièmement, *de remettre les soucis à leur place.* Les innombrables embêtements m'agaceront, mais je ne m'en fais plus. Jésus-Christ a dit : « Venez à moi, vous qui êtes las et qui avez le cœur lourd, je vous donnerai le repos. » Il « me » parle aujourd'hui. Alors je lui dis : « D'accord, Seigneur, je vous prends au mot. « Vous » n'avez qu'à vous occuper de mes soucis à ma place. Je ne veux pas y penser. ».

Troisièmement, *d'arrêter de travailler et d'étudier au milieu de la soirée, sinon plus tôt.* Travailler à quelque chose de stimulant au delà de huit heures est un moyen sûr d'y fixer mon esprit alors que j'essaie de l'en détourner. Au milieu de la soirée, je m'occupe de quelque chose de reposant : une conversation agréable avec ma femme, une longue promenade, un roman.

Quatrièmement, *une douche chaude.* Tandis que le matin je fais passer la température de l'eau de tiède à froide, ce soir, je ferai le contraire. La chaleur et la vapeur feront passer la crispation de mes muscles du dos et du cou, et contribueront à l'assoupissement.

Cinquièmement, *un peu de relaxation avant de se glisser dans les toiles.* Après nous être dit bonsoir, j'applique la méthode *Tenlax,* décrite par le Dr Mangalore N. Pai dans *Dormir sans pilules :*

1. Etendez-vous sur le dos et fermez les yeux.
2. Tendez volontairement vos muscles.
3. Etendez vos deux jambes complètement, avec vos doigts de pied raides et pointant vers le bas.

4. Tendez volontairement vos muscles des jambes autant que vous le pouvez sans plier les genoux, tenez cette position aussi longtemps que possible.
5. Faites porter le creux des genoux sur le matelas.
6. Laissez vos muscles se détendre soudain et se reposer. Tendez et relâchez vos muscles des jambes six fois.
7. Vos bras le long du corps, tendez les muscles de ces deux membres. Serrez les poings aussi fort que vous le pouvez sans plier les coudes.
8. Desserrez soudain vos poings et relâchez vos muscles. Répétez six fois.
9. Si vous n'avez pas encore sommeil, fermez les yeux et faites bouger vos globes occulaires vers le bas et l'intérieur, comme si vous regardiez le bout de votre nez.
10. Les yeux encore fermés, faites-les bouger vers le haut. Répétez ces mouvements plusieurs fois, et le sommeil vous terrassera.

Au bout de quelques minutes, habituellement, je dors. Mais sinon, je refuse de m'en soucier. Plus maintenant.

Voilà.
De l'exercice régulièrement, un régime équilibré, un sommeil détendu, vous en avez déjà entendu parler avant, mais j'espère que nous vous avons donné assez de raisons et d'idées pour qu'ils fassent partie de votre vie quotidienne.

Nous, les hommes, ne contribuons pas, par nos corps, à la beauté de l'Amérique, mais il est sûr que nous pouvons commencer à changer tout cela.

Pourquoi ne pas commencer maintenant ?

7 L'homme et la peur de l'échec

Il ne peut y avoir de vraie liberté sans liberté d'échouer.

ERIC HOFFER

Depuis des mois maintenant, je demande à des hommes de toutes sortes de me confier un seul et unique secret. « Je suis curieux », tels sont mes premiers mots, « et vous n'êtes pas obligé de répondre si vous ne le voulez pas. Quelle est votre crainte secrète la plus importante ? »

Jusqu'à présent, pas un n'a refusé de répondre et la majorité très nette a répondu : « La peur d'être un raté. »

Etant donné que nous, hommes, avons été si soigneusement conditionnés à rechercher la réussite, il s'ensuit naturellement que l'échec doit être considéré comme l'ennemi. « Il n'y a pas de solitude plus grande que la solitude du raté », écrit Eric Hoffer. « Le raté est un étranger dans sa propre maison. »

Et il n'y a rien de plus personnel que le ratage. Parfois, il semble presque ricaner de l'unique espoir, ou de l'unique rêve que nous avons rendu vulnérable par désir de réussite. Et inévitablement, l'échec semble toucher les autres, particulièrement ceux que nous chérissons, et les faire sombrer en même temps que nous.

Mais, si nous déployons beaucoup d'énergie à éviter l'échec, il est curieux que nous ne soyons pas encore d'accord sur ce qu'*est* l'échec. J'ai demandé à chacun des hommes qui m'avaient dit avoir peur d'être des ratés, de me donner leur définition du mot. Le résultat fut une liste si variée qu'elle pourrait prendre deux pages de dictionnaire. Parmi ces réponses :

— « Ne pas subvenir aux besoins de ma femme et de mes enfants. »

— « Perdre mon travail, ou ne pas obtenir un poste et un salaire plus élevés. »

— « Eh bien, on peut être un raté de toutes sortes de façons : dans le travail, dans le mariage ou dans la vie sexuelle. Tout cela est important. »

— « Je suis un raté si je décide de faire quelque chose et que ça ne réussit pas. »

— « L'échec pour moi, c'est perdre. Je crois que c'est Vince Lombardi qui a dit : « Ce n'est pas « tout » de gagner, c'est la *seule* chose qui compte. » J'y crois. Je ne veux pas être perdant. »

— « Ne pas atteindre les objectifs de ma vie. »

— « Ne pas me marier. »

— « Je suis un raté si on me donne une occasion et que je ne saute pas dessus immédiatement. »

— « Voir ce pour quoi vous avez travaillé s'effrondrer devant vous. »

En écoutant chacun de ces messieurs formuler sa réponse, je remarquai que la plupart devenaient mal à l'aise. C'est normal. Accepter l'échec n'est jamais facile, et y penser est souvent considéré comme de mauvais augure. Louis Kronenberger a bien résumé la crainte moderne de l'échec quand il a écrit : « Aujourd'hui, nous sommes hantés jusqu'à la névrose par l'imminence et par l'ignominie de l'échec. Nous savons quel prix effrayant il faut payer *pour réussir.* Echouer est trop épouvantable pour qu'on veuille même y penser. »

C'est, j'en suis convaincu, la raison précise pour laquelle nous *devrions* y penser.

Nous fuyons ce spectre mal défini, qui prend des formes différentes selon les individus. Il se présente habituellement comme l'inverse de ce que nous concevons être la réussite. Si réussir, c'est avoir de l'argent, échouer c'est en manquer. Si l'objectif est la situation, l'échec sera un manque de situation. Notre définition du succès détermine celle de l'échec, et le résultat est un vague sentiment d'insécurité qui nous hante.

Alors, réfléchissons à l'échec quelques instants. En lui faisant face, nous pouvons apprendre à respecter ce qu'il est, à négliger ce qu'il n'est pas, puis à faire de l'échec un atout.

Quatre causes d'échec

Rappelez-vous la « tour du succès » que nous avons construite. Chaque parpaing de la tour représente un aspect de votre vie, une activité, une possession, un but, etc. dont vous vous entourez.

Vous vous rappelez que d'abord, il y a les fondations importantes, les *Besoins pour l'Epanouissement* qui peuvent donner à l'homme une base solide pour sa qualité de personne.

MENTAL	PHYSIQUE	SPIRITUEL	SOCIAL (surtout famille)

L'HOMME TOTAL

Puis, viennent les *Besoins pour Subsister,* ce qui est nécessaire à la santé, au maintien et à la continuation de la vie.

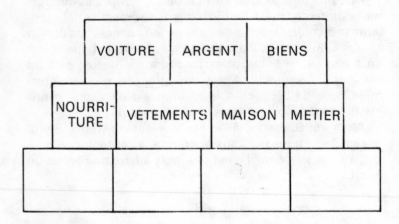

Puis les *Souhaits et Désirs* ; choses et buts qui sont plaisants mais non indispensables (voir croquis page suivante).

Une telle construction est le portrait d'un homme qui réussit, quelqu'un qui, comme le Christ lui-même, a ordonné ses priorités et mène une vie équilibrée et épanouie.

Il y a échec lorsque nous laissons cette tour se déséquilibrer. Cela arrive habituellement quand, en envisageant un futur réussi, notre objectif est touché par l'une de ces quatre maladies courantes :

— *L'aveuglement.* L'existence au jour le jour de l'homme qui ne s'est pas fixé de noble but. Gary Groper souffre de cela depuis des années.

Dès le jour où il eut son diplôme, il sut qu'il voulait réussir. A quoi ? il n'en était pas sûr, mais quelque chose se présenterait bien.

Alors Gary Groper commença à construire sa tour du

L'HOMME ET LA PEUR DE L'ECHEC

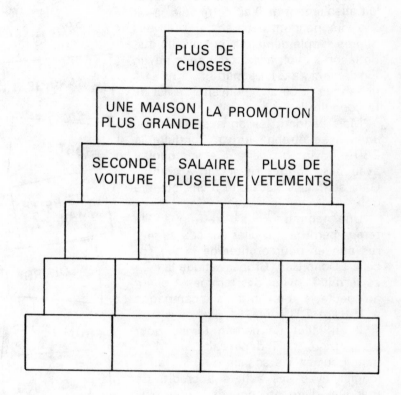

succès, un parpaing à la fois. D'abord, tout ce dont il se soucia fut de dénicher un bon métier. Et quand il l'eut trouvé, son objectif suivant fut une 280-z. Il fallait absolument qu'il ait cette voiture-là.

Alors, pendant deux ans, il a fait des heures supplémentaires, et travaillé dur, de façon à avoir assez pour se la payer. Finalement, la Z lui appartînt, (à lui et à la banque !). Ce qu'il pouvait être fier de la conduire !

Mais pendant les années suivantes, une chose étrange arriva. Conduire la 280-z devint ordinaire. Ce sur quoi il avait basé toute sa vie était accompli. Gary sentait la nécessité d'un nouveau défi.

Une femme. Et s'il rattrappait le temps perdu à travailler dur ces dernières années pour profiter de la vie sociale ! Donc Gary Groper astiqua la « Z » et se mit à inviter des femmes à dîner, au spectacle, à rouler dans la campagne à 150 km à l'heure.

Il lui fallut un certain temps pour comprendre qu'il dépensait tant d'argent pour sa vie sociale qu'il lui fallait jongler avec ses achats à crédit. Ce manque d'argent, nouveau pour lui, l'amena à rêvasser d'une meilleure place, d'héritage d'un oncle perdu de vue depuis longtemps, de *n'importe quoi* de mieux que ce qu'il avait.

Et pour quelque raison, aucune des femmes qu'il invitait ne semblait vouloir quelque chose de permanent. La solution ? De toute évidence, gagner plus d'argent.

PLUS D'ARGENT

SPORTS

MARIAGE

SORTIES

UNE BELLE MAISON

LOISIRS

PROMOTIONS

LE TRAVAIL PLUS LONG PLUS DUR

INVITATIONS

280-Z

L'HOMME ET LA PEUR DE L'ECHEC

Alors Gary Groper se consacra corps et âme à s'élever jusqu'au sommet. Il fit du travail supplémentaire là où il était certain d'être vu par le patron. Il suivit des cours à l'université. Il attira l'attention du patron sur ses propositions et ses idées nouvelles.

Et Gary se mit à grimper d'une tranche d'impôts à l'autre. Il avait même sa propre secrétaire et sa carte au Country Club. Et pourtant, tant de choses lui manquaient : les loisirs, une belle maison, les divertissements, le mariage, les sports, et encore plus d'argent.

Finalement, il réussit à satisfaire toutes ces aspirations. Une à la fois, y trouvant une satisfaction temporaire et une frustration permanente... Gary Groper passa sa vie à la recherche de cette impression d'euphorie que donne le « succès ».

Sa « tour du succès » était désastreuse. Parce que Gary avait laissé ses *Souhaits et Désirs* passer en premier, il ne s'était pas construit une assise solide. En réalité, son assise « était » ses « Souhaits et Désirs », une assise tout à fait inadéquate.

— *La myopie aiguë*. Construire toute sa vie sur un élément qui ne fait pas partie des blocs de base.

Aristote Onassis, qu'il repose en paix, était une victime volontaire de la myopie aiguë. On estime que cet armateur milliardaire eut la valeur d'un milliard de dollars. Onassis posséda des maisons, des villas et des appartements dans une demi-douzaine de villes, une île Ionienne luxueuse, une collection d'art inestimable, et le yacht le plus somptueux du monde, le *Christina,* bateau de 99 mètres, avec salles de bains de luxe, équipées de marbre de Sienne et de robinets plaqués or.

S'il avait été Américain, nous l'aurions sans doute appelé « L'histoire d'un grand succès américain ». Aristote Onassis, jeune homme pauvre qui avait 60 dollars en poche, s'était hissé jusqu'aux plus riches du monde. On le voyait rarement sans la compagnie des femmes les plus belles et les plus célèbres. Célibataire jusqu'à quarante ans, Onassis épousa en premières noces la fille d'un autre armateur, alors âgée de dix-sept ans. Peu de temps après, commençait une liaison avec la cantatrice Maria Callas, liaison qui devait durer dix ans. Et vers 1968, il courtisait Jacqueline Kennedy.

Tandis que le genre de vie d'Onassis reflétait sa philosophie, ses mots l'explicitaient : « Tout ce qui compte, maintenant, c'est l'argent, » déclarait-il. « Les rois, maintenant, ce sont les gens qui ont de l'argent. » Dans sa fervente recherche de l'argent (et de tout ce que l'argent pouvait acheter), Aristote Onassis construisit toute sa vie sur un seul parpaing qui n'était pas vraiment un matériau utilisable pour l'assise. Il commença à en ressentir le poids en 1973, lorsque, comme le rapporte *Time* Magazine :

« La vie d'Onassis changea de façon dramatique... lorsque son fils Alexandre se tua dans un accident d'avion.

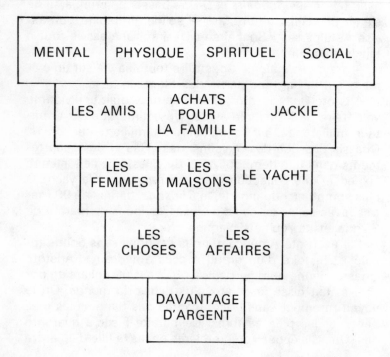

« Il prit un coup de vieux », déclara un de ses proches associés. « Il est soudain devenu un vieil homme. Dans les discussions d'affaires, il avait l'esprit ailleurs, il était irrationnel et irritable, ce qui n'était pas dans ses habitudes. »

La mort de son fils fut un choc brutal pour cet homme protégé des désagréments de la vie. On commença à chuchoter dans le monde entier que la santé du magnat l'abandonnait, qu'Onassis était submergé par la culpabilité qu'il ressentait au sujet de ce fils.

Peut-être Onassis se rendait-il compte que sa vie était désespérément déséquilibrée. Quels qu'aient pu être ses sentiments, son « assise », ce parpaing mal placé appelé : « Davantage d'argent », s'écroulait.

Tandis qu'il perdait la santé, il perdait aussi le sens des affaires. En même temps, le prix du pétrole fixé par les Arabes porta un coup sévère à son industrie navale. Le magazine *Fortune* a rapporté que l'actif d'Onassis s'effondra d'environ un milliard à deux cents millions de dollars au cours de sa dernière année d'existence.

Il fut fauché par la mort en Mars 1975. En dépit de ce qu'il avait perdu au cours de la dernière année, Onassis était encore une réussite fabuleuse d'après les normes de la société. Il n'est pas possible de mépriser 60 dollars négociés en 200 millions. Mais pour ceux qui s'intéressent plus au caractère qu'aux chiffres, le succès d'Ari est douteux. L'homme qui avait fondé une dynastie d'armateurs, avait utilisé le mauvais matériau pour construire son assise personnelle.

— *Vision partielle.* Cet affaiblissement de la vue arrive parfois chez ceux qui ont les meilleures intentions. Peut-être avons-nous vu l'importance *d'être* une personne équilibrée et avons-nous construit l'assise qui convient, composée des quatre éléments :

1. Développement mental et utilisation pour atteindre la sagesse
2. Développement et forme physiques
3. Enrichissement spirituel
4. Relations sociales (surtout en famille)

L'HOMME TOTAL

Cette assise représente notre tout premier but dans la vie : être un homme total qui développe au maximum *chacune* des capacités dans ces différents domaines. Dessus, nous élevons nos « Besoins pour Subsister », puis nos « Souhaits et Désirs ». Il semble que nous soyons partis dans la bonne direction. Mais bientôt, nous nous retrouvons en train de traînasser dans un ou deux de ces domaines essentiels.

Prenons un exemple courant : supposons que nous soyons tellement absorbés par notre activité mentale, nos choses spirituelles et nos activités sociales que nous négligions la forme physique. « Je sais que je devrais faire de l'exercice, » dit celui qui souffre d'une vision partielle, « mais je n'ai pas eu le temps. » Pendant deux ou trois semaines, il ne remarque aucun inconvénient. Mais après, quelques mois, le corps commence à faiblir. Sa résistance a diminué sensiblement. Et son corps affaibli commence à affecter la qualité de son rendement mental, spirituel et social.

En un mot, ignorer le parpaing du physique dans l'assise de l'homme total, implique une surcharge des autres parpaings. Le problème se complique encore si nous ne prêtons attention qu'à deux ou trois domaines, tout en ignorant les autres. La vision partielle, la poursuite de plusieurs objectifs valables et le mépris des autres sont à l'origine de tours du succès peu solides et chancelantes.

— *Avoir des œillères.* La plupart des gens atteints se consacrent à une cause, encore qu'ils ne soient pas les seuls à en souffrir. Ils passent leur vie à réaliser avec ardeur *un seul et unique* objectif valable et fondamental, et excluent presque tout le reste.

Prenez Sam Savage, ce dingue de la forme physique et cet as du culturisme. Sam a consacré presque chacune de ses journées depuis la puberté, à développer ses biceps, ses triceps, ses obliques, ses pectoraux et ses trapèzes au maximum. Il dépense vingt dollars par semaine de plus que la moyenne, pour des aliments organiques : céréales,

lait, légumes. Il prend les vitamines — toutes naturelles —
en doses massives.

Les lectures de Sam Savage, en dehors du programme
scolaire, ne vont pas au-delà de *La force et la santé* et
L'homme de fer. Sa vie sociale gravite autour du gymnase
et de la plage. En ces deux endroits, son moyen de communiquer, c'est l'esbrouffe.

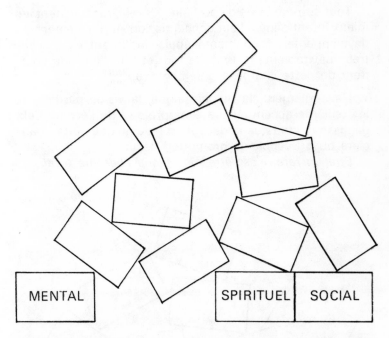

Un jour, certainement pas avant d'avoir conquis le titre
de Monsieur Univers, Sam Savage s'apercevra qu'il est
très seul et pas très épanoui. Mais comme il a fait plus
d'efforts pour avoir un régime équilibré qu'une vie équilibrée, il lui sera très difficile de savoir quoi faire. Dans la
plupart des cas semblables à celui de Sam, celui qui est
victime des œillères ne peut que continuer dans sa spécia-
lité, s'inventant toujours de nouveaux défis. Parmi ces vic-
times, vous trouverez aussi les mondains qui brillent aux

réunions mais ne peuvent supporter d'être seuls, les rats de bibliothèques qui se cachent parmi les reliures pour dissimuler leur manque d'aménité, de capacités physiques ou d'esprit vif. Vous y trouverez même certains qui sont parmi les plus spirituels, les mieux placés au monde, mais qui ont en quelque sorte manqué l'appel de Dieu pour une vie d'équilibre personnel.

Tout comme la vision partielle, les œillères touchent les mieux intentionnés. Leur concentration sur un élément du développement fondamental épuise indûment les trois autres. Inévitablement, toute la tour et tout l'individu souffrent de cette charge supplémentaire.

L'aveuglement, la myopie aiguë, la vision partielle et les œillères accentuent le sens profond de l'échec. Cela dépasse le stade de la déception telle qu'une perte financière ou un espoir de promotion déçu.

Etre un raté, c'est être moins que l'homme total.

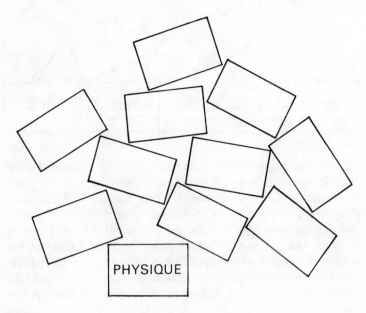

PHYSIQUE

Un raté, c'est celui qui a une vie déséquilibrée, qui accorde trop d'importance à un ou deux domaines de l'existence (ou qui passe de l'un à l'autre sans arrêt), recherchant éternellement l'épanouissement. Certains des hommes les plus riches du monde sont des ratés, car ils n'ont pas réussi à évoluer en tant que *personnes équilibrées.* Certains des plus grands hommes d'affaires du monde sont des ratés, parce qu'ils ont bâti toute leur vie sur une assise incomplète.

Mais nous qui adoptons la Définition du succès de l'Homme Libéré, nous avons de la chance. Notre réussite ou notre échec ne dépend pas des fluctuations de la Bourse, de l'humeur du patron, ou de l'achat d'une 280Z. Nous seuls déterminons notre réussite ou notre échec parce que Dieu nous a donné la liberté de choisir si nous construirons — et entretiendrons — notre condition d'homme total et équilibré.

Vous pouvez échouer
sans être
un raté

Une vérité très libératrice, c'est qu'il y a grande différence entre *être un raté* et *subir des échecs.* En dépit de nos meilleures intentions, il est inévitable que nous nous laissions parfois aller. Il est possible que nous laissions notre métier nous éloigner de notre famille trop longtemps. Les soucis d'argent peuvent porter atteinte à notre confiance en Dieu. Notre travail pour l'entreprise ou l'église pourrait devenir si ardu et exiger tellement de temps que notre santé en serait atteinte.

Si jamais vous vous apercevez que vous présentez petit à petit les symptômes de l'échec, félicitations ! Vous avez pris conscience ! Bien des hommes ne le font pas. Vous avez éprouvé le sentiment de l'échec mais vous n'êtes pas *devenu* un raté, à moins que vous n'ignoriez ce que l'expérience vous a appris. Un homme vivant à fond échouera plus d'une fois ; cependant, il ne sera un raté que s'il « continue » à mener une vie déséquilibrée.

Bien sûr, les vraies réussites sont celles qui ont permis aux échecs de les éduquer. « Nous apprenons par l'échec » écrivit Samuel Smiles dans *Self-Help*, « bien plus que par la réussite. Nous découvrons souvent ce qui ira en trouvant ce qui n'ira pas. Et il est probable que celui qui ne s'est jamais trompé n'a jamais rien découvert. »

Transformez vos échecs en victoires

Pour utiliser un vieux dicton, si vous vous apercevez que vous êtes en train d'échouer, vous avez déjà à moitié gagné la bataille. Vous vous êtes avoué que votre vie, à ce moment-là, manque de quelque chose. Vous voulez remettre votre assise en état.

Pour transformer cet échec en victoire, suivez ces six étapes :

1. *Définissez le type d'échec.* Lequel de ces quatre défauts de la vue a retardé mon objectif ? Et surtout, à quel bloc fondamental ai-je accordé trop d'importance ? Faisait-il partie de l'assise ? des besoins pour subsister ? des souhaits et désirs ?

2. *Evaluez les conséquences.* Quels autres domaines de la vie ont souffert à cause de cette priorité mal attribuée ? Mes relations avec Dieu, avec ma famille ? Ma santé ? Mon développement mental ?

3. *Demandez-vous :* « *Que suis-je censé apprendre par cet échec ? ».* Thomas Fuller a écrit : « La sagesse s'élève des ruines de la sottise. » Tirer profit d'un échec implique habituellement une déclaration négative d'abord, puis une déclaration positive. » Il ne faudrait pas — et je ne le ferai pas — passer autant de temps en face de la télévision. Il

faudrait que je passe plus de temps à des activités créatrices avec mes enfants et ma femme — et je le ferai.»

4. *Opérez une restitution là où c'est nécessaire.* C'est sur ce point précis que je souhaiterais souvent être infaillible. Il est plus que probable que mon échec a affecté quelqu'un d'autre.

Parce que Kathy m'est très proche, c'est souvent elle qui pâtit de mon manque d'équilibre. En rétablissant l'ordre des choses, rien ne peut remplacer l'honnêteté : « Kathy, j'ai gaffé. J'ai été tellement pris par tous mes projets ces dernières semaines que nos relations en ont souffert. Je suis désolé. Pardonne-moi.»

Il est souvent extrêmement difficile, cependant, de se pardonner soi-même. Je suis furieux de m'être laissé aller à échouer. C'est dur pour mon « moi », et si j'ai bien compris la société qui m'entoure, mon échec menace ma virilité. Un homme n'échoue pas, c'est bien ça ?

Pas du tout ! Voilà où je dois apprendre à ne pas prendre mes échecs trop au sérieux. Il faut que j'apprenne à me moquer de moi-même, à admettre que je suis encore un adolescent maladroit pour ce qui est de vivre, encore en train d'apprendre, et pour toujours.

5. *Organisez votre remise en route.* Faites une liste de moyens d'amélioration dans le domaine que vous avez négligé, *en faisant attention à ne pas négliger les autres en chemin. Si j'ai délaissé mon évolution mentale et ma forme physique, j'organiserai un programme équilibré comme nouveau départ. Peut-être deux bons livres par mois, un set de tennis acharné trois fois par semaine. Ceci me laissera encore beaucoup de temps pour mon enrichissement spirituel et l'épanouissement en famille.*

6. *Continuez... et oubliez.* Mettez le plan à exécution, et oubliez tout le malaise, la culpabilité et la frustration dûs à l'échec. Tout est pardonné et oublié, j'ai reçu une bonne leçon. Je suis un homme plus fort maintenant parce que je n'ai pas laissé l'échec me dominer. Je l'ai au contraire dompté, et mis à profit, pour assurer plus encore ma réussite en tant qu'homme total.

8 « La dernière liste de bonnes résolutions du jour de l'An. »

Les bonnes résolutions sont d'inutiles tentatives visant à contrarier les lois scientifiques.

OSCAR WILDE

« Je mènerai une vie plus équilibrée... »
Hmmm ! pas mal comme début. Voyons la suite...

« Je perdrai sept kilos cette année...
« Je serai plus discipliné dans l'utilisation de mon temps... »
La discipline, ouais... mais est-ce que je n'ai pas déjà noté cela l'année dernière ?

« J'essaierai d'être plus affectueux...
« Je passerai plus de temps avec les enfants... »
Oh, Oh ! en voilà une autre. Plus de temps avec les enfants. Etait-ce l'année dernière aussi ? Ou l'année d'avant ?

« Je surmonterai mes problèmes de caractère.
« J'essaierai d'être plus détendu... »
Cette fois, *je suis absolument sûr* que j'en répète une. Etre détendu ? Avec un emploi du temps comme *le mien ?* Eh, bien ! nous essaierons une fois de plus...

Les résolutions du Jour de l'An. Avez-vous jamais essayé de les mettre en pratique ?

Bien sûr, nous avons tous essayé. Bien des fois. Nous raffolons de cet exercice annuel dédié aux futilités. Il y a quelque chose dans la façon dont évolue le calendrier qui entraîne beaucoup d'entre nous à se regarder en face pendant quelques instants de gêne, à affronter leurs défaillances, et à rédiger une ou deux phrases bien intentionnées sur ce qui *devrait être*. Mais *rester fidèle* à toutes ces résolutions, eh bien !...

Peut-être êtes-vous comme l'homme qui fit en grande hâte une liste le 31 Décembre, et qui, avec la même hâte, la mit au panier le 1er Février. « J'ai déjà manqué à toutes » dit-il. « En fait, j'avais déjà manqué à neuf sur dix quand la coupe a débordé. »

Pourquoi de telles résolutions, visant à nous améliorer, sont-elles si difficiles à tenir ? Pourquoi sont-elles de toute première gravité le 31 Décembre et sujet de dérision quelques jours plus tard ?

La réponse est simple, mais elle recèle une mine d'or. Si vous comprenez cette réponse et si vous l'appliquez à tout ce que vous lisez dans ce livre, et à toute difficulté que vous rencontrez dans la vie, vous aurez trouvé l'une des clés les plus indispensables à une vie conjugale réussie.

Déjà, certains des concepts qui vous ont été présentés peuvent vous avoir ébranlés. « Cette vie équilibrée est tentante », penserez-vous peut-être, mais je n'arrive pas à me concentrer sur les aspects physiques, mentaux, sociaux et spirituels de la vie, en même temps, surtout quand le monde qui m'entoure insiste sur un autre ordre de valeurs. »

Je mis d'accord. Vivre une vie équilibrée en ordonnant toutes les priorités peut être difficile. C'est probablement pourquoi beaucoup ont fui devant cette épreuve pour se réfugier dans la médiocrité.

Et vivre intégralement toutes ces résolutions du Jour de l'An peut être tout aussi difficile. Si la corbeille à papiers est révélatrice, nous y retrouverons toutes ces qualités de caractère que nous nous engageons à avoir chaque

LES BONNES RESOLUTIONS DU JOUR DE L'AN

année en Janvier (et en Juin, et en Novembre) et qui ne sont que rêves éphémères.

Si ce n'est pas assez décourageant, la Bible nous donne aussi une liste de caractéristiques personnelles idéales qui ressemble étrangement à nos propres rêves impossibles. Nous pourrions les appeler : « La dernière liste de bonnes résolutions du Jour de l'An. » Rédigée il y a un peu moins de 2 000 ans, cette liste nous donne neuf attributs spécifiques qui pourraient, si on pouvait les atteindre, nous apporter l'épanouissement le plus complet, à nous, à nos familles, et à nos métiers.

Mais, prenez déjà ceux-ci :
— l'amour
— la joie
— la paix
— la patience
— la gentillesse
— la bonté
— la fidélité
— la douceur
— le sang-froid

C'est sûr, *ça a l'air* formidable ! Qui ne voudrait être pourvu de toutes ces qualités dans la vie ? Mais ce sont les mêmes choses que celles que nous souhaitons et promettons chaque année le 1er janvier, il est impossible de faire tout ça soi-même !

Si telle est votre conclusion, mon ami, vous venez de faire une des plus grandes découvertes que vous puissiez faire.

Dieu ne vous demande pas de faire tout cela vous-même.

Il ne veut pas que *quiconque* vive ces frustrations continuelles, ou se contente de jouer la comédie quand il s'agit de vie équilibrée. Telle est la grandeur de toute l'histoire divine. Il ne nous demande jamais de faire ou d'être, que ce qu'il nous a donné les *moyens* de réaliser.

Illustration : Imaginez un instant votre fils nouveau-né. Vous êtes fier de ce miracle de l'amour entre votre femme et vous. Vous voulez pour lui tout ce qu'il y a de mieux, de beaux habits, une bonne nourriture, l'éducation, la protection et bien d'autres choses encore. Vous voulez que votre fils surmonte les difficultés de l'existence, qu'il devienne, avec l'expérience, un homme sage et fort, heureux et épanoui.

Alors, que faites-vous de lui ? Le laissez-vous se débrouiller seul ? Bien sûr que non ! En tant que père, vous le guiderez, vous pourvoirez, à ses besoins, vous lui apprendrez et lui donnerez l'exemple. Il apprendra en vous regardant. Effrayant, non ?

La question est celle-ci : si vous êtes prêt à faire tout cela pour votre fils, est-ce que notre Créateur ferait moins pour vous ? De lui dépend beaucoup ce que sera notre futur. Parce qu'il désire pour nous ce qu'il y a de mieux, rien ne lui fait autant plaisir que de nous voir évoluer en caractère et devenir hommes complets.

Donc, Dieu nous a donné tant les *moyens* que l'*exemple,* comme vous le feriez pour votre propre fils.

Jésus-Christ, notre exemple parfait de virilité rude, fut la seule personne qui ait vécu sans avoir jamais péché. Il n'a jamais « failli ». Donc, même s'il a été tenté comme nous le sommes, il est le seul exemple parfait d'amour, de joie, de paix, de patience, de gentillesse, de bonté, de fidélité, de douceur et de sang-froid.

Et il est aussi le *moyen* donné par Dieu d'atteindre ces mêmes qualités impossibles. La Bible appelle cette liste de résolutions finale : « le fruit de l'Esprit ». En d'autres termes, ces fabuleuses qualités de caractère ne peuvent s'acquérir par quelque effort humain précis, mais ce sont les dérivés naturels d'une vie tendant vers l'infini qu'est Jésus-Christ.

Nous pouvons parfaitement cesser d'essayer de faire naître ce « fruit de l'Esprit » de nos efforts. La réponse finale n'est pas même dans la pensée créatrice, la pensée imaginative, une attitude mentale ou une action positive. Le fruit de l'Esprit est tout à fait hors de portée de celui qui pense que de serrer les dents et répéter cinquante fois de-

LES BONNES RESOLUTIONS DU JOUR DE L'AN

vant la glace : « Je *veux* être joyeux, je *veux* être joyeux, je *veux* être joyeux... » suffiront à lui apporter une joie sincère dans la vie.

L'apôtre Paul, dans une excellente description de la déception qu'éprouve l'homme qui essaie de vivre ces qualités seul, écrit :

> « Je ne me comprends pas du tout, car je veux vraiment faire ce qui est bien, et je n'y parviens pas... Quand je veux faire le bien, je ne le fais pas ; et quand j'essaie de ne pas faire le mal, je le fais de toute façon. »
> (Les Romains. 7, 15 et 19)

Ça vous rappelle quelque chose ? Paul parle de situations proches de la vie. Nous pourrions les comparer à ces instants éprouvants que nous vivions chaque jour. Par exemple :

— Comment puis-je être affectueux avec ma femme quand elle a des rouleaux sur la tête ? ou quand, à certain moment du mois, elle devient difficile à vivre ?

— Comment puis-je m'empêcher de me mettre en colère pour des vétilles ?

— Pourquoi ai-je aussi peu de patience avec les enfants ?

— Pourquoi est-ce que je m'inquiète sans cesse de nos finances ?

— Comment vais-je combattre le désir d'une autre femme ?

Quand de telles situations nous agressent à chaque heure du jour, même le meilleur être humain qui soit n'a pas les moyens d'être sans cesse affectueux, joyeux, paisible, patient, gentil, bon, fidèle, doux et calme. Paul ne le pouvait pas, et il l'admettait facilement. Il connaissait ses limites. Comme nous tous, il était tout simplement trop faible... trop humain. «Il y a en moi quelque chose de profond,» écrivit-il, «qui est en guerre avec mon esprit et gagne la bataille, qui m'asservit au péché qui est encore en moi...»

Mais Dieu cherche la force de caractère. A ses yeux, un caractère faible implique une *personne* faible : «L'homme regarde l'apparence extérieure, mais Dieu regarde le cœur.» (1 Samuel 16, 7). Alors Dieu a donné à Paul, et à nous tous, la réponses aux limites et faiblesses personnelles. «Qui me libèrera de cet esclavage envers cette nature imparfaite et mortelle ? Dieu merci ! Ça a été fait par Jésus-Christ notre Seigneur. Il m'a libéré.»

Aimeriez-vous triompher de vos limites personnelles ? Vous le pouvez !

Rappelez-vous : Dieu est le spécialiste de l'impossible. Il ne vous demande pas de tout faire vous-même, il veut le faire *en vous. Tous les principes et toutes les indications donnés dans la Bible, dans «Lhomme Total », ou en tout autre endroit, ne feront que vous enterrer si vous essayez de les mettre en application à l'aide de vos seuls efforts humains.* Mais si vous faites confiance à Dieu pour mener à bien ces qualités dans votre vie, il vous les rappellera, vous poussera du coude, vous donnera des instructions au fur et à mesure qu'elles deviendront partie intégrante de vos pensées.

Petit à petit, vous serez à même de remarquer un désir croissant et une acceptation de la vie équilibrée. Vous parviendrez à une relation d'amour plus étroite avec votre femme et vos enfants, plus étroite même que tout ce que vous aviez imaginé. Vous vous retrouverez assumant une nouvelle énergie passionnante, parce que Dieu vous aura transformé en homme selon sa volonté.

Beaucoup de livres sur la pensée positive ou l'amélioration de soi, après avoir parlé de Dieu, d'une «Intelligence suprême » ou d'un «Etre suprême » avec obligeance, s'arrêtent là. «Ayez confiance en Dieu.»

Ça a l'air très bien. Puis le lecteur se met à penser en termes concrets. Par exemple : «Comment ? comment un être humain peut-il avoir confiance en Dieu ? Et qu'est-ce que ça peut bien vouloir dire que de se « concentrer sur Jésus-Christ ? »

Questions recevables. Elles méritent qu'on y réponde. Et quand les livres contemporains sur l'amélioration de soi disent simplement : « Ayez confiance en Dieu », sans dire *comment,* c'est comme si on m'offrait une belle voiture neuve et puissante en me disant : « Oh, *au fait,* il n'y a pas de clé. Il faudra vous en trouver une, ou en faire faire une, *puis* vous pourrez l'utiliser. »

Heureusement, ce n'est pas aussi difficile que ça. Un peu plus de recherche de la part de ces auteurs leur aurait révélé que la clé de la « confiance en Dieu », ce sont deux principes simples qui vous transforment l'existence.

Dans le chapitre suivant, nous verrons à quel point ces principes sont applicables.

9 « Libérez-vous des limites personnelles »

*Et vous
connaîtrez
la vérité
et la vérité
vous apportera
la liberté.*
JESUS-CHRIST
(Jean 8.32)

Comment se fait-il que nous les hommes, ayons tendance à nous méfier du concept de la confiance en Dieu ?

L'une des raisons, c'est que nous l'avons « catalogué ». En nous efforçant d'affirmer notre masculinité indépendante, nous avons inventé de fausses accusations contre Dieu.

En particulier, beaucoup d'hommes ont aujourd'hui condamné Dieu à partir de deux fausses inculpations : 1) qu'il est bon pour les femmes, les poules mouillées et les ignorants qui ont besoin d'une béquille émotionnelle ; 2) qu'il est une force négative qui veut gâcher le plaisir de tous et les faire vivre dans la pauvreté.

Ces deux remarques sont aussi dénuées de fondement que stupides.

David, un des plus grands rois de la terre, et que l'histoire nous montre, n'était absolument pas une femme, ni une poule mouillée, ni un ignorant. Il écrivit : « Dédie tout ce que tu fais au

109

Seigneur. Aie confiance en son aide, et il t'aidera.» (P-saume 37.5).

Salomon, qui était peut-être le roi le plus sage et le plus riche de la terre, n'avait pas besoin de la moindre béquille. Mais il a dit :

> «Si tu désires l'amour de Dieu et celui des hommes, la réputation d'être bon juge et d'avoir du bon sens, alors fais entièrement confiance au Seigneur, n'aie jamais confiance en toi-même. Dans tout ce que tu fais, que Dieu soit le premier, il te dirigera et couronnera tes efforts de succès.» (Les Proverbes 3, 4 et 6).

Pendant mon travail, j'ai personnellement rencontré des dizaines d'hommes d'affaires dynamiques, de chefs de communautés, d'athlètes professionnels, et d'autres hommes qui étaient loin d'être efféminés, ignorants ou fragiles sur le plan des émotions, mais qui faisaient preuve d'une grande confiance en Dieu au cours de leur vie quotidienne. Le syndrôme de la poule mouillée et l'attitude du «Je-n'ai-pas-besoin-de-Dieu» ne s'appliquent pas à eux. Ils l'ont *vu* créer en eux ces qualités que 50 ans de bonnes résolutions de Jour de l'An n'avaient pas réussi à faire naître.

L'observation de David de Salomon et d'autres hommes comme eux, m'a été une importante leçon : *L'homme sage est celui qui connaît, et admet ses limites.* Ce n'est pas être non-masculin ou ignorant que d'être honnête avec soi-même. Nous ne pouvons être Dieu. Et la qualité de vie que nous pouvons vivre *avec* lui, n'est pas la même que sans lui. C'est pourquoi ces hommes intelligents, et des millions d'autres, refusent de se faire une opinion de Dieu d'après cette première accusation mensongère. Ils ont découvert que *Dieu ne veut pour eux, que ce qu'il y a de mieux.* «Et nous savons que tout ce qui nous arrive contribue à notre bien,» nous promet la Bible, «si nous aimons Dieu...» (Les Romains 8.28).

En ce qui concerne la seconde inculpation : Dieu est-il *vraiment* une force négative ? Une négation cosmique géante ? Retournons à notre illustration père-fils un instant.

Supposez que vos enfants viennent à vous et vous disent : « Papa, nous t'aimons tant d'être notre père. Il est parfois facile d'oublier combien tu nous aimes et combien tu te sacrifies. Et comme nous t'aimons et avons confiance en toi, nous voulons te demander de nous apprendre à être de bons enfants. »

Après vous en être remis, quelle serait votre réaction ? Diriez-vous : « Ah, je vous tiens ! Je vais vous rendre la vie impossible ! Je vais vous enfermer dans le débarras, vous empêcher de gagner de l'argent, vous habiller de vêtements grossiers et vous empêcher de vous amuser ! Vous allez regretter de m'avoir fait confiance » ?

Ou bien diriez-vous : « Mes enfants, je vous aime aussi. Et je suis très fier grâce à vous, aujourd'hui. En fait, vous m'avez rendu si heureux que je ferai tout mon possible pour que votre vie soit riche et heureuse. Je vous montrerai comment être sages, forts ; comment réussir, et comment aimer les autres » ?

J'espère que votre choix va de soi. Mais, pour absurde qu'elle puisse paraître, la première réaction est celle que nous avons souvent attribuée à Dieu, en réponse à ceux qui lui confiaient leur vie. Nous avons catalogué Dieu, nous l'avons accusé d'être un être négatif et malveillant, alors qu'en réalité il nous dit : « Je suis venu pour que vous puissiez vivre, et que vous puissiez vivre dans l'*abondance* » (Jean 10.10).

Comprenez-vous ce que veut dire l'*abondance* ? Elle nous dit que, aussi belle que puisse nous paraître la vie, aussi bons que nous pensions être, une vie centrée sur le Christ, sera encore *supérieure*. *Plus* pleine. *Plus* significative.

Est-ce que cela vous semble négatif ou malveillant ?

Je pense que ces « inculpations » contre Dieu ne sont que des écrans de fumée que l'homme a interposés pour éviter d'admettre ses limites humaines. Nous nous accrochons à un argument douteux, puis à un autre, pour ne pas reconnaître le fait que nous avons bien une dimension spirituelle dans la vie, une aspiration que nous essayons de satisfaire de cent façons synthétiques.

Mais comme l'avait remarqué Blaise Pascal, physicien et philosophe français : « Il y a dans le cœur de chaque homme, un vide en forme de Dieu, qui ne peut être comblé par une chose créée, mais par Dieu le Créateur seul, révélé par Jésus-Christ. »

Un vide en forme de Dieu. En d'autres termes, Pascal nous dit que : *Chaque homme, qu'il l'admette ou non, a un profond besoin d'intimité avec Dieu.* Quand ce besoin n'est pas satisfait, l'homme est frustré dans la relative frivolité de ses intentions, ses buts et ses relations. Et bien qu'il essaie de mettre sa carrière, sa puissance, sa vie sexuelle, son argent, les choses, le macho et les bonnes actions dans ce vide en forme de Dieu, *rien, à part Dieu lui-même ne peut satisfaire ce besoin.*

Le vide en forme de Dieu. C'est « l'amour de Dieu » tel que le Christ l'a démontré, l'un des quatre blocs fondamentaux de la tour qui représente la vie complète. Dieu nous a créés, vous et moi, dépendants de lui, de façon à ce que nous placions notre confiance en lui. Il veut simplement que nous disions : « Père, nous t'aimons de nous aimer. Nous voulons que tu nous guides, et nous apprennes à mener une vie épanouie et chargée de sens. » Et si nous lui faisons confiance, il nous l'apprendra *bien*, par sa Parole, par d'autres chrétiens, par des incitations surnaturelles. Comment vivre sa vie avec des priorités précises, comment prendre des décisions sages, et comment laisser percer nos qualités de caractère à travers notre faiblesse humaine.

Souhaitez-vous laisser Dieu combler ce vide en forme de Dieu, le laisser vous transformer en homme selon sa volonté ?

Voici deux principes simples, mais qui transfigureront votre vie, qui vous guideront.

UN :
Assurez-vous
que vous êtes
Chrétien

Malheureusement, Dieu a été catalogué sur ce point aussi. Au lieu de simplement faire confiance à Dieu, nous avons fabriqué différentes façons d'« être Chrétien. » Certains d'entre nous diront : « Mes parents étaient chrétiens, ce pays est chrétien, par conséquent, *je suis* chrétien. » Un chat né dans une boîte à pain est-il un biscuit ?

D'autres que nous sont convaincus qu'être chrétien vient de ce qu'on fait de bonnes actions, qu'on fait la charité, qu'on ressent des émotions, qu'on prie par d'impressionnantes litanies et prières, qu'on va à l'église, qu'on appartient à des commités ou qu'on fait le catéchisme.

Pas forcément. Vous savez, il y a un monde entre être « pratiquant » et être chrétien.

Les Pharisiens hypocrites du temps de Jésus étaient certainement les gens les plus pratiquants de la terre, pourtant, ils sont complètement passés à côté de la vérité. Ils pensaient que faire de bonnes actions et suivre des centaines de règles astreignantes allaient leur donner droit à l'amour de Dieu. Aujourd'hui, bien des hommes essaient ce même moyen épuisant.

Mais l'une des choses qui fit de Jésus-Christ un homme aussi dynamique et « libéré » fut son refus total des *obligations* et *interdictions* rituelles de la religion. Les hommes s'en tenaient à ces règles mesquines depuis si longtemps, qu'ils vénéraient *les règles* au lieu de Dieu. Et comme Jésus-Christ était Dieu fait homme, les dirigeants de son époque ne purent le reconnaître : ils étaient trop préoccupés de leurs règles.

Donc, le Christ dépassa la religion. Sa vie, sa mort, sa résurrection donnèrent aux hommes un moyen beaucoup plus pratique de connaître Dieu. Non pas la religion, mais la *relation* personnelle.

L'HOMME TOTAL

Quelqu'un a dit fort justement que la « religion », c'est l'homme s'efforçant d'atteindre Dieu ; que le *christianisme,* c'est Dieu prenant l'affectueuse initiative de trouver l'homme.

Dieu a pris l'initiative de remplir le vide par Jésus-Christ. Le Christ est mort sur la croix, tel serait le dernier sacrifice requis pour le péché de l'homme. Dieu disait en effet : « Peu m'importe votre peu de mérite, votre égoïsme, votre entêtement, ...Je vous aime ! Je veux que vous éprouviez la joie que vous recherchez ! » C'est ici que ce verset, que nous avons tous appris à un moment ou à un autre, prend tout son sens : « Car Dieu aimait tant le monde qu'il lui fit don du seul fils engendré par lui, pour que quiconque croyant en lui ne périsse point, mais vive éternellement » (Jean 3.16).

Voilà ce qu'être Chrétien veut dire : *C'est simplement croire en Jésus-Christ comme seul moyen de satisfaire notre dimension spirituelle innée.* Les bonnes actions, les religions inventées par l'homme, le simple fait d'aller à l'église et la piété personnelle sont insuffisants. « Je suis la voie, la vérité et la vie », dit-il. « Personne n'arrive au Père, si ce n'est *par Moi* » (Jean 14.6).

Avant d'apprendre cette vérité libératrice, William Converse Jones, directeur commercial à Pasadena, essaya tous les moyens possibles. Il le raconte de cette façon :

« J'avais finalement atteint mon but : avoir mon agence de publicité personnelle ! Située à Beverley Hills, notre firme s'occupait de relations publiques et de publicité pour des filiales importantes et des entreprises de matériaux de construction. Des années de coups durs (j'avais trente-huit ans à l'époque) et l'expérience avaient donné naissance à cette agence, et j'en étais fier.

« C'était un travail qui me donnait beaucoup de satisfactions. Mais pendant ce temps, j'avais moi-même remarqué que je devenais très cynique. Comme vendeur, j'étais très doué pour manipuler les gens, pratique qui me stimulait et me déplaisait à la fois.

LIBEREZ-VOUS DES LIMITES PERSONNELLES

« Et ironie, j'étais aussi très fier de mon intégrité dans les affaires. Mais bientôt, j'appris que n'importe qui accepte d'abandonner ses critères dans une situation assez difficile.

« Cette même année, un gros client refusa de payer ses factures et notre agence de publicité commença à avoir de grosses difficultés financières. Les différents hommes d'affaires auxquels notre client devait de l'argent s'organisèrent en association forte, et nous avons exigé les paiements ensemble. Mais quand l'occasion se présenta, nous, en tant qu'agence, avons abandonné nos associés et nous sommes mis d'accord sur une belle affaire que nous offrait le représentant de notre client.

« Lorsque j'acceptai de mener cette affaire à son terme, quelque chose mourut en moi. Mon désir d'être dans la publicité mourut à ce moment-là aussi. J'avais été une vraie : « puissance de pensée positive » et j'avais lu tous les livres sur la conception de l'objectif et comment foncer sur lui. Lorsque je quittai l'agence, j'avais perdu mes illusions.

« Alors, lorsque je vis que la simple pensée positive ne marchait pas vraiment, je décidai de profiter de la clause de double indemnité figurant sur ma police d'assurance. Mon plan était d'avoir un accident fatal sur l'autoroute pendant le dernier week-end de Novembre. Mais, tandis que le jour fatidique approchait, une petite pensée me tracassait : « Suppose qu'après avoir trouvé la mort tu comprennes tout, et que tu découvres que tu as manqué la « solution » ?

« Me rendant compte que je n'avais jamais pris le temps de définir une philosophie personnelle, je m'attaquai à ce projet à peu près comme je m'attaquais au compte commercial d'un client dans l'industrie. Je décidai que si je ne réussissais pas à trouver une clé à la vie en quatre vingt-dix jours, c'est qu'il n'y en avait pas. Je me lançai, trouvai une bonne place et passai mes soirées à faire de la recherche dans les bibliothèques et les librairies, ou à m'entretenir avec quelque homme qui avait réussi, rien que pour le voir tiquer. Je me mis à l'étude des différentes religions populaires, et j'ai même à l'occasion lu la Bible.

« Dans cette quête, j'étais impitoyable et je rejetais tout ce qui, pour un homme d'affaires, n'était ni logique, ni utile. J'essayais de trouver une philosophie d'homme d'affaires, et si elle était viable, je l'emballerais et pourrais la partager avec d'autres hommes d'affaires.

« Avant longtemps, j'étais prêt à partager mes idées avec un ami de toujours : Hal Leford. Il était homme d'affaires à Los Angeles aussi, et quand je l'appelai, il me promit d'être une table d'écoute gentille et douce. J'étais vraiment fier de la philosophie que j'avais bâtie et il me fallut une heure et demie pour la lui exposer.

« Sa réaction ? » Bill, il y a de bonnes choses là-dedans, » dit-il, « mais tu as négligé l'ingrédient principal : Jésus-Christ. »

« Tu n'écoutais pas ? » lui demandai-je, « J'ai le Sermon sur la montagne, j'ai la Règle d'Or, enfin, j'ai tous les principes du christianisme là-dedans. » Hal me répondit simplement : « Je te l'accorde, mais tu as laissé Jésus-Christ de côté. »

« J'étais vraiment furieux, mais il me promit de ne plus en parler si j'acceptais d'aller à un petit déjeuner d'hommes d'affaires chrétiens. Je n'ai pas discuté : « Pourquoi n'en avais-je pas entendu parler plus tôt ?

« Je commençai à y aller le jeudi, et je fus stupéfait. Chaque semaine, l'orateur était différent, et travaillait dans un domaine différent, et il était évident que leur foi les avantageait. Ils disaient tous qu'ils connaissaient Jésus-Christ personnellement, et, par conséquent, non seulement ils avaient de bons principes en affaires, mais ils éprouvaient la paix dans le fourmillement de rats qu'est le monde des affaires.

« En Juin 1965, Whitney Lyon, un agent de change, paraplégique qui réussissait à marcher, prit la parole. A la fin de son témoignage, il y avait tant de joie dans la salle qu'on aurait pu la couper au couteau. J'allai le voir après et lui dis : « Mr Lyon, je vous le dis comme je le pense. Vous n'avez pas beaucoup de raisons d'être heureux, et pourtant, vous êtes un homme absolument heureux. J'ai tout ce qu'il faut pour être heureux, et je suis malheureux comme les pierres. Pourquoi ? »

« M. Lyon savait comment s'occuper de moi. Il me dit : « Jones, j'ai entendu parler de vous. Vous êtes le sceptique à demeure et votre défense est prête. Vous voulez aussi avoir votre place près de Dieu. Eh bien, vous compliquez tellement le pardon de vos péchés et la recherche de la paix avec Dieu que seuls des professeurs en théologie pourraient devenir chrétiens ! ».

« Il m'était impossible de discuter car il avait raison. Alors il continua : « Comme vous ne voudriez pas que qui que ce soit d'autre vous conduise à Dieu, que penseriez-vous d'une explication qui vous permettrait de le faire vous-même ? Ce soir, après que votre famille soit allée se coucher, agenouillez-vous et dites simplement à Dieu que vous êtes d'accord avec lui, que vous avez gâché votre vie ; ça s'appelle se repentir d'un péché. Puis demandez-lui d'intervenir dans votre vie et de prendre le relai. Dites-lui que vous lui accordez un contrat de direction à vie. Remerciez-le de le faire, relevez-vous et allez vous coucher.

« Cette nuit-là, j'ai suivi ses instructions à la lettre. Il m'a fallu plusieurs jours avant de remarquer des changements en moi. Mais je commençai à comprendre progressivement la Bible quand je la lisais. Et, absolument stupéfiant, la solitude que j'avais toujours ressentie m'abandonna. Mes attitudes à l'égard des affaires commencèrent à changer aussi, je m'intéressai davantage aux gens et commençai à accorder plus de poids aux facteurs humains dans mes décisions professionnelles.

« Au cours de ces dix dernières années, j'ai vécu, en tant qu'homme d'affaires chrétien, suffisamment de miracles discrets pour écrire un livre. Mes relations avec Dieu sont non seulement viables, mais elles sont aussi vitales pour ma vie professionnelle et personnelle.

« Le problème, c'est que la plupart d'entre nous aiment compliquer les choses. Y compris nos façons d'essayer de gagner l'acceptation et la paix de Dieu. Tout ce qu'il faut pour cela, c'est cette unique et éternelle transaction : accepter son contrôle affectueux et sage contre notre contrôle de nous-mêmes, imparfait et limité. Croyez-moi, c'est un contrat de direction que je ne regretterai jamais. »*

« Le contrat de direction à vie » comme l'appelle William Jones, est simplement l'acte de *recevoir* Jésus-Christ comme Sauveur et Directeur personnel. Un simple accord intellectuel ou des expériences émotionnelles n'y parviendront pas. La Bible est très formelle sur ce point : « Mais à tous ceux qui l'ont *reçu,* il a donné le droit de devenir les enfants de Dieu » (Jean 1.12).

Recevoir implique de reconnaître nos limites, de se tourner vers Dieu et non vers soi-même, et de faire confiance au Christ pour qu'il vienne en nous, qu'il nous pardonne nos péchés et commence à faire de nous des hommes selon sa volonté.

Lorsque Greg Brezina, du NFL décida de faire confiance au Christ, il luttait contre de sérieux problèmes de caractère et d'alcoolisme qui menaçaient son mariage. Mais il entendit Russ Knipp, champion Olympique et champion du monde de poids et altères, expliquer comment il avait travaillé pendant des années pour devenir l'homme le plus fort du monde pour sa taille, mais qu'il n'y avait pas trouvé d'épanouissement ni de but réel avant d'avoir confié sa vie à Jésus-Christ.

Plus tard, dans sa chambre d'hôtel, juste avant un match contre les Béliers, Greg s'aperçut qu'il priait : « Je dis : Jésus-Christ, si tu es là-bas, et que tu es vraiment ce que dit Russ Knipp, prouve-le moi. » Je suppose qu'il était quelque peu arrogant de parler à Dieu de cette façon. Mais j'étais fatigué de mener cette vie, et il me fallait cer-

---

*Cette histoire, et celles de Greg Brezina et de John Bramlett, sont adaptées avec la permission de *Worldwide Challenge*. Copyright© campus Crusade pour Christ International.

taines réponses. Je demandai au Christ d'être mon Seigneur et mon Sauveur. Le Christ s'est mêlé à ma vie, m'a libéré de ma culpabilité, et m'a donné une impression de paix. »

D'après ce que disent Greg et Connie, le domaine qui fut le plus transformé fut leur mariage. Connie fut plutôt sceptique quand Greg lui annonça pour la première fois son nouvel engagement. « J'ai pensé que ce serait formidable si ça marchait, » se rappelle-t-elle, « mais il avait déjà vécu des choses similaires. » Pendant les deux semaines suivantes, elle remarqua plusieurs changements. Tout d'abord, il lut neuf livres. « Il n'avait jamais lu auparavant. Et il cessa de jurer et de boire. Il semblait beaucoup plus heureux ».

Connie admet qu'elle éprouvait une certaine amertume : « Je pensais être meilleure chrétienne, puisque j'allais à l'église le dimanche. Mais j'étais malheureuse. Moi aussi, je cherchais. Je pensais qu'il devait y avoir autre chose dans la vie que la cuisine et le ménage. » En Novembre 1971, elle confia, elle aussi, sa vie au Christ.

« Le plus important, c'est que nous avons cessé de nous faire du mal par des remarques sarcastiques, » poursuit Connie, « et Greg eut beaucoup plus d'égards pour moi et pour mes opinions. Il commença à penser à moi d'abord, et à m'inclure dans ses projets. Je commençai à avoir confiance en lui. »

« Souvent, nous refusions de nous parler, » dit Greg, « nous essayions de nous tuer l'un l'autre par le silence. Et puis, il y avait les fois où nous nous disputions, parfois deux ou trois fois par jour. Je n'ai pas noté la dernière dispute sur le calendrier, mais ça fait plus de trois ans maintenant. »

John « Bull » Bramlett, qui fut joueur professionnel de baseball et de football avant de se retirer dans les affaires, est lui aussi un homme qui essaya de remplir le vide en forme de Dieu avec des « choses ». John se fit une réputation de trouble-fête qui aimait beaucoup plus s'amuser que s'entraîner, et, en dépit d'un talent évident (« avant » de Joe Namath comme Recrue de l'Année, en 1976 ; et meilleur joueur des Patriotes de Boston en 1970) aucune équipe professionnelle ne le gardait sous contrat pendant longtemps.

« Mais la paix que je n'ai pas réussi à trouver dans la boisson, les femmes ou la drogue, je l'ai trouvée en Jésus-Christ, » dit John. « Je vois maintenant que je luttais contre moi-même au cours de ces années. Je ne savais jamais ce que je voulais. Les trophées, les applaudissements, les petites claques dans le dos étaient agréables. Mais... après tous ces trophées et tous ces applaudissements, que restait-il ? Rien. »

« Dieu m'a en quelque sorte fait traverser toutes ces années, et il a fait rester ma femme et mes enfants à la maison, alors qu'il leur aurait été très facile de partir. A cause de mon comportement, notre mariage allait très mal. Mais, ensemble, ma femme et moi découvrons qu'on ne sait pas ce qu'est l'amour avant d'avoir l'amour de Dieu. »

Que faites-*vous* de votre dimension spirituelle ?

Vous apercevez-vous que vous substituez les *choses* à Dieu ? ou que vous faites confiance aux règles et activités de la religion.

Ou bien devenez-vous *tout ce que vous pouvez être* en laissant le Christ vous remplir d'amour et de conseils ?

Faire ce premier pas d'engagement et de confiance, peut-être par une simple et sincère prière, comme celles de William Jones ou de Greg Brezina, est la première clé pour faire entrer l'impossible dans votre vie.

DEUX :
Laissez Dieu
faire le travail

J'aime l'illustration donnée par le Christ de la relation qui existe entre la vigne et le sarment : « Je suis le vrai cep, et mon Père est le vigneron, » dit-il dans Jean 15. « Demeurez en moi et je demeurerai en vous. Comme le sarment ne peut de lui-même porter de fruit, s'il ne demeure attaché au cep, ainsi vous ne le pouvez non plus si vous ne demeurez en moi. »

Toujours pratique, le Christ tirait son exemple de ce qu'on voyait couramment en Israël : la vigne. Les gens savaient que pour avoir une récolte de raisin sain (et éventuellement, du vin), il fallait que le sarment soit bien attaché au cep. Séparé du pied, aucun sarment ne peut donner de raisin. C'est par le cep que viennent la nourriture et la force, tout ce qu'il reste à faire au sarment, c'est de se nourrir du cep. Le raisin est le dérivé naturel de la relation cep-sarment.

Et c'est exactement de cette façon que Dieu veut nous faire réussir notre vie d'Homme Total. Avez-vous jamais vu une branche *l-u-t-t-a-n-t* de toutes ses forces pour porter des fruits ? Bien sûr que non !

« Le fruit de l'Esprit, » notre dernière liste de Bonnes Résolutions du Jour de l'An est le *dérivé naturel* d'une vie centrée sur Jésus-Christ. C'est lui qui fait le travail de transformation. « Sans moi, » dit le Christ, « vous ne pouvez rien faire. » *Notre travail,* comme celui du sarment, est de tirer sans cesse sa richesse. La Bible résume notre responsabilité en un mot : DEMEUREZ.

Pour croître en relation avec le Christ, demeurez en lui. Nourrissez-vous de son abondante richesse. Laissez-le reproduire son caractère en vous :

...en allant vers lui régulièrement par la prière. Recherchez sa sagesse et ses conseils sur les questions d'ordre familial, professionnel ou personnel. Demandez-lui de vous rendre plus affectueux aujourd'hui. Tout a suffisamment d'importance pour que vous en parliez à Dieu. Et il n'est pas indispensable de faire de longues prières formelles. Si une tentation ou une occasion surgit, envoyez un télégramme vers le ciel de toute urgence et dites : « Seigneur, s'il te plaît, aide-moi à ne pas perdre la tête, d'accord ? » Il le fera.

...*en acceptant son inépuisable faculté de pardonner.* Il vous arrivera souvent de faillir. Le ressentiment, la jalousie, la concupiscence, une remarque blessante et je ne sais quoi encore. Mais on nous a promis : « Si nous confessons nos péchés, il est assez fidèle et juste pour nous les pardonner, et nous laver de toute iniquité. » Se confesser, c'est simplement admettre avec Dieu qu'une attitude ou une action est péché, et que nous en sommes vraiment navrés. Quand la confession est sincère, le pardon de Dieu est assuré.

...*en tirant des enseignements de sa Parole.* Quelqu'un a fort justement appelé la Bible : « La lettre d'amour de Dieu. » Non seulement vous y découvrirez Jésus-Christ lui-même, mais aussi tout ce qu'il promet pour vous sauver, vous guider, vous aider à vaincre la tentation, vous apporter la sagesse et satisfaire vos besoins. De plus, la Bible est une mine de connaissances pratiques dans les domaines du développement personnel, du mariage, de la famille, de l'argent et de l'utilisation du temps, des principes en affaires, de la direction des hommes, des relations personnelles ou de travail, etc.

...*en appréciant la compagnie des chrétiens.* Il y a quelque chose d'encourageant à rencontrer des amis qui partagent la même qualité de vie que vous. Vous aurez l'occasion de voir ce que fait le Christ pour leur vie, tandis qu'ils pourront vous voir évoluer dans la foi. Ensemble, vous pouvez partager les joies et les soucis et tirer profit de vos expériences respectives. Telle est la fonction de l'Eglise, selon la volonté de Dieu. Trouvez une église où on honore le Christ, où on enseigne sa Parole et où les gens jouissent de relations personnelles fructueuses avec lui et avec les autres.

...*en emportant l'initiative spirituelle chez vous.* Etre Chrétien, ce n'est pas seulement une relation « pour femmes et enfants », et pourtant c'est ainsi que nous, hommes, parlons de la chose. Maman sort la Bible familiale. Maman donne un coup de coude à papa quand il est temps de rendre grâce, ou plus probablement, elle le fait elle-même. Maman prie pour les enfants. Maman s'assure que tout le monde sera à l'église à l'heure. *Où est Papa ?* Il est temps que nous, hommes, portions le pouvoir de l'Esprit du Christ dans nos familles, peut-être qu'alors la situation des foyers ne sera pas aussi tragique qu'elle l'est aujourd'hui.

Tandis que vous tirerez votre puissance de Dieu en « demeurant dans le Cep, » laissez-le travailler. Vous pourrez vous rendre compte de la transformation progressive qui s'opèrera en vous. L'amour commencera à vous venir plus naturellement. La joie illuminera votre foyer. La paix, la patience, la gentillesse, la bonté, la fidélité, la douceur et le sang-froid feront de plus en plus partie de vous. Vous pourrez affirmer avec certitude : « Je peux tout faire grâce à Jésus-Christ qui m'en donne la force. »

Tout comme Dieu l'a fait dans ma vie personnelle, dans mon mariage avec Kathy et dans les vies de William Jones, Greg Brezina et John Bramlett, et dans des milliers d'autres, *il révèlera ce qu'il y a de meilleur en vous.* « Vous connaîtrez la vérité, » comme il l'a promis, « et la vérité vous libèrera. »

10 Une formule pour résoudre vos problèmes personnels

*Le rayon
de miel est doux
à ton palais.
De même,
connais
la sagesse
pour ton âme.
Si tu la trouves,
il est
un avenir,
et ton
espérance
ne sera pas
anéantie*

SALOMON
Proverbes 24 :13

Situation 1 : Au cours des derniers mois vous avez eu l'impression qu'un écart se creusait entre vos enfants et vous. Votre métier, plus leurs activités, vous laisse peu de temps ensemble, et encore n'est-ce que pour un repas expédié ou une demi-heure devant la télévision. Que peut-on faire pour resserrer les liens familiaux ?

Situation 2 : Enfin ! Vous avez l'occasion d'acheter le genre de maison que votre femme et vous avez toujours voulue.. Elle est « parfaite. » Mais est-ce que toute cette place, plus un salon et un atelier valent la peine de payer 100 dollars de plus par mois ? Faut-il, en vertu de la foi et du Grand Esprit de Décision Américain, conclure cette transaction ?

Situation 3 : Vos parents vous ont invités, vous et votre famille, à passer Noël chez eux. La famille de votre femme en a fait *de même* pour la même occasion. Vous êtes allés chez ses parents à Noël dernier, mais les vôtres habitent si loin que vous n'avez pas les moyens d'y aller maintenant. Que faites-vous ?

Peut-être avez-vous dû faire face à de semblables situations récemment ? Peut-être étaient-elles même plus difficiles. Dans ce monde de l'homme fait de tentatives personnelles, de vie conjugale, de paternité, de stratégie financière, de politique avec la belle-famille et d'une multitude d'autres situations qui se présentent, la responsabilité de prendre des décisions et de résoudre des problèmes peut être effrayante.

Comment *peut*-on arriver à améliorer la qualité du temps passé avec les enfants quand les emplois du temps de chacun sont si différents ? Où est la frontière idéale entre la foi et la bêtise quand il s'agit de prendre une importante décision financière ? Quel est *le meilleur* moyen de se tirer de ces difficiles situations touchant à la famille, dans lesquelles les intentions sont louables, mais où les sentiments peuvent être facilement heurtés ?

La façon dont nous nous y prenons pour décider peut avoir des conséquences dramatiques sur nous-même et notre famille. Un malentendu pourrait gêner une importante relation ou lui porter atteinte. Une erreur financière pourrait absorber toutes les économies ou engager les gains futurs pendant des années. Votre femme et vos enfants pourraient faire les frais d'une décision malheureuse de votre part, ou d'une absence de décision.

Problèmes, questions, décisions. Que cela nous plaise ou non, ils font partie du monde de l'homme, et on ne peut y échapper.

Et ils nécessitent la sagesse la plus aiguë.

La sagesse, j'étais sceptique sur ce mot. Pour une raison ou une autre, peut-être à cause des clichés de la société, j'avais appris à considérer qu'une *personne douée de sagesse* était un sage à cheveux blancs, qui avait une maxime spirituelle pour chaque situation. Nous parlons de ce « vieux Ben Franklin plein de sagesse », ou d'« un vieux grand-père plein de sagesse. »

Il ne m'était même jamais venu à l'esprit que, moi

aussi, je pouvais être sage, surtout avant soixante-cinq ans. Je croyais que c'était inné, ou bien que cela vous frappait brutalement, un jour, alors que vous êtes dans votre chaise à bascule, sous le porche. Et de toute évidence, je n'appartenais à aucune de ces catégories.

Alors, pour réussir, je me mis à la recherche de la *connaissance* avec passion. J'ai réussi tous les examens... enfin, *la plupart* d'entre eux. J'ai amassé autant de bons résultats que possible. Je me suis tenu tranquille juste ce qu'il fallait pour garder de bons antécédents dans mon dossier. Quand j'étais jeune, être « malin » était mieux vu que d'être « sage », de toute façon.

Je ne suis même pas sûr d'avoir trompé qui que ce soit sur ce sujet. Après avoir quitté l'école, il ne m'a pas fallu longtemps pour me rendre compte d'une chose : l'éducation m'avait donné toutes sortes de connaissances, mais la vie exigeait plus de moi que les faits et les chiffres pour lesquels j'avais tant travaillé. Les problèmes de la vie vont bien au-delà du vainqueur de la Bataille de Bunker Hill, ou de la différence entre sujet et attribut.

Il faut de la sagesse pour faire face aux problèmes de la vie.

A chaque fois que je me retrouvais entrain de dire : « Quelle est la meilleure conduite à tenir dans cette situation ? », il me fallait être *sage,* pas seulement malin.

J'avais besoin de savoir comment mettre en pratique mes connaissances, de façon à prendre les meilleurs décisions possibles. J'avais besoin d'une plus grande perspicacité face à mes problèmes, et aussi d'une bonne méthode de réflexion.

C'est là qu'est la définition de la sagesse.

La sagesse vaut plus que la connaissance

Les Proberbes, dont la plupart ont été écrits par Salomon, pourraient être appelés : « La philosophie de la réussite du

souverain le plus sage et le plus riche du monde.» Au cas
où vous voudriez des cours accélérés sur la réussite, lisez
les Proverbes. Là, Salomon associe presque toujours le
mot *sagesse* à trois qualités distinctes : *la connaissance,
la compréhension* et *le discernement.*

Pensons-y un instant. Ensemble, ils font un travail
d'équipe dont est issue la sagesse.

La connaissance, c'est le système de dossiers de l'esprit, la manipulation des informations. Ce sont les faits et
les chiffres que nous avons appris à l'école, en lisant, dans
des conversations, à la radio et à la télévision. La connaissance est essentielle pour la sagesse, mais *elle seule ne
suffit pas.* S'efforcer d'acquérir la connaissance seule,
c'est être comme la mémoire d'un ordinateur éteint. S'il
n'y a pas en même temps un quelconque phénomène
d'évaluation, la connaissance demeurera inutile.

La compréhension, c'est l'opération de l'esprit qui consiste en une évaluation de la connaissance. Habituellement, les faits sont jugés à la lumière de l'expérience personnelle, des valeurs personnelles, ou des expériences
dont nous avons pu être témoins chez autrui. Pour comprendre, il faut se demander : «Qu'arrivera-t-il si nous
choisissons cette solution ?» et répondre aussi honnêtement et aussi objectivement que possible.

Le discernement, c'est l'instant de décision, la phase
active de la sagesse. Le discernement, c'est la capacité de
faire le meilleur choix possible parmi deux possibilités ou
plus, d'après l'évaluation (ou *compréhension*) des forces
et faiblesses de chaque option.

Que nous en soyons conscients ou non, nous passons
vraiment par ce cheminement en trois étapes à chaque
fois qu'il nous faut prendre une décision. Pour illustrer
cela, supposons que vous devez aller en ville et que vous
essayez de décider si vous allez vous y rendre à pied ou en
voiture. Le cheminement pourrait être le suivant :

RESOUDRE VOS PROBLEMES PERSONNELS

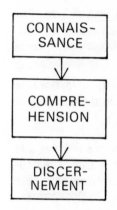

CONNAIS-SANCE

Je dois aller en ville. C'est à huit kilomètres. Je peux y aller en voiture ou à pied.

COMPRE-HENSION

Mais huit kilomètres, c'est huit kilomètres ! A pied, il me faudrait trois heures ou plus pour faire l'aller et retour. En voiture, je mettrais 15 à 30 minutes. Je n'ai pas trois heures.

DISCER-NEMENT

Je prendrai la voiture.

Dans cet exemple un peu trop simplifié, nous pouvons voir l'importance de chaque étape par rapport à la suivante dans le cheminement vers une décision. Sans les faits appropriés *(la connaissance)* votre évaluation de ces mêmes faits *(la compréhension)* n'aurait pas été à même de comparer le temps nécessaire en voiture et à pied. Si vous aviez laissé de côté l'étape de *compréhension ;* vous auriez pu entreprendre une marche de trois heures avec seulement trente minutes pour la faire. Et sans le moment de décision *(discernement)* vous vous demanderiez encore quoi faire.

Quelqu'un peut poser cette question : « Mais, que faites-vous des décisions immédiates que nous sommes obligés de prendre dans la vie ? Nous n'avons pas toujours *le temps* de faire, de tête, une liste des pour ou des contre ! » C'est vrai. Heureusement, l'esprit humain pense plus vite que nous ne l'en *croyons* capable. Dans ces situations de crises de quelques fractions de seconde, l'esprit s'appuie *inconsciemment sur l'expérience personnelle, les valeurs personnelles ou les expériences dont nous avons été témoins chez autrui. Par exemple, mettez-vous à la place de cette personne hésitante :*

L'HOMME TOTAL

CONNAIS- SANCE

Joe vient de me lancer une tourte. Elle est à cinquante centimètres de mon visage. Je peux ne pas bouger ou je peux me baisser.

Consciemment, nous pouvons penser que la donnée suffit à nous faire baisser. Mais, inconsciemment, en un éclair, d'autres rouages fonctionnent :

COMPRE- HENSION

Quand ils se sont lancés des tourtes à la télévision, ils avaient tous des sales têtes. Je ne veux pas avoir une sale tête (du moins, pas plus que maintenant).

Le seul fait de savoir que quelque chose vole vers vous ne suffit pas à vous faire baisser. C'est *l'évaluation de cette connaissance* (les objets volants peuvent blesser, les tourtes peuvent salir) qui provoque une peur suffisante pour réaliser le cheminememt complet en une fraction de seconde.

DISCER- NEMENT

Baisse-toi !

A nouveau, sans ces trois qualités, travaillant ensemble, au moment où il faut, une sage décision n'aurait pu être prise. Si vous aviez mal vu les faits, si vous les aviez mal compris, ou si vous aviez négligé de vous décider, vous passeriez les dix minutes suivantes à débarrasser votre visage de la tourte.

Il y a *sagesse* quand on passe par ces trois étapes avec une « efficacité maximum ». *La connaissance maximum* de la situation, des faits qui s'y rapportent et des possibilités. *Une évaluation complète* de cette connaissance. *Une décision immuable* s'appuyant sur cette évaluation. Comme une chaîne, le cheminement n'a d'autre solidité que celle de son maillon le plus fragile.

130

Ce qui laisse beaucoup de place à l'erreur humaine.

Oui, il faut acquérir autant de connaissances que possible par l'éducation, les livres, l'interaction avec les autres et la Bible. Et nous avons la responsabilité de disposer toutes ces choses et de les analyser grâce à la meilleure logique humaine possible. Mais, bien souvent, même ces ressources ne suffisent pas à diriger nos esprits vers la bonne décision.

Comme nous l'avons souligné dans le dernier chapitre : *Il nous faut reconnaître nos limites.* Les possibilités de prendre une décision à partir d'une connaissance insuffisante ou d'une compréhension inadéquate sont tout simplement trop grandes, quand vous songez à la complexité des problèmes actuels.

Le point de départ solide

Salomon, avec toute sa sagesse, reconnaissait que *même lui* avait besoin d'un point de départ solide et infaillible, à partir duquel il pouvait commencer à rechercher une décision par l'évaluation des faits. Non pas un subsitut à la logique et au raisonnement humain, mais *une mise en valeur.*

Et il ne perdait pas de temps à identifier ce point de départ. Sur la toute première page de son livre de Proverbes, il écrivit :

« Je veux rendre sages les simples d'esprit... (et) je veux que ceux qui sont déjà sages deviennent plus sages encore et deviennent les dirigeants en explorant les profondeurs de vérité que recèlent ces parcelles de vérité » Comment un homme devient-il sage ? Le premier pas, c'est d'avoir confiance en Dieu et de le vénérer ! (Proverbes 1 :4-9).

L'HOMME TOTAL

Faire confiance au Seigneur et le vénérer. Ceci nous ramène aux deux derniers chapitres. Quand vous vivez avec les conseils quotidiens de Dieu, vous pouvez ajouter *la Sagesse* à votre liste de bonnes intentions du Nouvel An.

Ne pensez pas un instant que Dieu soit avare de sa sagesse, il *veut* vraiment que vous l'ayez. Vous rappelez-vous comment Salomon devint sage ?

Peu de temps après avoir hérité du trône d'Israël par son père David, le Seigneur apparut à Salomon dans un rêve. « Demande ce que tu veux, » lui dit Dieu, « et tu l'auras ».

Qu'auriez-vous demandé ? (Eh bien, Seigneur, j'aime assez la Mercedes... »)

Salomon aurait pu demander un char plus fantaisiste, de plus belles femmes ou la domination du monde, mais il ne l'a pas fait. « Donne-moi un esprit compréhensif, pour que je puisse bien gouverner ton peuple, et différencier le bien du mal, » dit-il. « Car, qui est capable d'assumer seul une si lourde responsabilité ? »

Salomon reconnaissait ses limites.

Chacun d'entre nous ferait bien de comparer la tâche de dirigeant de Salomon, avec l'effrayante responsabilité qui est la nôtre dans la direction de notre vie personnelle, de notre mariage et de notre famille. *Donne-moi un esprit compréhensif... car, qui est capable d'assumer seul une aussi lourde responsabilité ?*

Comment répondit le Seigneur ?

« Puisque tu as demandé la sagesse dans la direction de mon peuple, et que tu n'as pas demandé une vie plus longue ou des richesses pour toi-même, ou la défaite de tes ennemis, oui, je t'accorderai ce que tu as demandé. Je te donnerai un esprit plus sage que tous ceux qui ont jamais existé ou qui existeront jamais ! Et je te donnerai aussi ce que tu n'as pas demandé, les richesses et l'honneur ! (1 Les Rois 3 :10-13).

RESOUDRE VOS PROBLEMES PERSONNELS

Salomon se réveilla pensant que cette entrevue n'était « qu'un rêve ». Mais bientôt, il prit sa décision célèbre dans l'affaire du partage d'enfant la plus connue du monde. Et « le bruit de la décision du roi s'étendit rapidement dans tout le pays » nous rapporte-t-on. « Les gens étaient frappés de stupeur en percevant la grande sagesse que Dieu lui avait donnée » (1 Les Rois 3 :28).

Dieu *veut* vraiment nous donner la sagesse. D'après la lettre très franche de Jacques, dans le Nouveau Testament : « Si quiconque manque de sagesse, qu'il en demande à Dieu, qui donne à tous les hommes, généreux et sans reproche, et cela lui sera accordé » (Jacques 1 :5).

Il n'y a qu'une incertitude dans cette promesse : Jacques écrit pour ceux qui ont confié leur vie à Dieu par Jésus-Christ. Si c'est ce que vous avez fait, alors vous avez accès à la Sagesse de Dieu. Si vous ne l'avez pas encore fait, vous êtes tout seul, mon frère.

Salomon démontra que le point de départ est la confiance en Dieu et sa vénération. Nous voyons l'effet immédiat de ses décisions d'un bout à l'autre de sa vie : à chaque fois que Salomon faisait passer Dieu en premier dans sa vie, le cheminement qui s'en suivait par *la connaissance,* puis *la compréhension,* puis *le discernement* aboutissait à de sages décisions. Mais s'il ne faisait pas appel au Seigneur et passait directement au cheminement, ses limites humaines ne donnaient que des choix médiocres dont toute la nation d'Israël souffrait. C'est pourquoi il a écrit : « ... N'ayez jamais confiance en vous-même. Dans tout ce que vous faites, faites passer Dieu en premier, il vous guidera et couronnera vos efforts de succès » (Les Proverbes 3 : 5-6).

Donc, d'après l'expérience du souverain le plus sage de la terre, nous avons la formule du succès en matière de solution des problèmes (voir croquis page suivante).

Après avoir étudié ce schéma, voyons si la formule marche pour résoudre les problèmes actuels. Il est possible que nous ne voyions pas venir à nous deux jeunes

femmes, se disputant pour savoir qui est la vraie mère d'une enfant, mais que diriez-vous de ces situations ?
« Avons-nous les moyens de nous offrir une voiture neuve maintenant ? Si oui, laquelle ? »
« Quelles sortes de règles devons-nous faire accepter à nos enfants adolescents ? »
« Est-ce le moment d'amorcer un virage dans ma carrière ? Si oui, quel est le meilleur domaine où je dois me lancer ? »
« Comment résoudre nos problèmes d'argent au sein de la famille ? »
(Qu'avez-vous à l'esprit en ce moment ? Ecrivez-le.)

_____

_____

_____

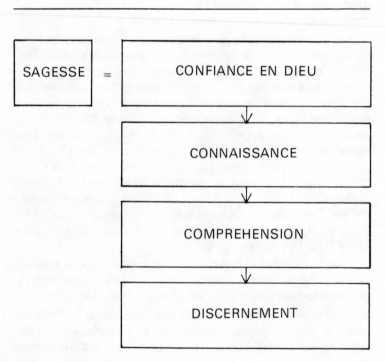

RESOUDRE VOS PROBLEMES PERSONNELS

Définissez le problème qu'il vous faut résoudre aussi clairement que possible. Puis commencez à adapter la formule de Salomon à votre situation en vous arrêtant quelques instants sur cet important point de départ.

1. FAIRE CONFIANCE AU SEIGNEUR ET LE VENERER

La tendance naturelle que nous avons est de *renverser* le cheminement pour la solution d'un problème et de placer Dieu tout à fait à la fin. Nous nous battons avec nos difficultés et puis nous demandons à Dieu de bénir nos projets. Ou bien, s'il devient évident que nous nous sommes trompés sans appel, nous nous précipitons vers lui pour qu'il nous sorte de là.

Nous nous éviterions un paquet d'ennuis si nous suivions les conseils de Salomon de *commencer au point de départ.* Tournez-vous vers Dieu *d'abord,* pas après. Sa Parole porte peut-être déjà la réponse dont nous avons besoin, écrite noir sur blanc.

Ou bien, il est possible que Dieu utilise le processus de communication directe. Dès que nous avons posé le problème et que nous lui avons demandé la sagesse, il peut offrir le bon choix à nos esprits (et faire en sorte que les autres solutions semblent comparativement ridicules.)

Ou bien Dieu peut vouloir que nous fassions fonctionner l'esprit dont il nous a dotés. C'est là qu'intervient la formule de Salomon pour résoudre les problèmes personnels.

Commencez par remercier Dieu pour

cette difficulté. Elle peut vous être dou-
loureuse maintenant, mais Dieu l'utili-
sera pour vous aider à devenir plus sage
et meilleur. C'est pourquoi la Bible dit :
« Pour tout, rendez grâce. » Car « toutes
choses se complètent pour le bien de
ceux qui aiment Dieu. »
Puis demandez à Dieu qu'il vous con-
seille, qu'il clarifie votre esprit de toute
pensée mauvaise conseillère, de tout
changement d'objectif ou des tentations
de se satisfaire d'autre chose que du
meilleur.

2. LA CONNAIS-SANCE

Si cela s'avère nécessaire, reformulez
votre problème de façon à ce que sa for-
mulation ne gêne pas votre créativité.
Par exemple, si votre problème dit :
« Comment puis-je me débarrasser un
peu de ma belle-famille ? », essayez de
le reformuler de cette façon : « Comment puis-je améliorer mes relations
avec ma belle-famille ? ». Ceci vous per-
mettra d'avoir une plus grande variété
de solutions positives.
Quand la situation est exposée de
façon constructive, alors seulement
vous êtes prêt à vous mettre à faire la
liste de tous les moyens d'action possibles. Ceci, incidemment, peut être une
expérience enrichissante dans le contexte d'une équipe mari-femme, ou
même dans celui d'une famille entière, à
condition que le sujet en question con-
vienne aux enfants. A chaque fois que
c'est possible, faites participer votre
femme et vos enfants au processus de

solution de problèmes familiaux. C'est un important outil de communication et d'intérêts communs.

Une méthode bien connue de faire la liste des solutions est appelée « se creuser la tête ». Chacun est libre de faire part d'une idée qui lui est venue à l'esprit, même si elle semble ridicule. Chaque idée fait partie d'une liste sur une page. Pour que ça marche, il faut observer trois règles :

1. Les gens peuvent évoquer les idées les plus folles, mais aussi les plus timorées. Souvent, une solution incongrue peut-être ultérieurement modifiée pour donner le bon choix.

2. Pour le moment, recherchez la quantité, non la qualité. Quand de nombreuses solutions sont proposées, les chances de trouver la meilleure en sont accrues.

3. Chacun est encouragé à construire d'après les idées des autres. Une solution proposée comme plaisanterie par quelqu'un peut faire naître une idée réaliste chez quelqu'un d'autre.

Quand vous avez l'impression d'avoir fait le tour des solutions possibles, et que vous avez rassemblé toutes les données nécessaires pour évaluer le problème objectivement, alors, vous êtes prêt pour l'étape numéro trois.

3. LA COMPREHENSION

C'est *maintenant* qu'il faut être honnête à l'égard de tous ceux qui ont proposé des solutions possibles. Certaines d'entre elles peuvent être immédiatement jetées au panier. Cependant, il faudra soupeser les autres avec soin à la lumière de quelques questions sérieuses sur leur valeur :

1. Cette solution va-t-elle à l'encontre de la Parole de Dieu ?

2. Est-ce une violation des droits civiques des hommes ?

3. Ce choix est-il compatible avec mes, ou nos, priorités personnelles ?

4. Cette solution nuirait-elle à quelqu'un d'autre ?

5. Quel sera l'effet à long terme de cette solution ? (Imaginez-vous que vous avez soixante-quinze ans et que vous repensez à votre vie. Etes-vous heureux d'avoir pris la décision en question ? Sinon, qu'est-ce qui n'a pas marché ?)

6. Les avantages pèsent-ils plus que les inconvénients ? (Faites une liste de pour et de contre pour chaque solution. Dans les pour, écrivez tous les avantages ; dans les contre, tous les inconvénients. Quelle liste l'emporte ?)

Ces questions et d'autres qui vous préoccupent beaucoup vous aideront à éloigner votre liste de possibilités et à ne garder que les plus viables. Puis vient le moment le plus important de tout ce cheminement.

4. LE DISCERNEMENT

Après avoir soupesé tous ces faits, après y avoir réfléchi ou avoir dormi peut-être, prenez votre décision. Choisissez la ou les façons d'agir qui correspondent le mieux à vos critères d'appréciation. Puis commencez à les mettre en application.

138

Considérez les problèmes comme autant d'occasions

Aucun être humain n'échappera jamais aux problèmes, quel que soit le degré de sagesse auquel il parvienne. Il semble qu'il y ait un étrange halo de vérité sur cette petite règle appelée la Loi de Murphy : « S'il y a quoi que ce soit qui peut mal tourner, soyez sûr que ça arrivera ! ». Pour des raisons évidentes, Kathy et moi nous sommes un moment amusés de l'idée d'appeler notre Plymouth de dix ans : « Murphy ». Pendant les premiers temps de notre mariage, il semblait qu'au moment même où nous avions le moins d'argent et le plus d'achats à faire, la voiture se mettait à faire les bruits les moins sympathiques qui soient. Ça voulait dire cent quarante dollars par-ci, 77, 98 dollars par-là. Et deux, quand ce n'était pas trois, jours au garage à chaque fois.

Bientôt, il fut évident qu'il fallait prendre une décision. Non pas d'acheter une voiture neuve, c'était hors de question pour quelques années encore. Le choix que nous devions faire portait sur l'*attitude.* Allions-nous nous plaindre, nous faire du souci ou montrer le poing au sort parce que son sens du temps n'était pas à la hauteur ? Allions-nous laisser *les choses* nous bouleverser et nous agacer l'un l'autre.

Ou bien, allions-nous nous détendre, et chercher ce qu'il y avait de positif dans cette expérience ?

L'autre possibilité semblait beaucoup plus difficile, étant donné la tendance humaine à aller vers le négatif. Mais nous savions que si la Plymouth était un révélateur de ce que nous ferions un jour, en face de problèmes *plus graves,* alors nous risquions de voir notre santé, notre conception de la vie et notre vie conjugale finir à cause d'un paquet de nerfs à vif.

C'est à ce moment-là que nous nous sommes rappelés une maxime écrite il y a longtemps, par un homme qui s'appelait Henry J. Kaiser. « Les problèmes », écrivit Kaiser, « sont des occasions en bleu de travail. »

Des occasions ? Est-ce qu'une facture de réparations de 140 dollars est *une occasion ?*

Kathy et moi avons commencé à y réfléchir. Il nous fallait repousser sans cesse les sentiments négatifs qui étaient restés accrochés à nous si longtemps. Mais, petit à petit, nous *avons pu* voir ce qu'il y avait de positif dans la façon dont notre voiture avait décidé de nous prouver la justesse de la Loi de Murphy.

Premièrement, j'en apprenais plus sur la mécanique des voitures, connaissance que je n'avais pas essayé d'acquérir quand j'étais jeune.

Ensuite, nous apprenions à gérer notre budget avec sagesse. Même si nous avions des possibilités financières réduites, ces factures de réparations ne nous ont jamais empêchés de manger à notre faim.

Enfin, les jours non motorisés nous enseignaient, à Kathy et à moi, à être plus souples dans nos achats en voiture. Au lieu de courir en ville tous les deux jours pour un ou deux achats, nous avons commencé à faire une liste de choses à faire, et qui pouvaient être toutes faites d'un coup à la fin de la semaine.

Et, bien qu'il soit difficile de l'admettre, même une Plymouth sénile qui adorait les vidanges-graissages nous a appris à avoir foi en Dieu. On aurait dit que cette voiture *savait* à quel moment notre confiance en Dieu n'était pas aussi grande qu'elle aurait dû l'être, quotidiennement. A chaque fois que les choses semblaient désespérées, on pouvait prédire notre itinéraire. Nous retournions tout droit chez le Seigneur, lui parler de nos besoins. *Dieu permet parfois aux problèmes de surgir afin que nous apprenions à lui faire confiance avec plus de foi.*

Les problèmes ne sont que des occasions en bleu de travail. Chaque problème nous apprend quelque chose.

Alors, quand vous êtes en face d'une situation difficile, éliminez tout ce qui est négatif. Arrivez à un accord avec votre femme et vos enfants pour essayer de considérer chaque problème comme une occasion d'apprendre ou de se développer. Demandez systématiquement : « Qu'est-ce que Dieu veut nous apprendre ? » Et ne vous permettez jamais, ni aux autres non plus, de soupirer : « Oh, si seulement... » Etre négatif est le plus grand obstacle que vous puissiez rencontrer en cherchant à vous décider.

Voici un moyen simple de mettre en route ce nouveau point de vue : décidez, avec votre famille, que vous allez tous essayer de supprimer le mot « problème » de votre vocabulaire. Remplacez-le par les mots : « occasion » ou « situation » ou « épreuve ». Ce sont des mots positifs. Ils nous appellent à *l'action,* non à la défaite.

Kathy et moi nous sommes aperçus que chercher ce qu'il y avait de *bon* dans chaque situation avait complètement transformé l'atmosphère de notre foyer. Nous sommes à même d'être plus détendus, de mieux nous amuser, même pendant les périodes critiques, simplement grace à notre foi : *Dieu est en train de nous enseigner quelque chose.* Et surtout, chercher ce qu'il y a de *bon* nous libère des attitudes négatives qui peuvent entraver nos esprits dans la solution des problèmes.

Oui mais, nous n'avons plus de problèmes à la maison. Nous avons des occasions.

Deuxième
Partie

LE MARI
LIBERE

11 De quoi une femme a-t-elle besoin ?

*On créa
la femme
à partir
d'une côte
de l'homme.
Elle ne fut pas
créée de sa tête,
pour le dominer,
ni de ses pieds,
pour être
piétinée.
Elle fut créée
de son flanc,
pour être
son égale,
de dessous
son bras,
pour qu'il
la protège ;
de la proximité
de son cœur,
pour qu'il
la chérisse.*

AUTEUR
INCONNU

Eliza Doolittle faisait sortir de leurs gonds le Professeur Henri Higgins et le Colonel Pickering. Ils avaient fait le pari qu'ils pourraient transformer cette fleuriste déguenillée en modèle d'éloquence et de beauté, entreprise logique, objective et scientifique. Mais ils n'avaient pas tenu compte du ressentiment d'Eliza qui se voyait traiter en cobaye. Elle ne pouvait rester passive et objective, pas quand ses sentiments étaient en cause.

C'est ainsi que dans cette scène de *My Fair Lady*, nous entendons Higgins et Pickering se lamenter sur l'impossibilité de se représenter ce que sont les femmes. « Pourquoi une femme ne peut-elle pas ressembler davantage à un homme ? » demandent-ils. Elle serait alors plus facile à comprendre, moins sujette aux émotions, plus facile à vivre.

S'imaginer ce qu'est la femme, est une tâche que la plupart des hommes considèrent comme invraissemblable. Je connais plus d'un mari qui a fait vœu

145

d'écrire un livre ayant pour titre : « Tout ce que je comprends chez ma femme », ses pages en seraient de la plus pure blancheur. Il y a une mystique de la femme que les hommes essayent de cerner depuis des siècles, une sorte d'imprévisibilité prévisible qui peut rendre le mariage passionnant ou décevant. Passionnant, si nous, en tant que maris reconnaissons qu'*il y a* des différences dans la composition émotionnelle de l'homme et de la femme, et si nous lui donnons la liberté d'être elle-même. Décevant, si nous refusons d'admettre de telles différences, la laissant exprimer ses besoins émotionnels en mettant le feu aux poudres maritales.

Pourquoi une femme ne peut-elle pas ressembler davantage à l'homme ? Le monde serait bien triste si elle lui ressemblait ! On pense généralement que l'homme est doué de raison, de logique et d'objectivité tandis que la femme tend à être plus subjective. Bien sûr, il y a beaucoup d'exceptions et *je n'ai pas* l'intention de dire que l'homme est incapable d'émotion ou la femme incapable de logique ; mais plutôt qu'on a donné à la femme une inestimable sensibilité, qui lui permet d'éprouver les grands sentiments de la vie qui nous sont souvent inconnus.

Cette sensibilité s'est avérée être un complément à mon esprit froid et rationnel à de multiples reprises. Je pourrais dire : « Je crois que nous devrions faire ceci ou cela », certain que j'ai fait le choix le plus sage. Mais il est possible que Kathy voie les choses différemment, d'un point de vue plus significatif. « Mais si nous faisions cela, » suggère-t-elle, « ne crois-tu pas que cela pourrait froisser Untel ? » Le fait est que je n'ai jamais accordé la moindre pensée à la réaction d'Untel. Donc nous discutons la chose plus profondément et en sortons avec une bien meilleure solution. Son esprit chaleureux a adouci ma froide raison. Nous faisons une bonne équipe.

J'ai découvert que la rare capacité émotionnelle de Kathy était essentielle pour le succès de notre mariage. Comprendre ses besoins m'aidera à sortir de ma coquille personnelle et à me soucier — *me soucier vraiment* — de son épanouissement en tant que femme. Cela me rend beaucoup moins égoïste et nous apporte mutuellement la joie de vivre ce qu'il y a de profond dans une relation mari-femme.

Un de mes meilleurs projets était de nous asseoir devant une tasse de café et de parler de nos besoins émotionnels respectifs. Nous avons dressé des listes, posé des questions. Tandis que nous parlions, il me vint à l'esprit que j'étais pratiquement ignorant des choses qui importent réellement à une femme. Je n'avais pas pris le temps de comprendre à quel point Kathy était unique parce que je pensais qu'elle pensait et ressentait la même chose que moi. Résultat, je la privais de sa contribution personnelle à notre mariage, l'oppressant tandis qu'elle essayait d'être pleinement femme.

Ce soir-là, je me lançai dans un projet, qui, en fin de compte, devint la base de ce livre. Je commençai à m'entretenir avec les épouses des besoins des femmes, essayant de rédiger une liste que je pourrais partager avec d'autres maris. La plupart des épouses mentionnaient les mêmes besoins, confirmant mon soupçon que cette liste est presque universelle.

En apprenant que je pensais à mettre mes découvertes dans un livre destiné aux maris, une femme m'implora : « Oh, s'il vous plaît, *faites-le*. Je connais tant de femmes déçues parce que leurs maris ne veulent pas faire l'effort de les comprendre. Et nous sommes *bel et bien* différentes, il faut qu'ils le sachent. »

Pour ces maris, pour vous, et pour moi, voilà ce que j'ai découvert.

« Le besoin de sécurité : »

L'homme a un penchant pour l'audace, le rêve et le risque. Il pense souvent à améliorer son sort ou à essayer quelque chose de totalement inconnu, ou à trouver la parfaite tactique qui l'enrichira, le rendra plus fort et plus sage. Pour ces récompenses, il est prêt à risquer un échec temporaire ou même une catastrophe majeure, simplement pour avoir la satisfaction d'avoir essayé.

La femme, au contraire, a tendance à être conservatrice quand il s'agit de rêveries et de rêves grandioses. Tandis que son mari essaie de lui faire partager ses idées, elle se demande d'où viendra l'argent. Elle préfère avancer régulièrement, avec sécurité et être solvable, plutôt que de risquer les économies sur une nouvelle entreprise. Pour elle, la sécurité est importante, et elle trouve cette sécurité en vous, chez elle, dans sa famille, dans les finances. Le mari doit faire preuve de tendresse assidue à chaque fois qu'il pense remettre en cause le statu quo.

« Le besoin d'amour. »

Nous avons tous besoin d'amour, mais c'est *l'expression* de cet amour qui différencie l'homme de la femme. La plupart des hommes sont satisfaits si leur femme leur dit : « Je t'aime » une fois par mois. La femme a besoin de l'entendre chaque jour.

Un vieux fermier du Vermont, marié depuis plus de quarante ans m'a dit : « J'aime tant Sarah Jane que je fais tout ce que je peux pour ne pas lui dire. » Mais dites-le lui ! Peu importe votre gentillesse avec elle, ou la valeur du cadeau que vous lui offrez, la journée de votre femme n'est pas complète tant qu'elle n'a pas entendu prononcer : « Je t'aime » par un cœur sincère.

Mais vos paroles doivent être en accord avec vos actions. « Je t'aime » n'aura plus aucun sens si vous vous mettez alors à la ridiculiser en public, ou si vous ne faites pas preuve de douceur dans les relations personnelles. Elle a besoin de l'entendre puis de le voir mis en pratique.

« Le besoin d'exprimer l'émotion. »

Les larmes jouent un rôle très sain dans la vie d'une femme, car elles calment les tensions et effacent une amertume latente. Pour cette raison, les femmes sont pour la plupart en meilleure santé que les hommes. Nous avons été conditionnés à réprimer nos sentiments. Elles ont été encouragées à les exprimer. C'est une chose que la plupart des femmes font plutôt bien.

Kathy n'a pas souvent besoin d'un mouchoir, mais quand je sens monter le flot en elle, j'essaie de l'encourager avec tact. « As-tu besoin de pleurer un bon coup, chérie ? ». Si elle fait signe que oui, je lui demande : « Veux-tu être seule, ou veux-tu que je reste avec toi ? » Quelques instants plus tard, quand tout va bien et que nous sommes détendus, nous parlons de cette expérience. Peut-être ai-je fait quelque chose qui l'a bouleversée ; si oui, je veux le savoir. Ou bien les choses se sont accumulées jusqu'au point de rupture. Malgré les larmes, cette expérience a été valable, car j'y ai appris davantage sur les complexités de la femme. Apprenez à considérer ses émotions comme des amies de votre mariage, non comme des ennemies.

« Le besoin de compagnie. »

Il est important pour elle d'avoir des amies, et pour vous d'être « bon copain » avec les hommes. Mais, est-« elle » votre « meilleure » amie ? Elle veut l'être. Une femme ressent une gaîté exceptionnelle lorsqu'elle sait que son mari préfère être avec elle qu'avec tout autre personne. « Allons faire une longue promenade, seulement nous deux, » est une musique qui lui est douce. Elle veut faire partie de ce que vous pensez et dites. Elle serait flattée (peut-être époustouflée) si vous vouliez faire partie de « ses » activités. Les maris futés sortent de leurs habitudes pour donner à leur femme l'impression d'être exceptionnelle.

« Le besoin de vous sentir proche. »

Quelquefois elle préfère être seule, mais bien plus souvent, elle a besoin d'intimité avec vous. Mêlez l'intimité et la tendresse. Un calin, une pression de la main, un baiser. Les femmes passent des moments difficiles à expliquer ce besoin, mais il est bien présent en elles. L'une d'entre elles m'a dit : « Il y a des moments où j'ai simplement besoin qu'il *soit là,* qu'il ait le temps. Même si nous n'avons rien à dire. Cela me dit simplement que tout va bien.»

« Le besoin de s'exprimer de façon créative.»

Il est rare qu'une femme n'ait pas en elle quelque talent caché qu'elle brûle d'envie d'exprimer. Vous pouvez l'encourager en l'aidant à s'assurer que le poids des travaux domestiques routiniers n'étouffent pas ses capacités créatrices. La plupart des femmes manquent désespérément de temps pour coudre, lire, écrire, peindre, cultiver des plantes, mettre en valeur leurs talents musicaux, essayer de nouvelles recettes ou s'adonner à l'artisanat. L'éducation pour adultes offre une richesse de cours d'art, de littérature, d'art de la maison, ou de tout autre discipline qui peut l'intéresser.

S'il y a quelques temps qu'elle ne s'est pas essayée à quelque chose de nouveau, il est possible qu'elle doute de ses aptitudes à créer. Un encouragement de votre part et un soutien moral suivi pendant toute sa tentative sont peut-être ce dont elle a besoin pour commencer.

« Le besoin de s'exprimer mentalement.»

J'ai eu le triste privilège de voir plusieurs maris qui pensaient qu'il était indigne d'un homme de laisser sa femme participer à une discussion de groupe. C'était drôle, et pourtant tragique. D'une façon ou d'une autre, ces hommes pensaient que le rôle d'une femme est d'être assise, béate d'admiration devant son brillant mari qui résoud les crises du monde.

Nous sommes si fiers de notre capacité de raisonner avec sagacité que nous oublions facilement que les femmes pensent aussi. Leur esprit, allié à leur cœur, peut être un outil efficace pour la clairvoyance, souvent plus pénétrant que celui des hommes. Il me faut bien du courage pour l'admettre. Mais, j'ai écouté, pour une fois.

C'est sûr, une femme veut qu'on la respecte pour sa cuisine et les soins du ménage, mais plus encore, elle désire que son mari respecte sa mentalité. Là encore, elle a besoin que vous l'encouragiez. Au cours de discussions, demandez-lui ce qu'elle pense d'un sujet. Puis écoutez quand elle parle, au lieu d'attendre le moment où vous pourrez vous replonger dans la conversation. Demandez-lui de vous parler du livre qu'elle lit, ou du cours qu'elle suit.

« Le besoin d'intimité. »

L'intimité est une manifestation plus profonde de cette proximité si vitale au sentiment de bien-être d'une femme. C'est la communication de secrets mutuels et de plaisanteries très intimes, le partage des moments d'insécurité de chacun sans peur d'être rejeté ou rembarré, les étreintes sexuelles où deux ne font plus qu'un.

L'intimité lui est si précieuse parce qu'elle se passe entre vous. Elle sait qu'elle vous a tout à elle, que vous la considérez comme une amie et une confidente particulière. Cela lui permet de se sentir plus qu'extraordinaire.

Quand les moments où vous vous sentez proches semblent devenir intimes, laissez faire. Elle vous fait savoir qu'elle a besoin de vous maintenant. Annulez la commission, reportez votre travail du soir, décrochez le téléphone et partagez.

« Le besoin d'épanouissement spirituel. »

St-Augustin a écrit : « Tu nous as fait pour Toi, O Dieu, et nos cœurs sont agités tant qu'ils n'ont pas trouvé le repos en Toi. » Dieu nous a tous créés avec un besoin inné d'avoir confiance en lui, mais le besoin d'une femme peut souvent être accentué par sa sensibilité à la vie. Tandis qu'un homme vivra un problème « avec ses tripes » avant de s'adresser au Christ, la femme y sera conduite plus rapidement par ses sentiments. Je dis à Kathy : « Réfléchissons-y bien, et puis prions.» Elle me dira : « Pourquoi ne pas prier, *puis* y réfléchir sérieusement.» Sa sensibilité a augmenté sa capacité de confiance autant que son besoin spirituel de communication avec Dieu.

Le meilleur moyen d'aider à calmer l'inquiétude spirituelle de votre femme est de lui donner un bon exemple à suivre. Une femme peut faire confiance à un mari dont elle sait qu'il est guidé par Dieu. Rien ne pourra lui donner un plus profond sentiment de sécurité qu'un mari qui s'est engagé de façon totale à vivre selon l'enseignement de Dieu. Etudiez la Bible et priez régulièrement, *ensemble.* Détendez-vous, riez, profitez de la vie, *ensemble.*

Il ne faut pas être jaloux de l'intimité de votre femme avec Dieu, et inversement. Pourquoi ? Parce que si Dieu est au centre de vos relations, il ne vous sépare pas, *il vous rapproche :*

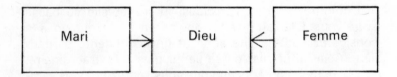

| Mari | → | Dieu | ← | Femme |

«Le besoin de romanesque.»
Le romanesque, ce sont toutes ces petites choses dont nous n'aimerions pas que les gars de l'équipe de bowling entendent parler : les fleurs que vous lui avez achetées la semaine dernière et celles d'avant ; les bougies et la musique pour accompagner un poulet frit ; le parfum et la chemise de nuit neuve ; la longue promenade ensemble au lieu de regarder la télévision ; tous les anniversaires célébrés.

Pour les hommes, l'amour est un cheminement. Nous l'avons courtisée et conquise, maintenant, l'affaire n'a plus qu'à tourner. Mais pour elle, l'amour est une aventure : Faire des choses l'un pour l'autre, rêver à des surprises, des petites choses, des choses drôles, des choses dingues.

Dites-lui sans cesse qu'elle vaut encore la peine d'être courtisée.

« Le besoin de communiquer. »

« Beaucoup de chagrin s'est étendu sur le monde à cause de la confusion et des choses dont on n'a pas parlé. » L'affirmation très perspicace de Dostoïevski est tout à fait *à propos* sur le mariage ; où cohabiter en silence peut s'avérer désastreux.

Parmi les femmes interrogées, un nombre inquiétant considérait que leur mari n'était pas très brillant dans l'art de la communication. Certaines mentionnaient la concurrence de la télévision (qui marche pendant les repas et toute la soirée) ; d'autres attribuent cela à la fatigue, les soucis et les exigences du métier. Une des femmes a certainement cerné le problème quand elle a fait remarquer : « Je pense tout simplement qu'*il ne veut pas* aborder les choses profondément. Nous parlons du temps et des voisins, mais quand la conversation aborde des choses plus graves, il la ferme. Parfois, je suis presque obligée de lui arracher une décision ou une opinion. »

Après avoir passé une journée entière à agir et à prendre des décisions, le mari a tendance à se replier sur lui-même pour y trouver la paix et le calme. Voilà pourquoi communiquer en profondeur est si difficile. Cela nous oblige à sortir de nous-mêmes quand nous préférerions nous recroqueviller, à nous intéresser à quelqu'un d'autre, alors que nous nous soucions surtout de nous-mêmes.

Nous avons tous besoin de moments de silence, mais attention : ils peuvent se transformer en habitude car ils demandent bien peu d'efforts.

Communiquer en profondeur est, dans le mariage, la forme de don la plus dépourvue d'égoïsme. C'est l'intimité en paroles. Tandis que votre femme et vous essayez de ne faire qu'un, la communication est le cheminement grâce auquel vous arriverez à un accord.

« Le besoin de se sentir attirante. »

Au temps où j'étais célibataire, un de mes frères aînés m'a appris quelque chose d'important à propos des femmes. La femme de Paul, une belle femme qui portait des lunettes, semblait désireuse de porter des verres de contact. Sachant que Paul avait à ce moment-là des moyens assez limités, je lui ai demandé en particulier : « Penses-tu vraiment que des verres de contact soient si importants que ça en ce moment ? » Il me répondit : « C'est important pour elle, donc, c'est important pour moi. » Point.

Il avait déjà acquis une connaissance intime que je ne comprendrais que des années plus tard : le désir qu'a une femme d'être attrayante dépasse de très loin la simple vanité. Elle a besoin de savoir qu'elle ne vous laisse pas indifférent.

Pour quelle autre raison une femme passerait-elle autant de temps à s'acheter des vêtements, du maquillage et des accessoires ; à se pomponner et à essayer des coiffures ; à se regarder dans la glace et à surveiller la balance ? Contrairement à ce qu'on en pense, elle *ne le fait pas* pour faire enrager un mari impatient. Elle le fait pour lui plaire, pour trouver la combinaison parfaite qui lui attirera un sincère : « Oh... ! »

Si elle est indifférente à ce que lui disent la glace et la balance, votre jugement est ce dont elle dépend surtout. Si elle est très bien, dites-le lui. Et puis étayez vos affirmations de compliments répétés. Si vous lui parlez et agissez de façon positive, ce sera son plus bel encouragement à rester en forme et jolie.

« Mais, » me disent certains, « et si ma femme s'est laissée aller ? Je trouve difficile de dire : « Tu me plais » à une femme qui pourrait être arrière dans l'équipe des Béliers. » Dans ce cas, le mari affectueux doit mêler la sensibilité et

DE QUOI UNE FEMME A-T-ELLE BESOIN ?

la pensée positive. Au lieu de faire de grosses plaisanteries aux dépens de sa femme, qu'il cherche une raison de lui faire un compliment : Sa coiffure, son maquillage, ses bijoux. Et même si ceci n'est pas possible, pourquoi pas la couleur de ses yeux ?

Puis invitez-la à se joindre à vous pour un entraînement, familial (c'est ça, *vous* n'avez qu'à donner l'exemple). Si elle perd une livre, soyez-en heureux avec elle. Si elle prend du poids, ne la méprisez pas, mais dites simplement : « Nous lui ferons un sort la semaine prochaine à cette livre. »

Votre attitude positive peut être à l'origine du charme de votre femme. Un mari intelligent m'a raconté que sa femme avait tenté de perdre du poids pendant des mois, inutilement. Tout à coup, il lui vint à l'esprit qu'il la décourageait par inadvertance, par ses plaisanteries ou son silence. Il décida d'essayer de l'encourager.

Un jour, elle fit des efforts considérables pour suivre son régime. Ce soir-là, alors qu'ils se déshabillaient, il regarda les cuisses de sa femme : « Chérie, » lui dit-il, « je ne rêve pas ? Je crois que tu as maigri ! »

Sa femme était ravie. « Tu crois ? » dit-elle.

« C'est *formidable,* chérie », poursuivit-il, « il faut continuer comme ça. »

Elle le fit, et avec un succès visible. Simplement parce que son mari savait la valeur d'un soutien positif.

Ne sous-estimez jamais son besoin d'être attrayante. Il joue un rôle plus grand que ne le pensent la plupart des hommes dans son allure générale.

« Le besoin d'être encouragée. »

Se bâtir l'un l'autre est un des éléments de base tout à fait essentiel pour un bon mariage. C'est un art qui, si on exclue la flatterie de mauvaise foi, ne peut jamais être exagéré.

Alors que je travaillais comme rédacteur en chef d'un magazine, je remarquai plus d'une fois combien l'œuvre des écrivains était différente selon les conditions. Si je me contentais d'assigner le reportage et d'attendre gentiment le manuscrit, l'auteur manquait souvent de motivation et de discipline, et il lui était difficile d'écrire. Mais quand je prenais soin de complimenter un auteur sur son article précédent, de faire régulièrement des mises au point avec lui pour voir si je pouvais l'encourager, les manuscrits arrivaient sur mon bureau le jour dit ou même avant. Et habituellement, ils étaient de bien meilleure qualité.

Les gens se sentent mieux et ont de meilleurs résultats quand ils savent qu'on a confiance en leurs capacités. Vous avez sans aucun doute découvert cela à votre sujet, dans votre travail. Le manque d'encouragement ou de confiance peut vite vous emprisonner dans la suffisance ou le doute de soi.

A la maison, votre femme éprouve exactement le même besoin. Qu'essaie-t-elle de réaliser ? Etre la meilleure épouse possible ? Elle a besoin de vos réactions et de vos encouragements. Un métier ? Dites-lui. « Je suis fier de toi ! » D'être aussi bonne cuisinière que possible ? Vos compliments lui sont indispensables. Quoi qu'elle essaie de faire, qu'elle ne doute pas un instant de votre confiance en elle. L'aider à se « bâtir », ce n'est pas la « gonfler », c'est simplement reconnaître le mérite où il est dû.

« Le besoin d'être appréciée. »

L'appréciation est étroitement liée à l'encouragement. Dans les mariages réussis, ils vont main dans la main.

Plusieurs des épouses ont insisté sur leur intense besoin de ne pas voir leur travail estimé comme allant de soi. « Parfois, il ne semble pas remarquer que la maison est propre, le linge lavé, et les enfants encore entiers », m'a confié une femme. « Tout ce que j'entends, c'est : « Le journal est arrivé ? » ou « Quand est-ce que le dîner sera prêt ? » — »

Alan Lakein, dans son livre *How to Get Control of Your Time and Your Life* a fait un bref récit qui pourrait réveiller

DE QUOI UNE FEMME A-T-ELLE BESOIN ?

ceux d'entre nous qui n'ont pas encore compris ce qu'une femme subit :

« Une femme est faite de fragments de vie mentale, émotionnelle et physique. On exige d'elle 24 heures sur 24, et les échéances telles que le repas sur la table ou des vêtements sur le dos de chacun sont inexorables. Les interruptions sont traumatisantes : les enfants sont blessés, ou malades ou ont besoin d'être réconfortés IMMEDIATEMENT. Les maris aussi. »

« Le père joue toujours un rôle net et satisfaisant pendant ce temps. Il peut donner des ordres ou en recevoir, pousser un seul pion par jour sur l'échiquier, alors qu'une mère tient le devant de la scène « tout » le temps, distribuant de l'énergie de tous côtés. Elle ne peut quitter son travail à cinq heures, et rentrer pour mettre les pieds sous la table. La vérité, c'est qu'à acheter, organiser le budget, faire les petites réparations, nourrir son petit monde, faire l'inventaire, décider du nombre d'enfants qui peuvent mettre ce pull ou utiliser ce vélo, en plus des tâches matérielles que cela implique, une femme fait tourner une petite affaire difficile dont la responsabilité lui incombe entièrement. »

Et moi qui croyais que *mon* travail était dur !
Dire « Merci » est encore courtoisie courante dans la société, mais vous seriez surpris de la rapidité de sa disparition dans le mariage. Pour elle, l'apprécier, c'est l'aimer : elle a besoin de l'entendre et de le voir concrètement.
J'apprends toujours dans ce domaine, et pour me rendre la tâche plus facile, j'essaie d'avoir l'œil et de remarquer les petites choses que fait Kathy dans l'appartement, pendant que je travaille. Alors, je la remercie, parfois de façon précise, (« Merci, chérie, d'avoir si bien repassé mes chemises ») parfois en général (« Je suis très sensible à

tout ce que tu fais. Je n'aurais pu souhaiter meilleure épouse».) Je pense exprimer ceci de différentes façons, concrètement. En lui offrant un cadeau ou en l'emmenant dîner, par exemple. En ramassant mes affaires dans l'appartement. Et en me mettant à la besogne, l'aidant à accomplir les innombrables tâches ménagères.

Edgar Watson How a écrit : « La plus grande humiliation que l'on puisse vivre, c'est de travailler dur à quelque chose, s'attendre à voir ses efforts appréciés et être déçu sur ce point.» Celle qui crée le foyer est une des personnes qui travaille le plus au monde. Soyez vigilant et sachez montrer de différentes façons que vous appréciez.

« Se sentir nécessaire. »

Il ne s'agit pas d'avoir besoin de ses qualités de ménagère, car, si vous y réfléchissez bien, vous *pourriez parfaitement* engager une bonne, une cuisinière et une nourrice. Le besoin de se sentir nécessaire qu'éprouve une femme, va plus loin que cela. Les hommes n'aiment pas beaucoup ça, car la satisfaction de ce besoin touche notre point faible.

Ce sont les moments où le mari pense avoir échoué et se sent découragé, où son impression de sécurité commence à vaciller. Peut-être a-t-il eu une semaine pourrie au travail, ou bien s'en veut-il de quelque erreur financière. Il est possible aussi qu'un futur incertain lui malmène l'esprit. Combiné avec une réelle fatigue physique, le manque de confiance en soi rend l'homme malheureux.

Depuis trop longtemps, le *macho* en nous, nous empêche de partager ces brefs instants d'insécurité avec qui que ce soit, en particulier nos épouses. Parfois, nous gardons le silence pour leur éviter, ainsi qu'aux enfants, d'avoir peur. Dans la plupart des cas, cependant, nous ne voulons pas laisser entendre à qui que ce soit que nous avons temporairement perdu le contrôle de la situation. Chaque jour, le : «Je suis maître de mon destin» transforme des milliers d'entre nous en cocottes-minute humaines.

C'est à ce moment-là que vous avez besoin de votre partenaire, et elle désire que vous la sentiez nécessaire. Elle ne considère pas comme contraire à la masculinité que vous admettiez votre déception ou votre crainte. Elle veut vous encourager, vous soutenir, vous assurer que, quoi qu'il arrive, son amour pour vous n'en sera pas le moins du monde ébréché.

Quand vous avez besoin d'elle à ces moments-là, ne vous retenez pas. Elle est votre partenaire pour le meilleur et pour le pire. Et cela rendra service à votre mariage et à vous-même.

« Je-n'ai-pas-la-moindre-idée-de-ce-que-je-veux ! »

C'est à ce moment-là surtout qu'elle a besoin de vous, bien qu'elle ne souhaite pas votre présence. Si cela vous paraît confus, c'est parce que les circonstances, les émotions, les changements physiques, et même le temps conjugués la troublent. Elle n'est pas très sûre d'elle ni de vous pour le moment.

Les femmes qui faisaient état de ce besoin étaient incapables de l'expliquer exactement, bien que la plupart l'aient cité comme vital. Comme me l'a dit l'une d'elle : « Quelquefois, je me sens inquiète et déprimée à la fois. J'ai peur, et pourtant, je ne me soucie guère de quoi que ce soit. Je crois que ce sentiment me donne d'autant plus une impression d'insécurité que je ne parviens jamais à le définir. »

Kathy aborda aussi ce sujet de l'incertitude quand nous parlions de ses besoins personnels. Quand je lui demandai comment elle voulait que je réagisse quand elle traversait ses moments de crise, elle me répondit : « Plus que tout, aie de la patience avec moi... et comprends que je ne *veux pas* être comme ça. C'est temporaire, et si je te cherche des noises ou que je me comporte froidement, c'est parce que mon sentiment d'insécurité transparaît, et ce n'est pas ce que je suis vraiment. »

« Et puis, » continua Kathy, « je voudrais que tu sois disponible et non que tu planes. Je veux savoir que tu es là et que tout va bien. »

« Veux-tu que je te serre dans mes bras ? »

« Peut-être, mais pas toujours, » me répondit Kathy. « Je crois que c'est à la femme de décider de cela et non à l'homme de la calmer. Il est possible qu'elle veuille qu'on la laisse tranquille un moment, jusqu'à ce qu'elle ait récupéré. »

J'appréciais d'entendre les impressions de Kathy. Au début de notre mariage, quand ces moments de mauvaise humeur la frappaient, je les prenais comme un affront personnel. Si Kathy était morose, j'en concluais qu'elle en avait après moi « pour je ne sais quelle raison cette fois-ci. » Je réagissais par une vive colère. Ce qui ne faisait qu'aggraver sa frustration.

Quand votre femme « n'a pas la moindre idée de ce qu'elle veut », résistez à la tentation de la colère. Elle a plus que jamais besoin de votre patience. Il est possible que vous ayez envie de lui affirmer : « Quand tu voudras en parler... je suis là. » Surtout, donnez-lui le temps d'y voir plus clair.

Si je repense à ce qu'a d'unique la femme mariée, une chose est évidente : la plupart de ses besoins concernent son mari. C'est pourquoi nous, les hommes, ne pouvons plus nous permettre d'accorder plus d'importance à nos métiers qu'à nos épouses. Si nous le faisons, nous les volons, nous ne donnons pas satisfaction aux besoins essentiels indissociables d'une relation amoureuse.

Dans le mariage, il est un ennemi de l'amour plus dangereux que la haine. Cet ennemi, c'est le *moi*. Il est la pierre d'achoppement contre laquelle butent toutes nos preuves d'amour quand nous permettons à l'attitude : « en-quoi-est-ce-que-ça-me-regarde ? », ou tout simplement à la paresse, de dominer notre vie personnelle.

DE QUOI UNE FEMME A-T-ELLE BESOIN ?

Ce qui nous conduit jusqu'à une des plus importantes clés de l'épanouissement mutuel dans le mariage : *donner*, c'est considérer que ses besoins essentiels sont plus importants que vos désirs égoïstes. Et l'esprit de don continuel, de notre temps, de nous-même, de notre compréhension, nécessite un amour inébranlable.

Nous explorerons la nature de cet amour dans le chapitre suivant.

12 « Qui est responsable? »

En dépit de toutes ses bizarreries et de ses faiblesses, la télévision est très révélatrice de la pensée contemporaine.

Prenez l'image qu'a la société de l'homme en famille. « La petite maison dans la prairie » nous ramène au dix-neuvième siècle, à l'époque où Charles Ingalls est un fermier honnête, sincère et travailleur. Aussi éprouvante qu'ait été la journée d'Ingalls, il prend toujours le temps d'aimer, de parler et de jouer avec ses enfants. Madame Ingalls se soumet avec amour aux qualités de chef de Charles, non parce qu'il le lui impose, mais par respect sincère pour son mari. Charles Ingalls semble beaucoup apprécier l'opinion de sa femme lorsqu'il envisage une décision, et pourtant, tous deux savent que c'est lui qui la prendra. Il y a de l'harmonie dans le foyer Ingalls.

Les Walton nous font faire un bond de plusieurs dizaines d'années, jusqu'à 1935 environ. Dans cette émission, on met l'accent sur les enfants, mais

163

L'HOMME TOTAL

l'image du père commence à changer. John Walton travaille dur dans la scierie familiale pour joindre les deux bouts pendant la dépression, et son amour et sa loyauté envers sa famille ne font aucun doute. Cependant, on se pose souvent la question de savoir qui, exactement, est responsable de sa famille. L'autorité de Walton est parfois usurpée par sa femme, et même par la grand-mère Walton. Dans l'un des épisodes, par exemple, John-Boy (leur fils aîné qui s'efforce de devenir écrivain) était sur le point de signer un contrat pour la publication de son premier livre. « Tu ne crois pas que tu devrais le lire d'abord, mon fils ? » suggéra M. Walton. A quoi sa femme répliqua : « Oh ! John, laisse-le faire. » John laissa donc faire son fils et on découvrit plus tard que l'éditeur en question jouait sur la vanité : il fallait lui payer une jolie somme pour faire publier le livre. Walton, bien qu'il fasse de son mieux pour être bon père et bon époux, est parfois à l'arrière-plan tandis que sa femme, la mère, impose les règles familiales et décide de tout.

« Les jours heureux », une comédie nostalgique qui se passe dans les années 50, décrit le papa contemporain comme un homme plutôt rond, qui se laisse mener par le bout du nez, assis dans le salon avec pipe et journal après une dure journée au bureau. « M. C. » est habituellement celui dont on se paie la tête dans la famille, celui qui couvre les escapades de Richie et Fouzie, et un homme généralement frustré qui ne semble jamais pouvoir dominer la situation. A chaque fois qu'il fait enfin preuve d'autorité envers sa femme, son fils ou sa fille, on le rembarre, ou on passe outre.

Les publicités des années 70 ont davantage encore démasculinisé les hommes, au point qu'on y voit, dans bon nombre d'entre elles, l'homme qui gémit : « Je retourne chez maman. » Un gringalet, en lunettes à verre fumé et nœud papillon des années 40 nous parle de ses problèmes de diarrhée. Dans les nombreuses publicités avec maris et femmes, le mari est souvent le demeuré à qui la femme doit expliquer sans cesse les vertus de la marque X sur la marque Y.

Si la télévision ne *forme* pas la façon de penser d'un pays, elle la *révèle*. Notre nation traverse une crise de l'identité du mari comme chef, crise face à laquelle nous pouvons observer différentes attitudes :

1. Le mari est le Chef : et ça veut dire : *« Accepte ! ».* Il n'est pas question de dissension, de désaccord, de « fais ce que tu veux » pendant que je suis responsable. Tu es ici, femme, pour me servir et élever les gosses.

2. Le mari essaie de s'affirmer comme chef, mais sa femme ne veut pas en entendre parler. Il n'y a pas eu d'accord au début du mariage sur celui qui représenterait l'autorité dans la maison. Le mari a agi avec faiblesse, ou pas du tout. Et maintenant, on l'entend dire : « C'est *moi* le patron dans cette maison, et je *refuse* de sortir de dessous ce lit ! »

3. Les deux époux se sont mis d'accord pour que le mari exerce l'autorité, mais pas la dictature, au sein de la famille. Il comprend toute la valeur du tempérament et des expériences de sa femme, et il pense qu'il est tout à fait sage d'avoir un maximum d'indications de sa part avant de prendre une décision ferme. Ils travaillent ensemble, équipiers à égalité, mais se rendent compte que chaque équipe, pour éviter le chaos, doit avoir un capitaine.

4. Le mari et la femme vivent ensemble dans une sorte de « coexistence sans chef ». C'est un événement relativement récent, une excroissance militante du mouvement féministe. Les anthropologues, les zoologues et les sociologues vous diront que dans n'importe quel groupe d'êtres humains ou d'animaux, un chef se distinguera bientôt soit par l'élection, ou la lutte pour le pouvoir. Les créatures vivantes *ont besoin* d'une hiérarchie dans un groupe. Pour un mari et une femme modernes et « libérés », accepter une coexistence sans chef, c'est accepter une vie de frustrations dans laquelle il n'y a pas de procédure définie pour résoudre les problèmes.

5. La femme est le chef, assumant en général la responsabilité parce que son mari ne l'a pas fait pendant les premières années du mariage. Cela arrive quand le mari préfère le silence aux échanges de vue ouverts, son refus de s'engager, alors que sa jeune épouse attend qu'il s'affirme, la pousse à parler la première, puis à penser pour toute la famille. Notre société l'appelle : « mari mené par le bout du nez » et elle : « une femme tyrannique ». C'est arrivé dans bien plus de foyers que ne voudraient l'admettre les maris.

Quand on voit ce désordre, il est évident qu'un principe de base sur l'autorité, est nécessaire pour qu'un foyer soit heureux. Ce doit être un principe qui ne rabaisse personne, qui permet la libre discussion et même les opinions divergentes, mais qui, cependant, permette de fixer des objectifs et de décider efficacement.

Dieu a créé le mariage sachant que rassembler deux personnes ou plus, implique le principe de l'autorité. Il veut que le mariage marche. Et dans les Ephésiens 5 : 21-25, il a indiqué le principe qu'il veut que nous appliquions :

« Soumettez-vous les uns aux autres dans la crainte du Christ. Femmes, soyez soumises à vos maris, comme au Seigneur ; car le mari est le chef de la femme, comme le Christ est le chef de l'Eglise, qui est son corps et dont il est le Sauveur... Maris, aimez vos femmes, comme le Christ a aimé l'Eglise, et s'est livré lui-même pour elle. »

Ici, Dieu a dit clairement qu'il vous a donné, à vous, le mari, la *responsabilité d'être le chef* dans le couple. Ce n'est pas *moi* qui l'ai dit. Masters et Johnson ne l'ont pas dit non plus. C'est *Dieu* qui l'a dit ! C'est votre devoir « d'assumer cette tâche, » d'instaurer chez vous une atmosphère qui prouvera à votre femme et à vos enfants que vous vous occupez de tout pour eux. Vous êtes responsable de l'ambiance et de la direction du ménage. Cette ordonnance de Dieu est accompagnée de deux conditions :

La première est de *se soumettre l'un à l'autre.* Le verset parle plus tard de la femme se soumettant à l'autorité de son mari, mais attention, *ce commandement s'applique aussi au mari.*

La soumission ne veut pas dire : « Laisse-toi mener par le bout du nez ». On demande simplement à chaque époux de dire : « Jusqu'à présent, en tant que célibataire, je me suis naturellement préoccupé de moi-même. Mais maintenant, nous sommes deux, devenant un. Donc, je t'offre mon droit à l'égoïsme. Au lieu de *moi,* désormais, ce sera *nous.* Partenaires. Meilleurs amis. Confidents. »

Tandis que mari et femme évoluent ensemble dans l'unité de corps, de pensée et d'esprit, l'accord sur les façons de faire et sur les décisions, devient de plus en plus naturel parce que leurs deux échelles de valeur se fondent pour n'en faire qu'une. Mais il arrive souvent qu'il y ait *impasse,* et pour éviter le chaos ou le point mort, il faut prendre une décision. En tant que chef désigné, vous êtes responsable de cette décision.

Mais rappelez-vous aussi que la soumission mutuelle ne vous autorise nullement à le prendre de haut avec elle. C'est plutôt une assurance que Dieu a créé l'homme et la femme *égaux* dans leur personne, mais différents dans les responsabilités qu'ils doivent assumer. Ceci n'exclue *pas* la femme du processus de décision. En fait, il vous incombe d'encourager, de rechercher et d'être attentif à son point de vue, de l'évaluer avec objectivité, et puis de décider selon son opinion si elle fait vraiment preuve de plus de sagesse.

Ce qui a tendance à nous embêter un peu, non ? En tant qu'homme, je me flatte d'être rationnel, et quand je prends une décision, je veux que ce soit la bonne. Mais, souvent, quand je suis sur le point de décider, Kathy arrive avec quelque chose de tout à fait différent, un point de vue de femme. Parfois, ce n'est rien de plus qu'une intuition. Mais, au fond, je sais qu'il est possible qu'elle ait raison. Dans ce cas, il est possible que son opinion soit plus sage que la mienne. Et ça m'ennuie.

Je suis embêté parce que, lorsque Kathy se sert de sa sagesse mentale, cela remet en question ma position de chef. Est-ce que ce n'est pas moi qui devrais décider ici ? Voilà ou intervient le : « soumettez-vous l'un à l'autre.» Je suis *responsable* de la décision prise, mais ça ne m'autorise pas à jouer les despotes. Le fait est que ce serait stupidité de ma part de ne pas reconnaître que Dieu a pourvu Kathy d'un cerveau. Elle peut penser et raisonner aussi, dans certains domaines, plus lucidement que moi. Ce serait du gâchis de ne pas utiliser ses pensées lorsqu'un but, une décision budgétaire, ou même un des nécessaires petits désagréments de la vie conjugale est envisagé.

Il est donc tout à fait inutile de me menacer. J'apprends maintenant à recevoir les avis de Kathy avec reconnaissance. Dieu me l'a donnée pour que l'équipe de direction de la maison soit complète. Si je suis assez intelligent, je reconnais en son opinion, non pas une menace à ma capacité de décider, mais un complément.

Se soumettre l'un à l'autre peut se faire aussi au moyen de la *délégation*. Il est possible que je ne sois pas là pour décider, ou bien il pourrait y avoir plusieurs sujets sur lesquels ma femme est plus qualifiée que moi. Le mois dernier, par exemple, Kathy avait besoin d'un fer à vapeur neuf. Bon, elle a eu des cours d'économie ménagère au collège, et moi, je n'y connais rien aux fers à repasser. Donc, au lieu de décider du fer qu'il fallait acheter, je lui ai délégué le pouvoir de décider. Bien sûr, elle en a choisi un bon. De la même façon, lorsque je suis en déplacement, ou occupé par un projet, je délègue à Kathy le pouvoir de prendre certaines décisions financières ou ménagères. Elle apprécie ce défi, et sa sagesse ne m'a jamais déçu.

Le mariage est vraiment association entre gens égaux, dans laquelle Dieu semble avoir souhaité une relation président-vice-président, entre mari et femme. Le vice-président d'une firme n'est pas une *personne* moindre que le président. L'unique différence réside dans les responsabilités. Ils sont tous deux essentiels à part égale de la bonne marche de l'entreprise. Un président clairvoyant maintient une communication étroite avec son vice-président, le consultant sur les décisions à prendre, prenant l'initiative de résoudre les problèmes et les différences, arrêtant une politique ensemble, lui déléguant des décisions à prendre et des responsabilités.

Dieu nous a confié la responsabilité de la direction à une autre condition : *l'amour.* Dans le mariage, ces deux choses sont inséparables. L'amour sans direction peut aboutir au chaos. Et diriger sans aimer entraîne la tyrannie.

Et comme pour tout autre chose, le Créateur du mariage nous a donné un exemple parfait du genre d'amour qui marche : « Maris, aimez vos femmes comme le Christ a aimé l'Eglise, et s'est livré lui-même pour elle. »

L'Eglise, c'est vous et moi. Tout comme Dieu nous aime, nous devons aimer nos épouses.

Il est possible que nous ayons, ou que nous n'ayons pas, ce sentiment un peu dingue que le monde appelle « amour ». Nous pouvons subvenir aux besoins, offrir des cadeaux, l'inviter à dîner ou lui faire l'amour de façon satisfaisante. Mais là où ça accroche souvent, c'est quand il faut donner de *soi-même.* C'est dur. C'est contraire à notre nature humaine égoïste. C'est pourtant ce dont nos femmes ont le plus besoin.

Qu'est-ce qu'un amour pareil à celui du Christ ?

Sa vie nous montre quelques qualités-clés :

1. *L'amour est inconditionnel :* « pas de si, de et, de mais là-dedans. Je t'aime. » Est-ce que nous *méritons* l'amour du Christ ? Certainement pas ! Mais il nous aime quand même, et rien ne changera ni n'affaiblira cet amour.

Peut-être avez-vous entendu parler des trois grands types d'amour. Le premier est *eros,* ou l'amour sensuel. C'est pour cette seule raison que beaucoup de couples se marient, tout ça pour perdre leur attirance l'un vers l'autre et découvrir qu'«ils ne s'aiment plus.» Le deuxième est *phileo,* l'amour de l'amitié. *Phileo* est un avantage précieux dans le mariage, car le mari et la femme doivent être meilleurs amis mutuels. Mais *phileo* est encore un lien insuffisant pour assurer la continuité. Il y a vraiment trop d'occasions dans le mariage, où on ne se sent pas particulièrement amical envers son épouse. Lorsqu'il y a dispute, désaccord ou pendant les inévitables moments de mauvaise humeur, il faut quelque chose de plus, sinon le lien du mariage peut devenir ténu.

C'est là qu'intervient *agape. Agape* est un terme introduit par le Christ lui-même, et qui signifie : «Je t'aime bien que je ne sois pas d'accord avec toi. Je t'aime en dépit de tes défauts, des disputes et de la mauvaise humeur. Rien de ce que tu fais ne change le fait que je t'aime.» Sans la motivation de l'Esprit du Christ en vous, vous pouvez, au mieux, ressentir une pâle imitation de l'amour *agape.* Il ne s'arrête pas aux tempêtes des disputes, à la tragédie, à la disparition de l'attrait physique ou à la tentation sexuelle permanente. *Agape* dure parce qu'il recherche ce qu'il y a de mieux pour l'autre.

Le mariage tel que Dieu l'a voulu est une combinaison élégante de ces trois formes d'amour. Mais c'est *agape* qui lie le tout. C'est l'amour malgré... Sans condition.

2. *L'amour est sacrifice.* Oui, le Christ est mort pour nous, et un homme digne de ce nom protège ceux qu'il aime au péril de sa vie, mais le Christ nous a aussi donné quelque chose de plus commun. Son temps.

Est-ce que l'utilisation que je fais de mon temps montre à ma femme que je l'aime plus que mon métier, mes loisirs, ou les choses-que-j'ai-à-faire ? Un homme m'a dit un jour q'uil ne comprenait jamais pourquoi sa femme semblait toujours avoir besoin qu'il l'embrasse longuement, qu'il la rassure encore de son amour, au moment précis où il se ruait dehors. «Quand j'ai le temps,» elle est toujours occupée,» dit-il, «mais à chaque fois que je suis pressé d'aller quelque part, ou de faire quelque chose, elle semble s'accrocher à moi. Je me sens très mal à l'aise en la quittant.»

« C'est sûr », lui répondis-je, « parce qu'aussi longtemps que vous ferez comme si vous n'aviez pas de temps à lui consacrer, elle se demandera ce qu'elle représente pour vous.»

L'amour-sacrifice *trouve le temps* nécessaire aux choses importantes alors qu'il y a des choses bien plus « urgentes » à faire. C'est inhérent à l'amour « agape », mais cela fait passer ses besoins avant les vôtres.

3. *Aimer, c'est agir en serviteur.* J'entends certains d'entre vous dire : « Quoi ? Le serviteur de ma femme ?» Pas au sens de la Garde Royale. Regardons le Christ un instant. Un jour, ayant confiance en son pouvoir et en sa façon de diriger, Jésus-Christ s'est humblement baissé pour laver les pieds de ses disciples, coutume touchant au confort et à l'hygiène après une longue marche dans la poussière. Les disciples du Christ ont protesté quand il a fait cela, car ils considéraient cette action comme trop basse pour lui. Mais son but était d'illustrer une déclaration qu'il avait faite auparavant : « Celui qui parmi vous, veut diriger, doit vous servir.» En d'autres termes, celui qui se soucie vraiment des besoins des gens, et qui agit pour les satisfaire, est le plus qualifié pour être chef.

Les hommes du genre Archie Bunker s'attendent à voir une Edith aux petits soins, leur apporter la bière et le journal en toute hâte tandis qu'ils s'installent sur leurs trônes rembourrés. Un vrai chef de famille, c'est l'homme qui a suffisamment confiance en sa masculinité pour mettre la main à la pâte quand il le peut, et contribuer à faciliter le travail de sa femme.

Et ce qu'il y a de surprenant, c'est que l'aider ainsi n'abîme en rien l'opinion qu'elle a de vous. Cela vous montre une fois de plus qu'elle vaut la peine de faire tout ça.

4. *Aimer, c'est être chef spirituel.* L'objectif final du Christ était de nous montrer une façon libératrice de connaître personnellement Dieu, et d'avoir la vie éternelle

après la mort physique. Donc, il était surtout un chef spirituel, qui enseignait, et guidait ses hommes dans la vérité : la vie riche est la vie qui a le Christ pour centre.

Notre devoir d'aimer est incomplet, messieurs, si nous faisons défaut à nos épouses dans ce domaine. Et malheureusement, c'est là où bon nombre d'entre nous sont de grands incapables.

Tout d'abord, les Corinthiens 11 : 3 nous dit que : « ...le mari est le chef de la femme, le Christ est le chef du mari, et Dieu est le chef du Christ.» Dieu a dit clairement que nous sommes responsables du climat spirituel qui règne chez nous, mais aussi d'une atmosphère d'amour et d'autorité.

Ceci ne doit pas être interprété comme un embrigadement par votre femme, car elle a toujours la liberté de choisir de confier sa vie à Jésus-Christ ou non. C'est, cependant, un commandement que de faire tourner notre vie familiale autour de l'amour de Dieu. C'est nous qui devons prendre l'initiative de la prière, de la lecture et de l'étude de la Bible, de remercier Dieu de sa prévoyance, d'enseigner à nos enfants les vérités spirituelles à partir de sa Parole. Nous sommes responsables de la création d'un climat dans lequel le Christ lui-même se sentirait le bienvenu. Une telle atmosphère apporte la joie aux mariages et aux familles.

Telles sont donc les deux clauses d'aptitude de Dieu lorsqu'il vous ordonne d'être responsable de votre foyer :

Premièrement, *soumettez-vous l'un à l'autre,* cela lui donnera la liberté d'être elle-même, et de contribuer pleinement aux prises de décisions. Cela vous permet d'être suffisamment libéré pour admettre que vous avez tort, sans que cela menace votre sens de la virilité.

Puis, *aimez-la,* de tout votre cœur, de façon à ce qu'elle ne doute que rarement de votre amour, de façon à ce qu'elle ne vous en veuille que rarement d'être le chef. La fermeté, nuancée de gentillesse. Aimer comme le Christ.

Qui est le chef chez vous ?

QUI EST RESPONSABLE ?

Une bonne part du sentiment de sécurité de votre femme dépend de votre autorité forte et cohérente à la maison. Soyez un homme qui assume. Guidez-la, avec amour.

13 « Dire la vérité avec amour »

Pour penser avec justesse, nous devons comprendre ce que les autres veulent dire. Pour connaître la valeur de nos pensées, nous devons voir quel effet elles ont sur d'autres esprits.

WILLIAM
HAZLITT

Je me remets à mon bureau un peu tard aujourd'hui, mais ça n'a pas la moindre importance. Kathy et moi venons de passer deux heures somptueuses, assis sur le canapé, à discuter le pour et le contre : va-t-elle, ou ne va-t-elle pas devenir vendeuse d'une certaine ligne de produits. Financièrement, nous le savions, un tel emploi serait intéressant. Mais, est-ce qu'elle aimerait vraiment faire cela ?

C'est là que la conversation est devenue amusante, et révélatrice aussi. Tandis que nous dépassions les faits et les chiffres, nous nous approchions de nos objectifs fondamentaux : « Qu'est-ce qui nous importe le plus dans la vie ? Quels talents, donnés par Dieu, devons-nous entretenir ? Que voulons-nous réaliser ensemble ? »

Notre discussion nous a donné, à l'un et à l'autre, un profond sentiment de satisfaction. Nous avons exprimé ce que nous avions sur le cœur, ouvertement et librement. Nous nous sommes mis à la place de l'autre quelques instants. Nous avons partagé des idées, des conceptions et des rêves.

Et nous sommes plus proches maintenant, parce que ce temps passé ensemble nous a mis d'accord sur plusieurs sujets graves.

C'est une impression merveilleuse.

Et cela m'amène à me demander pourquoi, nous, maris, avons tant de mal à bien communiquer. Pourquoi une grande majorité d'épouses a-t-elle une aussi piètre opinion de nous dans ce domaine, alors que l'importance de la communication est évidente ?

« Tom et moi ne parlons pas tout à fait assez », m'a dit une des épouses. » Quelquefois j'ai l'impression que notre mariage est un grand jeu de devinettes. J'attends de lui qu'il donne le départ de la communication, parce qu'à chaque fois que « moi » je le fais, je m'en sors avec l'impression d'être une femme querelleuse. »

« Mais pourquoi donc avez-vous besoin de communiquer ? » lui demandai-je.

« Eh bien ! pour éviter les malentendus, pour dissiper ceux qui existent déjà », me répondit-elle. « Je suppose que c'est surtout pour m'assurer qu'il m'aime assez pour m'écouter et s'ouvrir un peu en ma présence. Mais il semble préoccupé, habituellement. »

Etes-vous comme Tom ? Je sais que j'ai tendance à l'être. Tandis que nos épouses mendient cette bonne conversation affectueuse, nous trouvons souvent que le silence est plus confortable. Pourquoi ? Eh bien, soyons honnêtes avec nous-mêmes :

Communiquer implique des efforts... et nous avons eu une journée harassante. Nous préférerions repenser à cette journée plutôt que d'entamer une discussion sur un sujet nouveau. N'avons-nous pas droit à un peu de paresse ?

C'est étonnant, mais, bien communiquer rajeunit un homme, en quelque sorte. Le fait de partager ses idées, et de se soulager le cœur vous apporte une nouvelle bouffée d'énergie. C'est le bonheur qui en est cause. L'interaction soulage les tensions en confirmant que tout va bien sur le front de la maison, que l'association *marche.* Nous aussi nous avons besoin de communiquer, tout comme nos épouses.

Nous permettons à trop de distractions d'accaparer notre attention aux dépens de notre femme et de nos enfants. Nous ne le faisons pas exprès, bien sûr. Mais combien de fois n'ai-je pas souhaité que Kathy ne me pose pas de question pendant les informations du soir ? La télévision (la revoilà cette coupable), le journal, un livre, un travail à faire, et même d'autres personnes peuvent épuiser mon temps et mon désir d'agir avec elle.

Nous ne voulons pas bousculer les choses... et entamer une discussion. Oh, s'il te plaît, pas ce soir.

Un ami, conseiller conjugal, m'a un jour parlé d'un couple qui était venu le consulter : « Nous ne nous sommes jamais disputés de notre vie » annonça fièrement le mari.

« Comment avez-vous réussi cela ? » demanda mon ami.

« Nous ne nous parlons pas, tout simplement ! » répondit sa femme.

En essayant d'éviter les frictions, leur traitement par le silence conjugal les avait amenés au bord du divorce. J'ai été personnellement témoin de mariages comme le leur, dans lesquels les maris étaient adeptes de cette philosophie : « moins nous parlons, moins il peut y avoir de friction. Donc, je ferais mieux de ne pas aborder ce sujet... ». Pendant quelques temps, il n'y a pas de friction *sensible,* mais intérieurement, la tension augmente chez les deux époux. Puis, soudain, BOUM ! Un incident mineur donne le coup d'envoi d'un match tout en coups de gueule, tout ça parce que les choses n'ont pas été abordées au fur et à mesure. Le silence les a transformés en bombes humaines.

Et j'ai vu d'autre maris qui s'arrangent, d'une façon ou d'une autre, pour tout contenir. Leur tension n'explose jamais, mais elle les titille intérieurement toute leur vie, pendant qu'ils continuent à éviter les désaccords. Ils ne faut pas longtemps pour qu'ils souffrent de troubles de santé, nerveux ou sexuels, à cause de toutes ces frictions et de tout ce ressentiment emmagasiné.

Un principe de base, pour bien communiquer, c'est de *ne jamais craindre les désaccords*. Dans le prochain chapitre : « Comment se battre comme un Chrétien, » nous nous concentrerons sur ce domaine important.

Nous craignons inconsciemment d'être vulnérables... Que se passera-t-il si elle détecte cette faiblesse en moi, ou un point sur lequel je ne suis pas très solide ? Pire même, si elle avait raison et si j'avais tort ?

Ce trauma pseudo-masculin est si subtil, et cependant il fait partie de notre analyse raisonnée en faveur du silence. Nous copions « le genre fort et silencieux », l'homme dont la calme passivité dénote l'assurance suprême. Mais derrière, il y a cette petite crainte qui vous travaille : « Est-ce que j'ai vraiment quelque chose d'intéressant à dire ? Est-ce que je veux révéler le vrai moi ? »

Une telle hésitation n'a aucune place dans une relation amoureuse sincère, car l'amour renferme une confiance totale et à double sens. Si j'aime Kathy et qu'elle m'aime, je dois lui confier mes idées, aussi futiles que puissent être certaines. Je dois savoir qu'elle ne me rejettera pas, qu'elle ne me ridiculisera pas à cause de mon évidente faiblesse ou de mes contradictions. Et elle peut s'attendre à la même chose de ma part.

Quand Adam et Eve profitaient de l'Eden, avant d'avoir désobéi à Dieu pour la première fois, ils étaient « nus et n'avaient pas honte. » De toute évidence, il s'agit de la nudité physique, mais pensons-y dans une perspective totale, un instant. « Etre nu » implique d'arracher la façade et les faux-semblants. Adam et Eve, dans leur état de pureté, se faisaient entièrement confiance en tant que personnes. Ils ne se cachent rien par crainte d'être rejetés. Et « ils n'avaient pas honte » de ce qu'ils se révélaient l'un l'autre, car leur amour était consolidé par la confiance intime.

Est-ce que nos femmes connaissent les hommes véritables que sont leurs maris ? Nous, hommes n'avons rien à craindre si nous prenons l'initiative de nous révéler dans nos conversations. L'honnêteté totale, « être nu et n'en avoir aucune honte » ne peut qu'approfondir l'amour qui existe entre nous et ceux qui nous sont chers.

Qu'est-ce que bien communiquer ?

L'pposé du silence, c'est-à-dire se contenter de parler, n'est pas forcément : bien communiquer. Il y a probablement autant de bavards intarissables que de couples silencieux qui divorcent. On communique bien quand trois critères importants sont présents :

1. *« Les esprits faibles parlent des gens, des esprits médiocres parlent d'événements, mais les grands esprits parlent d'idées. »* Pourquoi est-il si facile de parler des gens et du temps ? Parce qu'il n'y a pas besoin de penser beaucoup ou de faire de gros efforts. Les gens et le temps sont de bons sujets de discussion, mais y limiter la communication peut transformer les familles en groupes de commères ennuyeuses. Utilisez les gens et les événements comme tremplins pour des conversations plus sérieuses.

Parler d'*idées* transforme les gens en penseurs efficaces et en interlocuteurs valables. Les idées nous font dépasser notre mesquinerie quotidienne, et élèvent nos pensées et nos rêves à un plus haut niveau. Et, chose étonnante, elles nous font développer nos qualités de raisonnement lorsque nous prenons leur défense. Les idées rapprochent les gens grâce aux questions et aux réponses : « Que pensez-vous de... ? » ou bien « Pourquoi ? » ou bien encore : « Et si... ? »

2. « *L'art de la conversation, c'est l'art d'entendre et d'être entendu* » (William Hazlitt) Qu'il est facile de se laisser aller à parler de nos immenses connaissances et de nos opinions brillantes, mais d'écouter à peine ce que dit l'autre ! Ambrose Bierce a donné une définition très juste et très ironique de la conversation, telle que beaucoup d'entre nous la pratiquent :

> *Conversation : n.f. Foire où on expose des capacités mentales mineures, chaque exposant est si soucieux de bien disposer sa propre marchandise qu'il ne peut voir celle de son voisin.*

L'art d'écouter est un élément essentiel mais souvent négligé de la vraie communication. Ecouter efficacement veut dire : se concentrer sur les expressions verbales et physiques de l'orateur, l'écouter jusqu'au bout, et assimiler le message pour que votre esprit voie clairement les grandes lignes des intentions de celui qui parle. Si ce n'est pas le cas, le bon auditeur pose des questions pour clarifier les choses.

Récemment, des experts en communication ont créé un mot approprié pour nos déplorables habitudes quand il s'agit d'écouter : « l'egoparle ». Le mot dit bien ce qu'il veut dire, à savoir que les gens adorent s'écouter parler plus que d'écouter quelqu'un d'autre. Egoparler, c'est penser à ce que vous allez dire ensuite, pendant que quelqu'un d'autre essaie de vous parler. C'est démarrer avant, ou juste au moment du dernier mot de l'autre. C'est essayer sans cesse de dépasser l'histoire de l'autre.

Faites très attention, vous détecterez l'egoparle dans presque toutes les conversations ces jours-ci. Celui qui écoute vraiment appartient à une espèce en voie de disparition. Dieu nous a donné deux oreilles et une bouche chacun, peut-être voulait-il que nous les utilisions proportionnellement.

3. « *Dites la vérité avec amour* ». cet impératif biblique

distille tous les éléments d'une vraie communication en cinq mots :

« Dites... »

et ne gardez pas le silence. Ne ruminez pas au point de vous consumer de ressentiment et de colère.

« la vérité... »

C'est *une observation,* pas une accusation. Allez au-delà des papotages jusqu'aux choses qui comptent vraiment dans vos relations.

« avec amour... »

avec de la gentillesse dans la voix, au bon moment, là où il faut. Soyez honnête, mais receptif à ses sentiments. Cherchez à faire ressortir ce qu'elle a de meilleur en elle.

Comment
commencer

Le secret pour démarrer une communication valable à la maison est simple : posez des questions.

Avec un peu de pratique, vous apprendrez vite quels genres de questions conduisent aux conversations les plus passionnantes. « Comment vas-tu ? » entraîne inévitablement « Bien » ou un récit de troubles organiques déprimant. « Est-ce que tu répètes à la chorale ce soir » n'encourage qu'un « Oui » ou un « non ».

Le principe des bonnes questions est celui des *questions-pensées,* qui exige plus qu'une réponse par oui ou par non. Elles demanderont à quelqu'un ce que sont ses sentiments *sur* un sujet, un événement, la philosophie, etc. ou peut-être inciteront à faire le tour de la question avec vous, évoquant des sujets sur lesquels cette personne n'a pas encore d'opinion arrêtée.

Dans les pages suivantes, nous avons dressé une liste de questions que *chaque* mari et *chaque* femme devraient fréquemment discuter ensemble. Certains de ces sujets peuvent vous effrayer un peu ; il y a peut-être des années

que vous n'êtes pas allé aussi loin avec elle ; mais ne les laissez pas de côté. Avec seulement quelques suggestions sur la façon de tirer le maximum de votre temps de conversation, vous serez tous deux surpris de vous sentir beaucoup plus proches après avoir parlé ensemble.
Les suggestions :

1. Ne forcez pas la chose. Il y aura des moments où ni vous, ni elle, n'aurez envie de discuter quelque chose à fond. Que les choses arrivent naturellement, quand on est assis ensemble sur le canapé, au cours d'une promenade, etc.

2. Ecoutez. Regardez-la pendant qu'elle parle, et pendant que vous lui parlez. Montrez-vous intéressé par ce qu'elle a à vous dire .

3. Ne condamnez jamais une opinion en disant : « C'est stupide », ou bien : « Ça ne marchera jamais.» C'est le meilleur moyen de mettre un terme à une communication valable. Reconnaissez son opinion, posez-lui des questions pour l'aider à la clarifier. Puis, si vous n'êtes pas du même avis, donnez votre point de vue en disant quelque chose comme : « Voyons les choses sous un autre angle aussi... »

4. Au début, vous vous apercevrez peut-être que certaines de ces questions reçoivent un coup d'arrêt avant même d'être lancées, à cause d'un : « Je ne sais pas, » ou « Je n'y ai pas suffisamment pensé pour avoir une opinion.» C'est une bonne occasion de vous encourager l'un l'autre à être vulnérables dans l'exploration des idées : « Pensons-y tout haut, ensemble.» C'est un processus amusant· et créatif.

5. Quand vous abordez l'un des sujets suivants ensemble, allez jusqu'au bout en demandant :
Quelle est notre situation actuelle ?
Pourquoi ?
Comment cela affecte-t-il notre mariage ?
Que pouvons-nous faire à ce sujet ?
D'accord. Et maintenant, quel sera notre premier pas ?

Questions que chaque mari devrait aborder avec sa femme

— Notre mariage

1. Quelles sont les choses les plus importantes que nous avons apprises depuis que nous sommes mariés ?
2. Comment le mariage a-t-il enrichi notre vie ? La mienne ?
3. Y a-t-il des idées sur lesquelles tu as le sentiment que je peux exercer mon rôle de chef avec plus de force et de cohérence ?
4. As-tu l'impression que je passe assez de temps — qualitativement — avec toi et avec les enfants ?
5. Comment puis-je être plus réceptif à tes besoins en tant que femme ?
6. As-tu le sentiment qu'il y a des domaines qu'il nous est difficile d'aborder ?
7. Penses-tu que je suis assez ouvert lorsque j'exprime mon amour pour toi et pour les enfants ?
8. La prochaine fois que nous pourrons sortir, qu'aimerais-tu que nous fassions ensemble ?
9. Que nous est-il arrivé, qui puisse nous rapprocher, au cours de l'année passée ?
10. As-tu l'impression d'une tension entre nous et nos beaux-parents respectifs ?
11. As-tu l'impression que je t'accepte telle que tu es, ou bien est-ce que je te presse de changer ?
12. Te sens-tu menacée quand je ne suis pas de ton avis, ou que je prends une décision que tu n'apprécies pas ?
13. Est-ce que je te laisse bien la parole quand il y a une décision à prendre ?
14. Comment pouvons-nous être en désaccord sans que cela tourne à la scène de ménage ?

15. Est-ce que je t'encourage à t'exprimer librement ?
16. Y a-t-il des habitudes ou des manies, dans ma façon de vivre, qui t'ennuient ?
17. Dans notre passé, ai-je fait quoi que ce soit qui ait pu te causer une rancune tenace ?
18. Aimes-tu la ligne générale que suit notre mariage ?
19. Quelles devraient être nos priorités :
    notre développement personnel ?
    nos relations ?
    nos enfants ?
    nos talents ?
    les dépenses ?
    les besoins matériels ?
    nos objectifs professionnels ?
20. Qu'aimerais-tu que nous réalisions ensemble l'année prochaine ? Au cours des cinq années à venir ? Avant la retraite ? Après notre retraite ?
21. Ai-je assez de patience avec toi ?
22. Aimerais-tu que nous passions plus, ou moins, de temps en compagnie d'autres couples ?
23. Es-tu épanouie en tant que personne ? Quels sont les domaines que tu aimerais développer ? Comment puis-je t'aider ?
24. Y a-t-il quoi que ce soit dans notre mariage, qui soit contraire aux Ecritures ?
25. Quelles sont les barrières, empêchant la communication, que nous pouvons commencer à lever ?
26. Comment pouvons-nous nous encourager davantage, réciproquement ?

— Notre vie sexuelle

1. Es-tu satisfaite de la fréquence et de la qualité de nos relations sexuelles ?
2. As-tu l'impression que je satisfais tes besoins sexuels ?
3. Ai-je tendance à être égoïste quand nous faisons l'amour ?

4. Est-ce que je fais des choses que tu n'aimes pas lorsque je te caresse avant l'amour ?
5. Y a-t-il des techniques que tu aimerais que j'utilise pour t'exciter davantage ?
6. Qu'est-ce que tu apprécies le plus dans notre vie sexuelle ?
7. Serais-tu d'accord pour essayer de nouvelles techniques qui apporteraient plus de sensations et de variété dans nos relations sexuelles ?

— Nos finances

1. Te sens-tu jamais frustrée ou irritée des limites imposées par notre salaire ? Comment pouvons-nous nous encourager à être plus positifs ?
2. Es-tu satisfaite de la façon dont nous gérons nos finances ?
3. Agissons-nous comme si nous croyions que Dieu pourvoira à tous nos besoins ?
4. As-tu l'impression que nous discutons suffisamment du budget ensemble ? Est-ce que je te donne un avis adéquat au sujet des prévisions ?
5. Faisons-nous des plans sages pour notre futur financier ?
6. De quelle dépense aurions-nous pu nous passer au cours des derniers mois ?
7. Avons-nous plus d'argent qu'il ne nous en faut ?
8. Est-ce que nous rendons suffisamment à Dieu par la dîme, ou des dons spéciaux pour les besoins des autres ? Quelle église, quelle organisation, ou quelque personne nécessiteuse pourrions-nous aider financièrement ?
9. Quelle devrait être notre politique en matière d'utilisation du chèquier et des cartes de crédit ?
10. Que pourrions-nous faire pour enseigner la sagesse aux enfants, en matière d'argent ?

— Nos enfants

1. Nos enfants savent-ils combien nous nous aimons ?
2. Savent-ils combien nous les aimons ? Est-ce que nous le leur disons et le leur montrons par des actions quotidiennes ?
3. Penses-tu que je passe assez de temps à leur parler et à jouer avec eux ?
4. Quels sont les moyens positifs que nous avons de les encourager :
   à être généreux ?
   à être affectueux avec les autres ?
   à avoir une bonne opinion de soi ?
   à être responsable ?
   à développer leurs talents ?
   à aimer Dieu ?
5. Sommes-nous d'accord sur une philosophie de la discipline au sujet des enfants ?
6. Quelle devrait être notre politique au sujet des enfants et de la télévision ?
7. Quelles sont les valeurs auxquelles nos enfants devront s'accrocher quand ils quitteront la maison, un jour ?
8. Quels talents pratiques devrions-nous leur enseigner pour les préparer à la vie ?
9. Quelles activités pourrions-nous avoir ensemble pour augmenter l'harmonie et l'amour au sein de notre famille ?

— Notre développement spirituel

1. Es-tu satisfaite de mes relations avec le Seigneur ?
2. Es-tu satisfaite des tiennes ?
3. Que puis-je faire, en tant que chef spirituel de notre foyer, pour nous encourager, toi, moi et les enfants, à vivre d'une façon chrétienne ?
4. Pouvons-nous définir quelques domaines particuliers où nous avons besoin d'avoir davantage confiance en Dieu ?

5. Comment pouvons-nous nous encourager mutuellement à lui faire confiance en tout ?
6. Qu'as-tu lu dans les Ecritures ce matin ? Comment pouvons-nous l'appliquer aujourd'hui ?
7. Qu'est-ce que Dieu a fait pour nous récemment et dont nous pouvons le remercier ?
8. Quelles activités pouvons-nous avoir ensemble pour enseigner des principes chrétiens à nos enfants d'une façon significative ?
9. Si quelqu'un venait nous voir et nous disait : « Dites-moi comment je peux connaître Dieu personnellement ? », que lui dirions-nous ?
10. Est-ce que notre église répond à nos besoins spirituels, et nous enseigne bien les Ecritures ? Sinon, allons-nous en chercher une qui le fait, ou bien, que pouvons-nous faire pour aider notre église à accomplir sa tâche plus efficacement ?

— Nos biens

1. As-tu l'impression que je suis à la hauteur de mes responsabilités pour ce qui est de l'entretien de la maison et de la voiture ?
2. Quelles réparations et quelles améliorations aimerais-tu voir rapidement ?
3. Avons-nous tendance à être trop matérialistes ?
4. Y a-t-il des choses dont nous avons vraiment besoin dès que possible ? Dans quel ordre de priorité ?
5. Nous mettons-nous en colère si quelqu'un casse un plat, ou un meuble, etc. par accident ?
6. Notre logement actuel est-il trop grand ou trop petit pour nous ?
7. L'atmosphère y est-elle agréable ?
8. Notre voiture actuelle est-elle trop grande ou trop petite pour nous ?
9. Est-ce que nos vêtements et notre façon de nous habiller rendent gloire à Dieu par leur style et leur propreté ?

10. De quelles façons pouvons-nous tirer le maximum et nous arranger de ce que nous avons ?
11. Sommes-nous reconnaissants de ce que nous avons ? En prenons-nous bien soin ?

— Notre protection

1. Notre assurance nous couvre-t-elle suffisamment sur chacun des points suivants :
la vie,
les soins médicaux et l'hospitalisation,
le chômage,
la voiture,
la maison.
2. Que ferais-tu si tu entrais dans une pièce et que tu m'y trouvais inconscient ? Si je m'évanouissais dans une salle de bain verrouillée au milieu de la nuit ?
3. Quels sont les quelques moyens que nous avons de nous protéger du feu et des cambrioleurs ?
4. Avons-nous enseigné à nos enfants les règles de sécurité fondamentales pour cyclistes et piétons ? au sujet des étrangers ? Connaissent-ils leur adresse et leur numéro de téléphone ? Savent-ils comment nous joindre, toi ou moi, en cas d'urgence ?
5. Si jamais tu étais accostée par un homme bizarre, connais-tu les moyens les plus efficaces de le dissuader, en utilisant la résistance physique si besoin est ?
6. Qu'avons-nous qui puisse nous réveiller à temps en cas d'incendie pendant la nuit ? Savons-nous tous ce qu'il faut faire si le feu se déclare chez nous ? Ou si une personne armée s'introduit ici ?

— En général

1. Quelle est la chose la plus agréable qui te soit arrivée aujourd'hui ?
2. Que penses-tu de... (événement courant, etc.) ?

DIRE LA VERITE AVEC AMOUR

3. Quelle est ton opinion sur... (une philosophie courante, etc.) ?
4. *Pourquoi* penses-tu cela ?
5. Que pouvons-nous faire pour... (une personne dans le besoin, quelqu'un que nous aimons, etc.) ?

Tandis que je lisais le journal ce matin, mes yeux s'arrêtèrent sur un titre qui disait : « Annie Glenn encore en orbite autour de John ». L'article raconte comment le mariage de John Glenn, sénateur américain et premier astronaute à avoir tourné autour de la terre, est plus solide que jamais après trente et un ans. « Nous avons toujours eu cette règle dans la maison, » dit Annie Glenn au journaliste. « Quel qu'ait été le rythme de l'emploi du temps, nous avons toujours dîné ensemble aux chandelles. Parfois, nous ne mangions que des « hotdog », mais il y avait l'atmosphère. »

« Nous parlions et nous écoutions ce que disait l'autre. Je veux dire que nous écoutions *vraiment*. La communication est payante depuis toujours. »

Tandis que vous cherchez à établir une telle intimité avec votre femme, je pense que vous découvrirez ceci : bien communiquer, dans le mariage, vaut la peine qu'on fasse des efforts.

14 Comment se battre comme un Chrétien

Le but d'une dispute ou d'une discussion, devrait être, non pas la victoire, mais le progrès

JOSEPH JOUBERT

Je n'oublierai jamais les moments difficiles qu'un de mes meilleurs amis a traversés au cours des premiers mois de son mariage. Au moins deux fois par mois, il arrivait dans mon bureau avec la tête de quelqu'un qui n'a pas dormi de la nuit. « Nous en sommes presque arrivés au divorce hier soir », me disait-il, plaisantant à moitié. Mais je voyais bien que sa femme et lui étaient vraiment passés tout près.

Etant donné que j'étais fiancé à Kathy à l'époque, à voir les expériences de mon ami, j'en arrivais à me demander si j'avais vraiment envie de me marier. J'avais entendu le dicton selon lequel il y a toujours 2 côtés quand il y a dispute, et que ces deux côtés sont généralement mariés l'un à l'autre. Je connaissais aussi celui du mari qui, lorsqu'on lui demandait : « Comment va ta femme ? », répondait : « Je ne sais pas. Elle ne me parle pas, et je ne suis pas d'humeur à intervenir ». Allais-je vers la

L'HOMME TOTAL

félicité éternelle, ou le champ de bataille perpétuel ?
Un peu des deux, comme je le découvris plus tard. Car,
quelle que soit la force de notre amour l'un pour l'autre,
Kathy et moi avons nos moments de bagarre. Nous ne
sommes pas particulièrement brillants dans ces
moments-là. Ce serait mentir que de dire que nous ai-
mons cela. Mais, prenez deux personnes :
Un homme, une femme,
Venant de foyers entièrement différents
Ayant des éducations et des expériences différentes
Chacun avec ses émotions propres
Avec ses goûts et ses aversions
Chacun son degré d'indépendance
Et un certain égocentrisme
Vivant dans la même maison
Avec des tâches et des responsabilités différentes
Marchant sur le même budget
Essayant d'atteindre les mêmes objectifs.
Vont-ils être d'accord sur tout ?
Certainement pas.

En dépit de leurs fermes promesses d'amour et de
loyauté l'un pour l'autre, le fait que mari et femme soient
deux personnes distinctes rend un certain nombre de disputes inévitables. Les désagréments et les disputes *arrivent,* bien sûr. Il y aura des sentiments piétinés et blessés.
Et il y a même des moments où leur Camelot sera ébranlé
par cette pensée : «Je me demande bien pourquoi je l'ai
épousé, de toute façon !».

Tout cela fait partie de l'apprentissage de la vie commune.

L'important, c'est de ne pas esquiver l'inévitable. Pour
le couple qui veut vraiment que son mariage marche, «se
bagarrer» peut être une excellente épreuve pour l'union.
Bien sûr, ils ne recherchent pas les conflits, mais quand ils
ont lieu, ils ne leur permettent pas de menacer leur sécurité conjugale. Par les désaccords et les disputes, ils peuvent déterminer les lacunes dans leurs échanges et leurs
faiblesses personnelles, ils prennent la résolution de s'en-

192

courager mutuellement à renforcer ces points faibles. Mais le mot-clé, c'est *pouvoir*.

Permettez-vous aux conflits de détruire les liens qui existent entre votre femme et vous, ou bien, les utilisez-vous pour améliorer votre mariage. Ça peut être un moyen de renforcement, tout dépend de ce que vous décidez pour canaliser ces désaccords lorsqu'ils se produisent.

Normalement, vous aurez trois solutions. Nous pourrions appeler la première *la mijoteuse*, quand, au nom d'une harmonie superficielle, votre femme et vous, ou bien votre femme « ou » vous, décidez de ne pas exprimer ce qui vous tracasse. Mais intérieurement, la température monte : « Comment a-t-elle pu dire ça de moi, après tout ce que j'ai fait pour elle ? » ou bien : « Encore, c'est la dixième fois ce mois-ci qu'elle fait ça ! » On a tendance à laisser courir en la fermant, ou à quitter la pièce ou la maison pendant quelques heures, le temps que ça se passe. Mais ça ne passe jamais. Ça éclate, plutôt.

John B. Baren, professeur clinicien assistant en psychiatrie à l'Université de Californie, à Davis, est d'accord sur le fait qu'un conflit silencieux fait toujours plus de mal que de bien : « Quand ils (le mari et la femme) essaient de surmonter leur colère, elle ressort habituellement d'autres façons qui peuvent être nuisibles au mariage. L'une des façons les plus typiques est de rabaisser l'autre devant des tiers en plaisantant, alors que ce n'est pas drôle du tout — C'est lié à une colère rentrée, et une colère rentrée peut mijoter en vous pendant des années et ouvrir une brèche entre les deux époux. »

L'autre possibilité de canaliser les désaccords est à peine meilleure que la première car elle implique bel et bien de parler. Mais il s'agit de parler au minimum : *l'explosion*. Après avoir mijoté, il y a éruption en un quart de seconde. On se lance des accusations l'une après l'autre, non par désir de logique, mais dans une vaine tentative de protection de soi. On exhume les fautes passées et on se les lance à la figure. On y mêle les belles-familles. En d'autres termes, lors de ces disputes, on se sert de tous les sales tours pour gagner l'algarade.

On peut habituellement attribuer l'explosion à l'égoïsme de chacun des participants, car la protection du moi l'emporte rapidement sur l'édification du mariage. Chacun des points de vue doit l'emporter sur l'autre. Parfois, on s'échauffe tellement que l'un des époux décoche une flèche finale par dessus son épaule en quittant la pièce bruyamment. Puis, la mijoteuse recommence. Et ni la mijoteuse, ni l'explosion n'ont résolu quoi que ce soit. Il doit y avoir un meilleur moyen.

Nous l'appellerons : *la table de la paix.* Ici, les points de vue divergents sont exprimés dans un contexte de raison et d'amour présumés, dans lequel le mari et la femme attaquent le *problème* et non leur moitié. Lors d'une discussion sur des désaccords, « dire la vérité avec amour » est le mot d'ordre. Chaque époux exprime ses sentiments avec honnêteté, mais de façon à ne pas blesser l'autre.

Laquelle de ces trois façons de canaliser les désaccords utilisez-vous normalement, votre femme et vous ? La mijoteuse, l'explosion ou la table de la paix. Votre réponse révèlera si vous permettez aux conflits de renforcer vos relations ou de les affaiblir.

Pour faire en sorte qu'un conflit travaille *pour* vous, essayer de *transformer toute « querelle » en discussion.* Ceci peut vous obliger l'un et l'autre à mijoter un peu, afin de vous asseoir à la table de la paix dans un état d'esprit plus rationnel. Mais si vous faites un principe familial de vous asseoir à la table de la paix après chaque prise de bec, même la plus insignifiante dispute deviendra une expérience enrichissante qui apportera l'épanouissement à votre mariage.

Par exemple, vous êtes dans la mijoteuse. Depuis plusieurs heures (ou jours), la conversation est superficielle ou forcée. Vous éprouvez un certain ressentiment à l'égard de votre femme pour quelque raison, ou peut-être sentez-vous son amertume envers vous.

En tant que chef de famille (et de personne responsable

de l'amour et de la liberté qui y règnent), *vous* devez prendre l'initiative de briser la tension en provoquant la communication, même si « c'est elle qui a commencé ». S'il se trouve que c'est la femme qui a tort, et qu'elle ne fait rien pour rétablir la communication, il est criminel de la part du mari de refuser de prendre l'initiative, simplement parce que sa fierté ne le lui permet pas.

En faisant dévier la situation du silence vers la discussion, essayez d'éviter les accusations brutales, même si elles sont vraies. Un jeune mari, en essayant d'appliquer ces principes pour la première fois, ne comprit pas pourquoi sa femme était encore plus furieuse lorsqu'il lui suggéra d'en parler.

« Que lui avez-vous dit ? » lui demandai-je.

« Eh bien ! » dit-il, « je me suis rappelé que l'honnêteté est importante, alors je lui ai dit : « Chérie, tu t'es comportée comme un enfant de deux ans. Viens et parlons ».

Le jeune mari n'avait pas vu un autre point important contribuant au succès en matière de querelle, c'est de *formuler des affirmations à la première personne du singulier et non à la deuxième*. Les affirmations « tu » sont accusatrices et mettront votre femme sur la défensive, empêchant ainsi une amélioration de la communication. En disant : « tu t'es comportée comme un enfant de deux ans », ce jeune mari avait mis un point final à la conversation avant même qu'elle n'ait commencé.

Les affirmations « je », cependant, contribuent à préciser le problème sans accuser personne. Si notre ami avait di : « Chérie, je sens que quelque chose ne va pas entre nous... S'il te plaît, assieds-toi et parlons-en », je garantis que sa femme aurait bien mieux accueilli son idée.

Si votre femme et vous en êtes à l'explosion, on peut appliquer le même principe : *Passez de l'explosion à la discussion* en employant des affirmations à la première personne. Laissez aux choses le temps de se calmer un peu, mais ne leur laissez pas le temps de passer au ressentiment silencieux. Encore une fois, prenez l'initiative (il y aura des fois, c'est sûr, où vous n'en aurez aucune envie). « Chérie », pourrais-je dire après une explosion avec Kathy, « je suis désolé de la façon dont nous avons abordé ce problème. Notre dispute n'a rien résolu, et j'ai eu le tort de me mettre en colère après toi. Asseyons-nous et recommençons, comme il faut. »

Il est normal que l'homme égoïste ait envie de dire : « J'ai eu tort, *et toi aussi* !» Ne le faites pas. Elle m'arrivera à cette conclusion elle-même après avoir vu à quel point vous souhaitez arranger les choses. Ogden Nash l'a dit mieux que moi quand il a écrit :

Pour que votre mariage déborde
      Au calice de l'amour,
Quand tu as tort, dis-le
      Quand tu as raison, tais-toi.

La convention de Genève
sur le prélude à la querelle

De toute notre vie conjugale, nous n'avons jamais *prévu* une dispute, elles semblent toutes arriver naturellement, comme le temps capricieux quand les fronts froids et chauds se rencontrent.

Donc, une des meilleures choses que Kathy et moi ayons faites dès le début, c'est de nous mettre d'accord à l'avance sur un certain nombre de règles en matière de querelles. Nous n'attendions pas les disputes avec impatience, mais nous savions que ça allait arriver. Nous voulions être prêts. Si ça devait arriver, nous voulions être sûrs que cela servirait à renforcer notre amour et non à le mettre en pièces.

Et nous nous sommes rendus compte un jour que nos propres enfants nous observaient, apprenant comment aplanir leurs *propres* différences d'après notre façon d'aplanir les nôtres.

Si votre femme et vous ne vous êtes jamais mis d'accord d'avance sur quelques lignes directrices en vue de querelles réussies, nous les recommandons de tout cœur, de façon à ce qu'elles vous garantissent de : « dire la vérité avec amour » quand l'heure de la dispute sonne. Un de ces jours prochains, prenez place avec votre femme et signez votre Convention de Genève. Pour vous aider à commencer, nous aimerions partager nos propres règles avec vous.

Quand l'orage menace...

1. *Nous nous réengageons à assurer le succès de notre mariage.* Le divorce n'est même pas une solution. Nous allons mettre un terme à cet incident, et construire une union.
2. *Nous nous attaquerons au problème, pas aux personnes.* Nous nous mettrons d'accord pour être en désaccord agréablement. Est-ce que les faits de cet incident justifient les emportements dont nous faisons preuve. Et si nous prenions une assurance ? « Chérie, je ne suis pas sûr d'être de ton avis sur ce point, mais je veux que tu saches que je t'aime. Travaillons-y en équipe. »
3. *Nous ferons toujours passer les gens avant les choses.* Aucune assiette cassée, aucun pare-choc cabossé, aucun vêtement abimé, aucun disque rayé ne peut servir de prétexte à dire des méchancetés à l'autre.
4. *Nous chercherons à accorder le bénéfice du doute à l'autre.* A moins d'admettre le contraire, l'autre avait de bonnes intentions. Il essayait de faire ce qu'il fallait du mieux qu'il pouvait.
5. *Nous essaierons de voir la situation du point de vue de l'autre.* Pourquoi donc est-elle si contrariée de me voir rentrer tard et de son rôti brûlé ? Qu'est-ce que j'en penserais si « moi » j'étais à sa place ? Bien souvent, la seule différence entre *marital* et *martial*, c'est un I mal placé.

6. *Nous essaierons d'établir à l'avance un certain degré de faculté de raisonner.* « Nous avons là un problème. Asseyons-nous et parlons-en. »
7. *Jamais en public.* Etant donné que nous ne répétons pas pour un feuilleton radiophonique cette dispute ne regarde que nous.
8. *Nous essaierons de faire des affirmations à la première personne et non à la deuxième.* Nous ferons et discuterons des observations, non des accusations.

« TOI » (ACCUSATION)
« Tu n'as pas de cœur ! »
« Tu vas te taire et écouter ? »
« Tu ne fais jamais attention à moi »
« ...et puis tu t'es mis à hurler... »
« Tu as cassé mon vase préféré ! »

« MOI » (OBSERVATION)
« Je me sens incompris. »
« Je ne pense pas que nous communiquions. »
« Je me sens rejeté. »
« Ça m'ennuie que nous nous disputions. »
« Je suis navrée que ce vase soit cassé. »

9. *Nous surveillerons le ton de notre voix.* La hauteur et l'amertume ne font qu'indiquer que nous perdons notre calme.
10. *Quand on affirmera quelque chose à mon sujet, j'essaierai de le répéter avant d'y répondre.* En plus d'aider à nous calmer, ceci prouvera que 1. Je t'ai bien entendue, et 2. que tu as dit ce que tu pensais (et que tu pensais ce que tu as dit).
11. *Nous essaierons de ne pas être sur la défensive à l'excès, mais nous serons ouverts à la possibilité de nos torts.* « Bon, il est possible que j'aie tort sur ce point. Laisse-moi t'expliquer pourquoi j'ai agi de cette façon. »

12. *Nous éviterons ces affirmations : «JAMAIS tu ne...»
et «tu... TOUJOURS.»* Si ces accusations sont vraiment fondées, elles auraient dû être évoquées dès la première fois.

13. *Nous n'exhumerons pas les vieilles fautes de l'autre.* Elles auraient dû être discutées et pardonnées il y a longtemps. Dieu «oublie» quand il pardonne. Nous devrions en faire autant.

14. *Nous ne quitterons pas la pièce bruyamment.* Ça ne fait que prolonger l'altercation et ramène le problème dans la mijoteuse. Au lieu de cela, arrêtons-nous et reprenons notre souffle en disant : «Chérie, j'ai besoin d'être un peu seul pour me calmer. J'ai peur de dire quelque chose qui dépasserait ma pensée.»

15. *Nous en parlerons jusqu'à ce que nous trouvions une solution.* Ne laissons pas les choses en suspens, pour qu'elles recommencent à nous tracasser. Ensemble, nous explorerons : «Qu'avons-nous tiré de tout ceci ? Pourquoi ai-je eu tort ? Comment pouvons-nous empêcher que cela se reproduise ?»

16. *Il nous faut être sûrs de chercher le pardon et de pardonner.* C'est la partie la plus importante de la dispute, car elle détermine si nous ne faisons qu'abaisser la température dans la mijoteuse, ou si nous éteignons complètement.

Il faut être deux pour se mettre dans ce pétrin, et si j'étais participant dans ce match en paroles, j'étais partie intégrante du problème. Peut-être ne m'a-t-elle *pas bien* compris. Peut-être que *c'est bien elle* qui a commencé. Sans m'en soucier, je m'en suis mêlé en criant après elle. Et même si je n'avais tort que pour 1 % et elle à 99 % (ce qui n'est pas le cas habituellement), il n'en faut pas moins que je demande pardon pour mon 1 %.

Le pouvoir magnétique du pardon

Demander pardon est l'un des actes les plus humiliants, mais aussi un de ceux qui donnent le plus de satisfaction dans le mariage. Croyez-moi, nous le savons par expérience personnelle.

Lors d'une de nos premières disputes, Kathy et moi étions trop furieux pour demander pardon ou pour pardonner. Après l'explosion, nous nous sommes assis et avons discuté nos opinions à la table de la paix, satisfaits d'avoir résolu la chose par la conversation. Mais j'étais encore hors de moi. Elle aussi. Pendant les jours suivants, nous enragions en silence.

Et puis j'ai lu quelque chose que je ne voulais pas voir. Pas du tout. Pour appuyer ma légitime indignation, je lisais la Bible. Et je tombai sur ces mots : «... se supporter l'un l'autre, se pardonner l'un l'autre, quel que soit celui qui a à se plaindre de l'autre, tout comme le Seigneur vous a pardonné, vous devriez pardonner.» (Colossiens 3 : 13).

Glup !

A nouveau, cela se résumait à l'initiative que doit prendre un chef. Si le Seigneur a pris l'initiative de me pardonner alors que je ne le méritais même pas, c'est qu'il attend de moi que je prenne l'initiative d'arranger les choses avec ma femme. Sans me préoccuper de savoir qui est fautif.

Je faisais le malin en laissant ma fierté prétendre : «Elle n'a qu'à faire le premier pas.»

Je suis allé jusqu'à la cuisine où Kathy préparait le repas. «Chérie», commençai-je, faisant attention de ne pas devenir vulnérable, «au sujet de notre dispute l'autre jour, je suis convaincu que... je ne crois pas que nous ayons terminé.»

«Qu'est-ce que tu veux dire ?» dit-elle.

COMMENT SE BATTRE COMME UN CHRETIEN

« Eh bien ! J'ai eu tort de crier après toi. Je suis désolé, veux-tu me pardonner ? »

Kathy a souri, reposé des plats, et s'est jeté dans mes bras. « J'étais sur le point de te demander la même chose » dit-elle, « Oui je te pardonne. Veux-tu me pardonner ? »

« Tu parles ! », lui dis-je. Depuis ce jour, nous avons pris l'engagement d'oublier les blessures que nous entretenons depuis des jours. Et ça a marché. Le processus de guérison commença immédiatement et nous fûmes à nouveau heureux ensemble, parlant et nous comportant comme si rien ne s'était passé. Nous nous rappelons tous deux la leçon de cette dispute, mais le pardon fut si complet que ne pouvons même pas nous souvenir de la raison pour laquelle nous nous sommes querellés.

Rappelez-vous, le temps ne guérit *pas* les blessures, seul le pardon peut le faire. Car sans pardon sincère (dites-le et pensez-le clairement) le temps ne fera que donner plus d'occasions à la blessure de s'installer.

Ne négligez jamais le rôle du pardon dans les conflits conjugaux. En dépit de toutes les suggestions que contient ce chapitre pour des disputes réussies, le pardon est le seul moyen d'arriver à un dénouement heureux. En même temps s'écoulent la culpabilité, la tension et le ressentiment qui auraient pu empoisonner les relations, car un pardon véritable *oublie*.

Non, se disputer n'est jamais drôle. Mais le mari libéré se garde bien de permettre aux inévitables conflits conjugaux de le séparer de sa femme.

Ensemble, mettez-vous d'accord d'avance sur une bonne série de règles de disputes. Puis quand les conflits arrivent, parlez-en ! Prenez les rênes et dirigez le désaccord vers la table de la paix dès que possible. *Ecoutez* ce que dit l'autre, en respectant vos règles. Discutez ce que vous avez appris par expérience. Présentez des excuses et *pardonnez*.

Tant de couples aujourd'hui laissent passer la guérison complète que ces démarches peuvent apporter, simplement parce qu'ils ont peur de parler de leurs conflits jusqu'à ce qu'ils trouvent une solution. Leurs foyers étouffent sous la tension, le silence embarrassé, un bain de haine et l'amertume.

Hommes, il n'est pas nécessaire qu'il en soit ainsi chez vous. Faites l'effort de communiquer ouvertement, chaque jour si possible. « Branchez » ces principes de disputes réussies à la première alerte. Si vous le faites, vous commencerez tous deux à apprécier la confiance charmante qu'en tirera votre mariage, avec des hauts et des bas.

Disputez-vous bien !

15 Est-ce que Papa est vraiment nécessaire ?

Votre travail attendra pendant que vous montrerez l'arc-en-ciel à l'enfant. Mais l'arc-en-ciel n'attendra pas pendant que vous travaillerez

PATRICIA CLAFFORD

Si ça n'était pas si tragique, j'en rirais. Presque quotidiennement, je lis des comptes rendus qui décrivent maris et femmes à peu près de cette façon dans les journaux et les magazines.

« Charles Durham, 46 ans, second du Vice-Président d'Acme Products, inc., est un joueur de golf et un chasseur invétéré. Sa femme, Nancy, a trois enfants. »

Remarquez à qui revient la responsabilité des enfants. A Nancy, « la *mère de* ». On ne parle pas de Charles, *le père de.* Ou plutôt, on l'a enlevé de la maison pour le placer sur le piédestal professionnel, attaché-case à la main, pour résoudre les problèmes de l'Amérique fiscale.

« Je gagne de quoi vivre, elle élève les gosses », se vante-t-il souvent.

C'est drôle, tristement drôle. En quelque sorte, on a fait endosser à Maman la responsabilité de développer et discipliner de jeunes vies humaines.

203

L'HOMME TOTAL

Papa a des choses plus importantes à faire : Vendre les produits. Gagner sa vie. Convaincre le monde du bien-fondé d'une cause.

Et la société, avec son éthique moderne de la réussite, l'encourage. Ses fréquentes et longues absences de la maison sont petit à petit acceptées comme faisant partie, naturellement de « l'arrivisme » dans le monde d'aujourd'hui.

Un écrivain, David W. Angsburger, a baptisé fort justement ce phénomène : « le père américain fantôme ».

« Il est réclamé », écrit Angsburger dans *Cherishable : Love and Marriage*, « par sa femme qui aimerait le contacter pour prendre rendez-vous à l'occasion de leur prochain anniversaire de mariage. Par trois enfants âgés de sept ans, neuf ans et treize ans qui aimeraient faire sa connaissance... »

Le père américain fantôme. Etes-vous l'un d'entre-eux ?

Votre rôle principal est-il celui d'assistant, d'imprimeur, de sondeur, de comptable, de prédicateur ou de directeur ?

Ou bien est-ce celui de *mari et père* ?

A voir la façon dont certains d'entre-nous travaillent, on pourrait se le demander. Et, c'est bien triste, mais la, ou les, personnes qui se le demandent pourraient bien être nos femmes et nos enfants.

Un groupe de 300 lycéens a été récemment prié de relever avec précision le temps que leur accordaient leurs pères pendant une période de quinze jours. La plupart des garçons ont rapporté qu'ils ne voyaient leur père qu'au moment du repas du soir. Plusieurs ne voyaient pas leur père pendant plusieurs jours de suite, soit parce qu'il voyageait, soit parce qu'ils étaient couchés à l'heure où il rentrait. *La moyenne de temps que les pères passent en tête-à— tête avec leurs fils est de sept minutes et demi.*

Un psychologue de Virginie a étudié pendant deux ans des enfants entre quatre et six ans, leur posant la question : « Qu'est-ce que tu préfères, Papa ou la télévision ? »

EST-CE QUE PAPA EST VRAIMENT NECESSAIRE ?

Comme le rapporte United Press International, « 44 pour cent des enfants interrogés ont répondu : la télévision. » Peut-être les pères peuvent-ils se réjouire d'avoir amassé 56 pour cent des suffrages, mais il est intéressant de remarquer que « seulement 20 pour cent des enfants choisissaient la télévision quand le choix portait sur leur mère ou la télévision. »

Tandis que l'éthique du travail et de la réussite de notre société tire le père hors de chez lui, les psychologues, les conseillers familiaux et les observateurs avisés le supplient de revenir. Comme l'écrit Angsburger :

> « Les conséquences les plus critiques de la disparition du père sont ressenties par les enfants. Un garçon à besoin de son père près de lui pour préciser sa conception de ce que cela signifie : être un homme... Une fille a besoin de son père pour développer son sens de la féminité et apprendre ce que lui réserve la masculinité. »

Peut-être connaissez-vous les récentes découvertes qui lient l'absentéisme du père (et la trop grande autorité de la mère qui en résulte) et les tendances homosexuelles qui en résultent. Il est pour le moins effrayant d'apprendre que la plupart des homosexuels et des lesbiennes ne le sont pas de naissance, mais le sont devenus, bien souvent à cause de la façon dont leur père est lié (ou ne l'est pas) à sa femme et à ses enfants.

Dans un article intitulé : « On recherche des pères ! », Paul Popenoe ne fait que confirmer ces découvertes :

> « La recherche montre généralement... que ce sont peut-être les cinq premières années qui sont significatives chez un garçon dans son développement en tant que mâle « normal ». Une étude a mis en évidence que « l'absence du père » de la vie d'enfants entre trois et cinq ans, les laissait sérieusement handicapés. Une autre étude d'enfants entre quatre et

huit ans, qui avaient été séparés de leur père pendant les deux premières années de leur vie, souvent à cause du service militaire, montrait que leur père, à son retour, les trouvait « poules mouillées ».

Les conséquences tragiques du « père fantôme » vont même plus loin. Quand le foyer d'un jeune garçon est presqu'entièrement composé de femmes, il y a fort à parier que ses intérêts seront limités à des objectifs féminins. Il imite Maman parce qu'elle est son principal exemple. Il se peut qu'il soit dérouté lorsque ses copains jouent à des jeux « d'hommes » ou copient les manières de « Papa ». Il est possible qu'il ne sache pas comment utiliser les toilettes debout avant l'école primaire. Il peut être inhibé par le sexe opposé et réagir soit en évitant, soit en dominant les jeunes filles qui l'entourent. Et, plus tard, il est possible qu'il rejète totalement ses parents parce que Papa ne semblait pas aimer Maman, ou qu'il ne se souciait pas assez d'être avec son fils.

La fille d'un père souvent parti n'est pas à l'abri de risques dans le développement non plus. Des études faites par deux chercheurs : Hetherington et Deur, rapportent que : « des filles privées de père étaient soit à la recherche de la promiscuité avec les garçons, soit en position de repli. »

Papa est-il nécessaire ?

Je pense bien qu'il l'est !

Il fait partie de l'équipe telle que Dieu l'a voulue, et son travail au sein de l'équipe est essentiel pour le développement personnel de ses enfants. Demander à Maman de se charger de tout, c'est comme de sauter d'un bobsleigh pour deux qui penche et de demander à celui qui freine de conduire. Ce n'est pas du jeu, vis-à-vis d'elle et des enfants. Et pour être honnête, le père se prive des épreuves qui apportent le plus de satisfaction.

On a besoin de Papa d'urgence. En compagnie de Maman, il peut contribuer à donner des notions saines sur la sexualité, l'amour, la discipline, les rôles, la communication et le souci des autres. Ses enfants n'acceptent pas une conférence sans fin. Ils se moquent totalement d'une baffe par derrière sur une question de discipline, de la part d'un père qui n'a pas été là bien souvent. *Ils n'accepteront que son exemple personnel cohérent.*

Je pourrais vous citer des douzaines d'histoires déchirantes de familles démantelées par la négligence de pères bien intentionnés. Certains de ces pères sont des dirigeants connus en affaires, en politique ou en éducation. Un nombre inquiétant d'entre-eux sont des pasteurs ou des dirigeants chrétiens.

Aucun d'entre eux n'a intentionnellement abandonné ses devoirs de père, mais l'apparente importance de leur métier ou de leur ministère les a retenus au bureau, ou sans cesse loin de chez eux. Certains d'entre eux travaillaient normalement en équipe de huit heures à cinq heures, mais de retour chez eux, ils étaient trop fatigués ou trop occupés pour jouer avec leurs enfants. *Ils auraient bien aimé* passer plus de temps — surtout quand il était trop tard. Quel étonnement, quel chagrin, quand ils apprenaient que leur fils ou leur fille, adolescent, s'était enfui de la maison, se piquait à l'héroïne, traînait avec quelqu'un de l'autre sexe ou avait tenté de se suicider.

Peut-être les épouses de ces hommes-là avaient-elles accepté que leur métier ou leur ministère les éloigne fréquemment de chez eux. *Mais combien d'hommes ont posé la question à leurs enfants ?*

Aucun métier, quelle que soit sa noblesse, ne mérite qu'on relègue, à cause de lui, ces êtres précieux sur quelques étagères, à la maison. En tant que conseiller familial et auteur, Howard Hendricks dit : « C'est un autel perverti » que celui qui sacrifie les relations d'un homme avec sa femme et ses enfants au bénéfice d'un métier ou d'un ministère.

« Mais il faut que je travaille », dit le père frustré. « Je n'ai pas les moyens de passer autant de temps à la maison qu'une femme. »

Oui, nous devons tous travailler, mais cette journée de

travail de sept ou huit heures n'est pas considérée comme
« une absence prolongée et fréquente ». Vous n'avez pas
« besoin » d'une journée entière avec un enfant, sa mère
non plus. Autant de soin rendrait fou cet enfant.

On agit comme un père fantôme au moins de trois
façons différentes. Tout d'abord, il est possible que Papa
travaille fréquemment en plus le soir ou pendant le week-
end. Deuxièmement, il peut avoir une profession itiné-
rante qui l'oblige à parler et à faire des réunions dans
d'autres villes du pays. Troisièmement, il est possible qu'il
ne travaille que huit heures par jour mais qu'il soit trop fatigué, trop occupé, trop suffisant ou trop « adulte » pour
consacrer une partie importante de son attention indivi-
sible aux enfants.

Je ne sais pas si vous appartenez à l'une de ces trois
catégories ou non. Il n'y a que vous et Dieu qui le sachiez
(et très probablement aussi votre femme et vos enfants).
Mais voulez-vous vous accorder quelques instants pour
réfléchir à quelques questions très importantes ? Vous
voyez, j'ai de la sympathie pour vous. Je pense que vous
avez de bonnes intentions envers vos enfants. Vous *voulez* être un père réussi. Mais peut-être, si vous êtes
comme des milliers de pères contemporains, la société
vous a-t-elle joué quelques tours pour attirer votre attention hors de chez vous.

Après chacune de ces questions, fermez les yeux un
moment et réfléchissez à votre propre situation chez vous.
Prenez votre temps. Soyez honnête avec vous-même.

1. *Est-ce que je* connais *vraiment mes enfants ?*

Pensez à chacun d'eux, à son nom et à son âge. Quelles
sont leurs ambitions ? En quoi sont-ils différents ? En
quoi sont-ils différents de vous ? Quelles sont les douleurs de la croissance qu'ils ressentent ? Se sentent-ils libres de vous les faire partager, de poser des questions ?

2. *Qu'est-ce que mes enfants pensent de moi ?*

Etes-vous simplement l'homme qui rentre chez lui le
soir en soupirant ? L'homme qui manie le martinet ? Que
savent-ils de vous en tant que personne ? Que savent-ils

de votre travail, de son importance pour vous et pour eux ? Pensent-ils à vous comme à un colis de trop, un autocrate ou à un chef de famille affectueux ? Respectent-ils cette autorité ?

3. *Quelles sont mes attitudes ou mes actions qui les ont amenés à cette opinion ?*
Etes-vous fréquemment occupé ou en déplacement ? Est-ce que « pas maintenant » et « ne me dérange pas quand je lis » font partie de votre vocabulaire ? Est-ce qu'il vous semble que vous passez plus de temps à faire de la discipline qu'à leur parler et à jouer avec eux ? Est-ce que vous *parlez* de vie équilibrée tout en vivant de façon déséquilibrée en fait ?

4. *Comment mes enfants savent-ils que je les aime ?*
Premièrement, *le savent-ils ?* Suffit-il de le leur dire ? Achetez-vous des choses ou leur donnez-vous de l'argent pour leur montrer que vous les aimez ? Est-ce vraiment efficace ? Quand vous êtes à la maison, est-ce pour eux un moment de joie, ou un moment où il faut marcher sur la pointe des pieds ?

5. *Avec le temps limité dont dispose un père, que devrais-je faire pour contribuer de mon mieux au développement de mon enfant ?*
Que pouvez-vous faire de mieux pour eux, ou avec eux, pour contribuer à leur développement en tant que personnes équilibrées et complètes ? (Pensez à ceci franchement, un instant, puis continuez à lire).

Je ne prétends pas un instant faire le tour de tout ce qu'il faut qu'un père sache sur l'éducation des enfants. On a écrit des bibliothèques entières sur ce sujet, mais malheureusement, ce sont presque toujours les mères qui lisent de tels ouvrages. Les pères ont du temps à rattraper, et le meilleur endroit pour commencer, serait la librairie chrétienne locale. Quelques titres récents sont excellents et aideront Papa et Maman à synchroniser leur travail d'équipe parental.

Au lieu de présenter un traité exhaustif sur l'art d'être père, je vais vous donner quelques bases, du fond du cœur. Pour moi, ce sont les obligations que nous avons comme pères, glanées auprès de plusieurs pères habiles que je connais. Je suis convaincu que ce sont les trois choses les Plus Importantes qu'un Homme Puisse Faire pour Son Enfant.

Numéro
Un
Aimez votre
femme

Sans honte. Sans réserve. Si vous ne l'avez pas encore deviné, la plus grande partie de ce livre traite ce sujet : comment aimer votre femme.

Un père rentra chez lui du travail pour entendre son fils et sa fille se disputer. Craignant qu'ils ne soient sur le point de passer aux coups, il demanda : « Qu'est-ce qui se passe ici ? Qu'est-ce qui ne va pas ? »

Les regards courroucés se transformèrent en sourires. Le petit garçon leva le nez et dit : « Rien. Nous jouons au Papa et à la Maman. »

Une partie gigantesque de leurs idées sur la façon de traiter l'autre sexe leur viendra en vous regardant, votre femme et vous, dans la vie de tous les jours. Diminuez-vous l'un l'autre, et ils ne verront aucune raison de vous respecter, vous ou qui que ce soit. Faites-vous la cour, et ils comprendront le message. L'amour est bien. La gentillesse est drôle. Les personnes du sexe opposé doivent être respectées.

Howard Hendricks croit fermement en ce principe. « La meilleure chose qu'un père puisse faire pour son fils, c'est d'aimer la mère de son fils », affirme-t-il dans ses séminaires sur la vie en famille. « Et la meilleure chose qu'une femme puisse faire pour sa fille, c'est d'aimer le père de sa fille. »

EST-CE QUE PAPA EST VRAIMENT NECESSAIRE ?

Le docteur Henry Brandt, psychologue et conférencier est d'accord. « Faites attention au genre de personne que vous êtes et à vos relations en tant que partenaires », dit Brandt, « et puis faites ce qui vous vient naturellement. Je ne pense pas que vous aurez à vous soucier de vos enfants. »

Je n'oublierai jamais les « Calins familiaux » qui se passaient souvent dans la cuisine quand j'étais enfant. Tandis que je passais la porte d'un pas mal assuré, je voyais Papa prendre Maman dans ses bras (ce n'était pas un spectacle rare chez nous). Ça me faisait du bien dedans. Tant de bien que je ne pouvais m'empêcher de me joindre à eux (après tout, ils avaient leurs moments privés aussi). Alors je chargeais sur le linoleum de la cuisine et je passais les bras autour de leurs jambes. Maman et Papa étaient toujours heureux de m'inclure. Si d'autres frères étaient dans les parages, ils se joignaient parfois à nous et le cercle de famille s'agrandissait petit à petit.

Maman et Papa avaient fait de notre maison un lieu où règnait l'affection, plus par l'exemple que par les discours. Nous nous sentions en sécurité en tant qu'enfants, parce que Papa prenait la responsabilité de rendre l'atmosphère de la maison affectueuse et joyeuse.

Comme l'écrit John M. Drescher dans le magazine *Eternity* : « Quand un enfant sait que ses parents s'aiment, il est une sécurité, une stabilité et un sens du sacré de la vie qu'il ne peut acquérir d'aucune autre façon. »

Un de mes amis les plus proches, en tête de liste des maris et des pères intelligents, m'a raconté cette histoire l'autre jour. Quelques jours auparavant, son fils de cinq ans s'était réveillé d'un cauchemar, tout à fait terrifié. Pour le réconforter, la femme de mon ami fit un échange de lit avec l'enfant, le laissant dormir avec Papa le reste de la nuit.

Quand le jour se leva, le garçon commença à se sentir désolé d'avoir causé tant de dérangement au cours de la nuit. Tandis que sa mère se réveillait dans son lit à lui, il se glissa dans sa chambre et lui fit une grosse bise. « Merci de t'être occupée de moi, Maman, » dit-il. « Je suis désolé de t'avoir fait lever la nuit dernière. » Puis, lui demandant ce qu'il pouvait faire pour elle, il commença à la servir. Il lui apporta du jus de fruit de la cuisine, l'aida à ranger les chambres. Grand observateur de son père, l'enfant voulait montrer combien il appréciait et aimait : « comme l'aurait fait Papa ».

Les enfants apprennent en observant et en imitant. Que vous vous en rendiez compte ou non, vous êtes continuellement sur scène chez vous. Quand vos enfants sont là, ils sont prêts à vous copier à tout instant.

Alors faites en sorte que votre amour pour votre femme soit *visible* aux yeux de vos enfants. Qu'ils ne doutent pas un instant qu'elle est « numéro Un » sur votre liste de gens favoris.

Numéro Deux
Veillez au développement de votre enfant

Certains agissent en fonction de l'hypothèse selon laquelle tous les enfants portent le mal en eux. Ils pensent que leur tâche, en tant que parents, c'est de fesser leurs enfants jusqu'à ce que le mal sorte. La discipline est un sujet très populaire, et comme vous allez le voir, je ne vais pas l'ignorer. Mais souvent, alors que les parents essaient de libérer un enfant du mal, ils oublient à quel point il est essentiel de lui montrer ce qu'il y a de « bon » en lui.

Il y a quelques semaines, j'ai entendu un reportage radiophonique qui décrivait une étude de commentaires parentaux sur les enfants. On s'aperçut que les parents interrogés faisaient en moyenne dix commentaires négatifs pour un commentaire positif.

A Orlando, en Floride, une étude de trois ans sur les

professeurs révéla que 75 pour cent des réponses données aux enfants par les professeurs étaient négatives. Cependant, certains experts en psychologie de l'enfant nous disent qu'il faut quatre réflexions positives pour effacer le tort causé à l'amour-propre par un commentaire négatif !

« Nous vivons grâce aux encouragements et mourons si nous en sommes privés, lentement, tristement et avec colère », dit Celeste Holm, la célèbre commédienne de théâtre.

Le docteur James Dobson, auteur de plusieurs livres excellents sur la façon d'élever les enfants, insiste sur la nécessité pour les parents d'encourager l'enfant.

« Un enfant peut apprendre à douter de sa valeur à la maison même si ses parents l'aiment beaucoup. Les idées destructives font leur chemin dans sa façon de penser, l'amenant à la conclusion qu'il est affreux ou incroyablement stupide, ou bien qu'il a déjà prouvé qu'il était un raté incurable. »

Mais l'encouragement, pour important qu'il soit, n'est qu'un aspect du développement dans l'affection. Vos objectifs devraient inclure :
1. d'aider l'enfant à *savoir* qu'on l'aime.
2. de donner à l'enfant l'impression qu'il est en sécurité et accepté.
3. de donner à l'enfant le sens de sa propre valeur.
4. de conduire l'enfant sur le chemin d'une indépendance saine.

« Instruis l'enfant selon la voie qu'il doit suivre ; et quand il sera vieux, il ne s'en détournera pas » écrit Salomon dans les Proverbes 22.6.

« Et vous, pères, n'irritez pas vos enfants, mais élevez-les en les corrigeant et en les instruisant selon le Seigneur » écrit Paul aux Chrétiens dans les Ephesiens 6 : 4.

L'équilibre est primordial. La discipline sans développement entraîne la colère et le ressentiment. Le développement sans discipline conduit au chaos et au refus de l'autorité. Mêlez les deux dans une atmosphère d'amour, et votre enfant grandira et deviendra la personne équilibrée que vous voulez qu'il soit.

Quels sont les moyens positifs d'aider au développement de votre enfant ?

1. *Ecoutez-le.* Faites preuve d'un véritable intérêt pour ce qu'il fait ou pense. Ce qui veut dire une *attention totale,* lâchez votre journal, éteignèz la télévision, et asseyez-vous en face de lui.

Si votre enfant est jeune, descendez à son niveau, littéralement. Pouvez-vous imaginer ce que c'est que passer huit ou neuf ans de sa vie à parler aux genouillères des gens ? Vous verrez qu'il est plus drôle de se parler les yeux dans les yeux (tant pour lui que pour vous).

Faites-lui savoir que Papa est disponible et que ça l'intéresse. De bons rapports suivis, commencés tôt, peuvent vous conduire à demander un jour : « *Quel* conflit de génération ?»

2. *Acceptez-le en tant que personne.* Accepter ne veut *pas* dire tolérer ce qui ne va pas. L'esprit d'approbation, c'est votre amour pour l'enfant même quand il vous résiste ou qu'il est d'une humeur massacrante. Il faut qu'il sache que sa valeur personnelle ne repose ni sur sa beauté, ni sur son intelligence ou son comportement, mais sur le simple fait qu'il est une personne créée par Dieu.

Respectez ce qu'il y a d'unique en lui qui est en pleine croissance. Question : « Traiteriez-vous vos meilleurs amis comme vous traitez vos enfants ? (« Harriet, enlève tes coudes de la table ! Georges arrête de faire du bruit en avalant ton lait !»). Etant donné que votre enfant devrait être un de vos meilleurs amis, apprenez à exprimer vos remarques comme si vous vous adressiez à un égal. Ceci contribuera à transformer les « criailleries » en « instruction ».

3. *Faites-lui des compliments.* Votre enfant vit dans un monde négatif. La plupart des choses que votre enfant ai-

merait essayer lui sont interdites. Les nouvelles sont sinistres. Ses professeurs (et peut-être ses parents) trouvent beaucoup plus facile de le critiquer que de l'apprécier positivement.

Cherchez ce qu'il y a de bon dans votre enfant, et soyez prompt à le complimenter. Félicitez-le de ce qu'il a fait, mais ne faites miroiter aucune réalisation comme norme d'acceptation. Appréciez le fait qu'il a essayé et fait de son mieux. Soutenez-le quand il s'habille bien ou se fait beau. Faites preuve d'enthousiasme quand il partage quelque chose avec le reste de la famille.

Quand j'étais enfant, mes parents me couvraient de compliments quand je rapportais une image « que j'avais coloriée tout seul » à l'école. Ça ne faisait rien si la girafe était rouge, si le chat avait sept pattes ou si l'arbre ressemblait plutôt à une pelleteuse. Ils l'aimaient parce que cela venait de *moi* et parce que j'avais exercé ma créativité dans mes limites de peintre en herbe.

L'une des plus grosses gaffes qu'un des parents puisse faire, c'est de laisser passer sous silence un moment où les félicitations étaient dues.

4. *Passez avec lui un temps de qualité.* C'est probablement, pour un père, le meilleur moyen de montrer à son enfant qu'il l'aime. L'investissement temps. N'essayez *jamais* de substituer au temps de l'argent à dépenser ou des « choses », dans un livre d'enfant, les deux ne vont pas ensemble.

Certains pères que je connais ont pris l'initiative d'une soirée familiale à la maison avec un succès remarquable. On garde une soirée par semaine pour les jeux, les activités familiales, les charades, le pop corn, etc... (mais pas de télévision) qui se termine sur quelque lecture d'un genre nouveau tirée d'un livre favori. Les soirées familiales marchent le mieux, d'après leurs observations, quand elles sont inviolables : aucune invitation à dîner, réunion d'affaires ou fonction sociale n'est autorisée à remplacer cette soirée avec les enfants.

Mon frère aîné, Dale, médecin très occupé, aime beaucoup l'idée du « rendez-vous avec Papa ». Chacun de ses trois enfants a souvent une « soirée rendez-vous » exclusive avec Papa pendant laquelle il peut choisir ses activités. Jusqu'à présent, les rendez-vous avec Papa ont vu passer les « hot-dogs », les cônes de glaces, un film, le golf miniature ou même aller faire laver la voiture au lavage automatique. Cela donne l'occasion à Dale d'apprendre à connaître chacun de ses enfants en tant qu'individus uniques.

Mais les soirées spéciales ne sont pas le seul moyen d'avoir un temps de qualité. Que diriez-vous d'une demi-heure avant le dîner, à votre retour du travail ? Votre femme pourrait avoir un moment d'interruption dans la surveillance des enfants, et le journal du soir peut attendre un peu. Apprenez à utiliser même les plus petites parcelles de temps disponibles : « Hey, mon bonhomme, nous avons vingt minutes, pourquoi ne pas réparer le panier de basket-ball ? » Que vous ayez vingt minutes ou trois heures, il sera très flatté que vous vouliez passer ce temps avec lui.

Dans l'article de John M. Drescher dans *Eternity,* on peut lire une belle histoire racontée par Arthur Gordon :

> « Quand j'avais environ treize ans et mon frère dix », se rappelle Gordon, « mon père nous avait promis de nous emmener au cirque. Mais pendant le déjeuner, il y a eu un coup de téléphone : on avait besoin de lui en ville pour une affaire urgente. Mon frère et moi nous nous réconfortions l'un l'autre devant cette déception. Puis nous l'avons entendu dire : « Non, je n'irai pas. Ça attendra. »
>
> « Quand il revint à table, Maman souriait.
>
> « Le cirque revient souvent, tu sais. »
>
> « Je sais », dit mon père, « mais pas l'enfance ».

Voulez-vous bien investir pour vos vieux jours ? Investissez dans le *temps* avec votre enfant. Faites les choses qu'*il* aime faire. De bon cœur.

5. *Confiez-lui des responsabilités qui ont un sens.* Que l'importance de la tâche augmente avec la maturité émotionnelle de l'enfant. Quand l'un des parents accorde des responsabilités « importantes » à l'enfant qui grandit et qu'il ne manque pas de le remercier et de l'apprécier, l'enfant est en sécurité dans son impression « d'appartenir ».

Chaque enfant devrait avoir ses propres tâches ménagères : ramasser ses affaires, faire son lit et le changer, etc. En vieillissant, certains des innombrables travaux ménagers devraient lui être en partie confiés (et à Papa aussi). Il se rendra mieux compte de ce que signifie : faire marcher une maison, mais le plus important, c'est « l'esprit de communauté » que votre famille trouvera quand tous participeront.

6. *Instruisez-le.* L'école marche toujours tant que votre enfant grandit (mais ne le *lui* dites pas). Soyez à l'affut de toutes les occasions naturelles de lui enseigner des valeurs et des arts pratiques.

Des promenades dans la nature sont idéales pour discuter de la création et faire naître le respect de Dieu. Une distribution de journaux ou garder des enfants sont d'excellents tremplins pour l'enseignement de l'économie en matière de finances.

Leur entraînement le plus important, cependant, viendra de ce qu'il *vous* observera. Comment Maman et vous aplanissez vos désaccords. Ce que vous dites de votre patron derrière son dos. Etes-vous honnête et régulier dans vos transactions avec les autres ? Participez-vous à un jeu pour vous amuser, ou bien « gagner » est-il si important que tous les moyens sont bons ?

Le père qui a du tact peut instruire son enfant sans que celui-ci s'en rende tout à fait compte. Tous ces moments passés à parler et à écouter ensemble, à jouer ensemble, à travailler sur la voiture ou à un projet pour la maison.

Mais il y a aussi des moments, aussi désagréables qu'ils puissent être, où l'instruction doit avoir une portée très nette.

Numéro
Trois
Disciplinez
votre enfant

Le but de la discipline n'est pas de donner libre cours à votre rage, mais de corriger et d'instruire l'enfant. Avez-vous jamais rencontré un enfant qui aime qu'on le discipline ? J'en doute. Cependant, ce verset des Ephesiens nous dit : *« Et vous, pères, n'irritez pas vos enfants... »* Ceci veut-il dire qu'il ne faut pas sévir.

Non. Ce verset s'adresse particulièrement aux pères parce que Papa a plutôt tendance à « provoquer la colère » chez ses enfants. Il pourrait le faire de l'une de ces trois façons dangereuses.

Tout d'abord, et c'est ce que nous voyons arriver dans la société contemporaine, il y a *le manque de discipline.* Si vous posiez la question à votre enfant, il nous dirait probablement que le manque de discipline ne le gênerait pas du tout. Mais inconsciemment, il sait qu'il en a besoin. Un manque de discipline cohérente ne fera que le frustrer.

Un de mes amis a récemment demandé à une grand-mère : « Eh bien ! Avez-vous gâté vos petits-enfants quand vous êtes allés les voir pendant le week-end ? »

Voici la sage réponse de la grand-mère : « Oh, on ne gâte pas un enfant en lui donnant de *l'amour.* Vous le gâtez en *supprimant la discipline !* »

Les proverbes 19-18 nous disent : « Châtie ton fils, car il y a encore de l'espérance ; si tu ne le fais pas, tu gâcheras sa vie. »

Il peut y avoir manque de discipline dans ces cas :

Si on cède aux exigences d'un enfant (il regarde les friandises aux caisses des super-marchés ces derniers temps ?)

Si on menace l'enfant et si on ne va jamais jusqu'à passer à l'action en matière de discipline.

EST-CE QUE PAPA EST VRAIMENT NECESSAIRE ?

Si on menace trois ou quatre fois avant d'agir (un avertissement devrait être la limite).

S'il y a incohérence : punir quand une chose a lieu et ne rien dire les fois d'après.

Si Maman et Papa sont en désaccord sur l'opportunité de la discipline. Les grands-parents s'en mêlent et protègent.

Si on hurle après l'enfant (moyen le plus rapide de lui faire savoir qu'il contrôle la situation).

Si on n'assortit pas la discipline à l'offense (Jurer contre Maman mérite plus qu'un simple : « Attention à ce que tu dis, fiston. »)

La deuxième façon de provoquer la colère, c'est *l'excès de discipline.* Un foyer heureux doit avoir des règles, mais aussi peu que possible. La Bible dit que : « Ses (ceux de Dieu) commandements ne sont pas des fardeaux » (1 Jean 5 : 3). Pourquoi les nôtres devraient-ils l'être ?

Parmi les méthodes courantes d'excès de discipline, il y a :

Punir l'enfant parce qu'il a fait quelque chose qui *gêne* simplement les parents (au lieu de quelque chose de mal).

Le corriger avec colère et non avec amour.

Le punir à cause d'un *accident.* (Ça arrive à tout le monde de renverser son lait, surtout à Papa quand il vient de gifler son fils pour cette raison).

Dire non à tout sans expliquer les raisons de cette réponse.

Critiquer l'enfant sans arrêt.

Réfléchissez à l'observation du Dr Haim Ginott :

« Si un enfant vit dans les critiques, il n'apprend pas la responsabilité, il apprend à condamner les autres et à leur trouver des défauts. Il apprend à douter de son propre jugement, à déprécier ses propres capacités et à ne pas faire confiance aux intentions des autres. Surtout, il apprend à vivre avec une menace continuelle de condamnation. »

La troisième façon dont les pères provoquent la colère chez leurs enfants, c'est *en les corrigeant quand ils n'en ont pas vraiment le droit.*

« Pas le droit ? » J'entends déjà les pères. « Que voulez-vous dire ? C'est *mon* gosse ! »

Bien sûr qu'il est à vous. Mais voilà où je veux en venir : si vous n'avez pas d'abord instauré *des relations d'amour* avec cet enfant, vous n'arriverez à rien en essayant de le discipliner.

Les parents zélés qui reviennent chez eux après avoir assisté à un séminaire sur la vie de famille sont convaincus par les « psy-choses » qu'il faut appliquer la discipline. Ce sont les mêmes qui laissent leurs enfants s'en tirer avec quatorze ou quinze ans pour meurtre, pas plus ! Le temps de la discipline !

Mais toutes ces stratégies apprises en séminaire ont peu d'effet. En fait, le fils ou la fille semble plus rebelle que jamais.

De quoi a-t-on besoin ? De plus de règles ?

Non. De plus de *temps de votre part.*

Il vous faut d'abord inspirer à votre enfant ce respect, dont il a besoin depuis longtemps, en rétablissant ces relations d'amour que vous avez laissées se détériorer au fil des années. Qu'est-ce que votre fils aime faire ? Essayez de vous y intéresser de façon à pouvoir en parler intelligemment. Sortez et faites des choses ensemble.

Un père n'a le droit de corriger son enfant que s'il joue avec lui. Pourquoi ? Parce que pour que la discipline soit efficace, il faut qu'elle soit administrée dans un contexte d'amour, et non de légalité.

Quand ces relations d'amour sont solides (à *ses* yeux comme aux vôtres) alors :

Ne manquez pas d'appliquer la discipline quand c'est nécessaire. Un enfant qui hurle, entre un et vingt et un ans, ne doit jamais avoir de doute sur l'identité du chef à la maison.

Dites toujours que c'est *le comportement* que vous méprisez, pas l'enfant. *Avant* de le corriger dites toujours

EST-CE QUE PAPA EST VRAIMENT NECESSAIRE ?

à l'enfant *pourquoi* il ne se conduit pas bien. Dites lui que ce comportement vous froisse.

Adaptez la punition à l'individu. « La baguette » est bien pour un jeune fautif, mais essayer de claquer quelqu'un qui a dix-sept ans provoquera la colère. Le but est d'instruire, pas d'humilier. Aussi, soyez conscient des différences de caractère de vos enfants. Pour celui qui est sensible, se faire attraper peut valoir trois claques. Pour celui qui a de la volonté, cependant, trois claques ne suffiront peut-être pas.

Puis faites toujours suivre la correction d'amour et d'enseignement. Avec un enfant jeune, ceci comprend les câlins et la promesse que vous l'aimez. Avec quelqu'un de plus âgé, une discussion sur *la nécessité* de cette intervention. Dans ces deux cas, c'est le moment de lui assurer que vous l'avez fait parce que vous voulez son bien. Essayez d'être d'accord sur le fait que la faute était bien là et sur la façon de l'éviter à l'avenir.

Etre parents n'a jamais été censé être facile. Quelqu'un a dit un jour : « Il est parfois plus aisé de diriger un institut sur la façon d'éduquer les enfants, que de faire un être humain convenable à partir d'un mioche. » Mais, quand on se rend compte de l'amplitude et de l'importance de la tâche, il est évident que les pères, dans tout le pays, ont besoin d'être de meilleurs chefs de famille, plus souvent.

Papa est bien nécessaire. S'il y a des enfants dans votre maison, *on a besoin de vous d'urgence là-bas !*

Shakespeare a écrit : « C'est un père sage que celui qui connaît son fils ». Lors de votre investissement en temps de qualité et en soins dont vos enfants ont tant besoin, je ne doute pas un instant que vous trouverez aussi... qu'il est *heureux* le père qui connaît son enfant.

16 Jusqu'à ce que les dettes nous séparent

Premier homme : Que feriez-vous si vous aviez tout l'argent du monde ? Deuxième homme : Je paierais toutes mes dettes tant qu'il y en aurait. »

Avec dégoût, Phil jeta le chéquier dans le tiroir du bureau. « Eh bien, c'est fini pour ce mois-ci », soupira-t-il. « Pas de sorties pour nous. »

« Est-ce si grave, chéri ? » demanda Bev.

« Eh bien, nous avons payé l'hypothèque, l'assurance et les dépenses courantes. Et nous pouvons payer le dentiste *si* tu peux dépenser cinq dollars de moins par semaine sur la nourriture. »

« Mmmm » dit Bev.

« Et Master charge et Bank-Americard devront attendre... »

« *Et* Sears ? »

« Sears aussi... »

« *Et* les traites de la chaîne stéréo ? »

« Le magasin Blake aussi... »

« *Et* notre table de salle à manger neuve ? »

« Les meubles aussi... »

Il y eut une pause, le genre de pause que Phil aussi bien que Bev craignaient. Dans leur couple, cela annonçait le calme avant la tempête.

« Phil— »

« S'il te plaît, ne le dis pas, Bev. Nous avons déjà discuté tout cela... »

« Je le *sais bien*, Phil, mais je déteste avoir autant de dettes. »

« Je ne veux pas ré-entendre ça. »

« Mais tu *sais bien* que nous n'aurions pas dû faire ce voyage de trois jours en payant par carte de crédit. Je le *savais bien* que nous dépensions trop. »

« Tu ne semblais pas le penser à ce moment-là. »

« Oh ! Donc c'est ma faute, c'est ça ? »

« Non, Bev, ce n'est pas entièrement de ta faute. Je sentais simplement que nous avions vraiment besoin de faire ce voyage ensemble, c'est tout. »

« D'accord, tout comme nous avons besoin d'une ou deux factures de plus... »

« D'accord, d'accord, veux-tu t'arrêter de te plaindre ? »

« J'en ai marre de ne pas avoir d'argent, c'est tout. C'est tous les mois pareil, et si jamais nous faisons un extra, ça recommence : il y a des dettes ! »

L'atmosphère dans le salon de Phil et Bev devenait glaciale de silence. *Pourquoi n'avons-nous jamais assez d'argent ?* Bev était furieux. *Jack et Lorraine ne semblent jamais avoir ce genre de problème. Pourquoi ne pouvons-nous pas nous acheter de beaux vêtements, des meubles, et encore sortir le soir comme ils le font ?*

Je n'aime pas cela plus qu'elle, Phil fronçait les sourcils. *Je souhaiterais qu'elle ne soit pas aussi avare. Qui croit-elle que je suis, le Shah d'Iran ? Je fais de mon mieux. Mais comment allons nous nous sortir de cette situation ?*

Les problèmes d'argent.

Pour ceux d'entre nous qui gagnent un million de dollars par an ou moins, ils sont presqu'aussi inévitables que le déficit national. Et quelquefois, ils peuvent sembler menacer de façon sérieuse.

Les soucis d'argent peuvent mettre à bout même les

couples les plus unis. Les jeunes couples perdus dans le bonheur me disent : « L'argent n'a pas d'importance. Notre amour est plus grand que ça. » Je loue leur amour de tout mon cœur, mais je dois ajouter : *mais si,* l'argent compte. Ne le laissez pas devenir votre premier souci dans la vie, mais ne niez pas son importance non plus. L'attitude qui consiste à dire : « l'argent, ça s'arrangera tout seul », est l'une des façons prévisibles d'avoir un découvert dans le budget familial, et de faire naître des sentiments d'insécurité (spécialement en elle) ; d'anxiété (surtout chez lui) ; de défensive (chez les deux) ; et même de soupçon.

Ce qui fait ressortir deux vérités dures et froides que chaque homme marié doit affronter. Tout d'abord, une mauvaise gestion de l'argent et le mariage vont à peu près aussi bien ensemble que la boisson et la conduite d'une voiture. Qu'il s'agisse de l'un ou de l'autre, on risque l'accident. Et deuxièmement, une catastrophe financière est bel et bien une des premières causes de difficultés dans les foyers contemporains.

D'après une estimation, presque *la moitié* des divorces de ce pays viennent de divergences d'opinion sur la façon de gérer les finances familiales. Et ces couples-là ont encore de la chance, comparativement. Une récente étude sociologique, à Chicago, fit apparaître qu'environ 40,2 pour cent des cas d'*abandon de domicile* étaient dus à une tension sur des questions d'argent entre le mari et la femme, tout comme 45 pour cent des cas de *cruauté.*

Même les couples qui se sont engagés à s'aimer pour la vie, n'échappent pas aux problèmes d'argent. La Fondation Nationale pour le Crédit à la Consommation estime que 5 ou 6 familles américaines sur 100 ont de sérieuses difficultés financières aujourd'hui. Il y a quelque temps, j'ai été choqué d'entendre des experts financiers prétendre que la famille américaine moyenne est à trois semaines de la faillite. Et un coup d'œil à la feuille de comptes ménagers pourrait nous montrer pourquoi *Ladies Home*

L'HOMME TOTAL

Journal, révèle, après enquête, que 70 pour cent des soucis contemporains se rapportent à l'argent.

D'où viennent-ils tous ? Que nous soyons très en difficulté ou que nous cherchions à l'éviter dans le futur, identifier les principales sources d'ennuis, c'est gagner la moitié de la bataille. Et on ne peut nier l'existence des Sept Monstres de l'Argent :

Le Monstre Inflation. Il nous lorgne tous ces dernières années, au point que le revenu dont la famille américaine dispose a vraiment baissé. Même en tenant compte des augmentations de salaire, la combinaison : inflation, plus augmentation des taxes, a réduit notre possibilité d'acheter des choses ou d'économiser.

Le Monstre Urgence. Cette créature est toujours fort mal élevée, bien qu'elle se présente à nous sous deux formes : grave et moins grave. Dans ses moments pas trop graves, elle est l'augmentation d'impôt inattendue qui aurait dû être payée la semaine dernière, les invités inattendus (« Salut, on a pensé venir vous voir quelques semaines. »), la réparation de la voiture — et bien d'autres. Sous sa forme grave, elle est le chômage, le long séjour à l'hôpital, l'opération urgente, l'incendie ou le cambriolage. Dans le chapitre suivant, nous verrons comment minimiser la portée des Monstes Inflation et Urgence.

Le Monstre Chose. Tandis qu'on ne peut empêcher l'inflation ni les urgences, on *peut* vaincre le Monstre « Chose » et ses quatre compères. Ce sont les attitudes et les malentendus au sujet de l'argent que nous avons laissés s'infiltrer dans notre façon de penser. A part cela, la « Chose » est le produit d'un système de libre entreprise sain. On nous bombarde de publicités de tous côtés jusqu'à ce que notre désir des nouvelles cannes de golf, puis d'une voiture neuve, puis du nouveau robot-mélangeur, puis du nouveau livre, puis de la nouvelle calculatrice et de la dernière boule de bowling soit insatiable. Faisant partie de notre éthique de la réussite malencontreuse, notre société s'est orientée sur les « choses », ce qui tend à mettre en valeur la constitution d'un inventaire, plutôt que la formation du caractère.

Le Monstre Chose-Image. C'est l'affreux frère de la « Chose ». Il insiste pour que la chose soit à la hauteur de la position ou de l'occasion ; faute de quoi nous sommes vieux-jeu, dépourvus de sang-froid, pas très virils et pas dans le coup. Le cadre doit conduire une Mark IV neuve et brillante, voyager en première classe, porter une ceinture et des chaussures blanches. Son nouvel équipement de tennis améliorera son jeu de 50 pour cent : il aura le nouveau short et la nouvelle chemise Jimmy Connors (avec le bandeau, le poignet, le survêtement, les chaussettes et le change assortis). Un métier qui procure un certain revenu exige la maison, la voiture, la piscine et l'ouverture automatique de la porte du garage qui conviennent.

Le Monstre « Se maintenir ». Ce monstre louche souvent à force de passer son temps à regarder les autres du coin de l'œil. Il est très lié à la Chose et à la Chose-Image. Si Jones achète une voiture neuve, « Se maintenir » insiste sur le fait qu'il est grand temps que nous en achetions une aussi. Si Smith obtient une promotion et voyage en Europe grâce à son augmentation, « Se maintenir » nous convaincra que nous méritons de longues vacances, au moins autant que Smith, même si notre salaire ne nous permet encore, disons, qu'une excursion chez Mac Donald une fois par mois. Ce monstre financier particulier monte même le mari contre la femme : si la femme s'achète des vêtements neufs, le mari trouve alors justifié d'acheter une nouvelle série. Et inversement.

Le Monstre Economisez ! Economisez ! Combien de fois par jour n'entendons-nous pas : « économisez 20 pour cent, économisez cinq dollars sur le prix habituel ! » « Descendez et achetez votre nouveau canapé maintenant — et économisez ! » Economiser ? Pensez-y. En dépit des achats intéressants de ce monstre, il n'y a aucun moyen *d'économiser* de l'argent quand on le *dépense.* Il ne fera qu'avoir quelques dollars de moins en poche, ou quelques factures de cartes de crédit de plus qu'auparavant. On n'économise pas en dépensant, quelle que soit la réduction. Des centaines de familles foncent chaque année vers la faillite à force d'«économies», en s'accaparant de plus de bonnes affaires qu'elles n'en peuvent payer.

Le Monstre du Crédit Facile. Nous le trouvons généralement en train de radoter par dessus l'épaule du « Monstre Economisez ! », au bon endroit pour « rendre cet achat possible » quand nous manquons de liquide.

Quand il est utilisé à bon escient, le crédit peut aider considérablement les familles, mais des chiffres récents montrent que pour un nombre croissant de couples, ces emprunts et ces petites cartes de plastique veulent dire : ennuis. Le bureau du travail et des statistiques des Etats-Unis, dans une enquête portant sur 10.813 familles, dans 91 villes, a découvert que la famille moyenne dépense chaque année *400 dollars de plus qu'elle ne gagne.* Auxquels il faudrait ajouter 225 dollars *en taxes de services* que le couple américain moyen paie chaque année. « Le Crédit Facile ! » Ce monstre a ensorcelé beaucoup de gens bien intentionnés. Sa devise est : « Achetez maintenant, pensez plus tard. »

Les Sept Monstres de l'Argent ne sont pas tous nés au vingtième siècle. Bien sûr, la Bible est pleine de bons conseils destinés à l'homme d'affaires et à celui qui gagne l'argent. Les proverbes seuls font plus de quarante fois référence à l'intégrité dans la gestion de l'argent. *Au sujet du crédit :* « Le riche domine le pauvre, et le débiteur devient l'esclave du prêteur. » *Au sujet des emprunts accidentels ou des garanties :* « Ne soyez pas de ceux qui mettent en gage, de ceux qui se portent garants des dettes. Si vous n'avez pas de quoi payer, pourquoi devrait-on vous dépouiller de votre lit ? » *Au sujet de la richesse, but dans la vie :* « Ne vous épuisez pas à acquérir la richesse ; cessez après y avoir réfléchi. Quand vous posez les yeux sur elle, elle n'est plus là ! Car il ne fait aucun doute que la richesse a des ailes, comme l'aigle qui vole vers les cieux. »

Mais tandis que la poursuite de la richesse est vanité, l'argent est reconnu par Dieu comme nécessaire à l'existence, au partage, aux loisirs et au plaisir. Parmi les importantes leçons du Christ de « La Parabole des talents » dans Mathieu 25, il y a le fait que Dieu déteste la paresse lorsqu'il s'agit de questions financières et qu'il utilise l'argent comme test de notre fidélité envers lui.

Donc, si notre bon sens ne nous le dit pas avec assez de fermeté, nous avons le commandement venant de Dieu lui-même, qui nous demande de faire preuve de sagesse en matière d'argent. Vous êtes-vous jamais demandé combien d'argent on vous avait confié au cours de votre vie ? Pensez-y de cette façon : Si vous aviez vingt ans en 1970 et votre salaire était moyen toute votre vie, vous gagneriez et disposeriez finalement de près de *trois quarts de million de dollars.*

Pour les salariés moyens tels que Phil et Bev, alors, *davantage d'argent* n'est vraiment pas la solution. Plus d'argent est simplement le moyen d'entraîner plus de dépenses (et plus de dettes). La réponse à leur besoin n'est pas de l'argent en plus, mais une *meilleure gestion* de ce qu'ils ont.

La liberté financière.

Attention, la liberté financière ne signifie pas être débarrassé des responsabilités, ni dépenser « librement » pour n'importe quoi parce qu'on a beaucoup d'argent. Elle comporte trois objectifs qui devraient être au centre du plan financier de chaque couple.

La liberté financière, c'est...

Ne pas avoir de servitude financière implique :

1. *Ne pas avoir de dettes d'argent.* C'est-à-dire les dettes qui dépassent la limite raisonnable de votre niveau de revenus. Nous étudierons quelques bons moyens d'éviter ce piège. Et, au cas où vous seriez déjà endetté, il y a d'autres solutions que d'emprunter encore.

2. *Ne pas avoir de soucis d'argent.* Comme si les dettes ne suffisaient pas à vous préoccuper, il est possible que vous vous fassiez de plus en plus de souci sur votre incapacité de «joindre les deux bouts», ou même sur l'éventualité d'une catastrophe financière. En préparant concrètement d'avance, votre budget, l'anxiété peut habituellement être effacée du budget du mois prochain.

3. *Ne pas être égoïste en matière d'argent.* L'argent n'est qu'un outil qui nous permet de vivre, d'apprécier la vie avec santé, de partager avec ceux qui sont dans le besoin. Mais depuis qu'on a inventé des valeurs monétaires, on a toujours ardemment désiré en avoir plus, en gagner plus, en dépenser plus. Le simple outil devient l'objectif final, et il masque le vrai but de la vie. Résultat, cet argent qui doit nous rendre la vie agréable favorise la paranoïa financière, la misère et même les manigances. Mais nous pouvons nous libérer du moulin de discipline fiscal en gardant à l'esprit le principe de notre «Tour du Succès»: *le succès, c'est ce que vous êtes,* non pas ce que vous faites ou ce que vous gagnez.

Comment détecter le danger qui vous guette...

Il y a des signes avant-coureurs précis du désastre imminent, dit la Fondation Nationale pour le Crédit à la Consommation. Si vous répondez «Oui» à au moins deux des six premières questions ci-dessous, vous avez des problèmes latents. Si vous répondez «Oui» à trois ou plus, vous avez déjà des ennuis.

Oui — Non —

1. —— —— Achetez-vous à crédit les petites courses d'épicerie ou d'entretien quotidiennes parce que vous n'avez pas de quoi les payer?

2. —— —— Avez-vous récemment reculé le paiement d'une facture «jusqu'au mois d'après»

parce que votre compte aurait été à découvert ?

3. —— —— Etes-vous obligé d'emprunter de l'argent pour payer des dépenses régulières telles que le tiers provisionnel, l'assurance, même s'il s'agit de petits versements.

4. —— —— Est-ce que vous dépensez plus de 20 pour cent de votre revenu à rembourser des dettes à long terme ?

5. —— —— Etes-vous incapable de dire exactement combien d'argent vous devez à cause des emprunts à long terme et des paiements échelonnés ?

6. —— —— Recevez-vous des coups de téléphone ou des lettres de créanciers exigeant le paiement de factures en retard ?

En plus des questions ci-dessus, la plupart des conseillers en finances familiales sont en accord sur plusieurs autres signaux de danger qui devraient garantir une surveillance étroite de la situation financière. Continuons donc ce test.

Oui — Non —

7. —— —— Avez-vous fait des déplacements de fonds, utilisant de l'argent que vous aviez au départ économisé dans un autre but ?

8. —— —— Piochez-vous dans les réserves (caisse d'épargne, obligations, etc...) pour payer des factures courantes ?

9. —— —— Empruntez-vous pour payer des achats que vous régliez auparavant en liquide ?

10. —— —— Avez-vous moins de l'équivalent de deux mois de salaire disponible dans une caisse d'épargne pour les cas d'urgence ?

11. —— —— Empruntez-vous pour payez un ancien prêt, ou bien étendez-vous la durée d'un ancien prêt afin de diminuer les mensualités ?

12. — —— Est-ce que vos dettes payables par mensualités (autre que l'hypothèque de la maison) excèdent 20 pour cent de votre salaire
mensuel net ?

13. — ——— Payez-vous régulièrement seulement le minimum mensuel sur les comptes crédit ?

14. — —— Vous est-il nécessaire de compter sur des
sommes supplémentaires pour joindre les
deux bouts ?

15. — —— Avez-vous sans cesse échoué lorsque vous
avez voulu économiser pour des besoins
dans un futur proche tels qu'un réfrigéra-
teur, des vacances ou une voiture ?

16. — ——— Etes-vous incapable d'économiser dans un
but plus éloigné, tel que la retraite,, les études des enfants, etc... ?

17. — —— Vous êtes-vous souvent disputés, votre
femme et vous, à propos de problèmes
d'argent ?

18. — —— Faites-vous souvent des plans à partir
d'idées pour devenir riche rapidement ?

19. — —— Avez-vous un désir dévorant de faire monter vos économies à bien plus de, disons
l'équivalent de six mois de salaire net ?

20. — —— Vous êtes-vous récemment engagé dans
des transactions monétaires douteuses ou
malhonnêtes... Ou, y avez-vous sérieusement pensé ?

21. — —— Est-ce que votre liste de « choses-à-
posséder-absolument » s'allonge sans
cesse, quel que soit le nombre de vos
achats ?

22. — —— Avez-vous hésité à prélever une dîme sur
vos revenus, ou bien à aider quelqu'un dans
le besoin (sans attendre une faveur en
échange) ?

Si vous relisez vos réponses, vous vous apercevrez que
ce petit test personnel touche aux trois domaines de la

servitude financière : les dettes, les soucis et l'égoïsme. Si vous avez répondu « Oui » à n'importe laquelle de ces questions, cela peut vous aider d'analyser, puis d'écrire dans la marge, quel aspect de l'asservissement financier cette question aborde. (Certaines questions pourraient toucher aux trois, car les dettes, les soucis et l'égoïsme sont si étroitement liés que l'un entraîne souvent l'autre.)

Par exemple, disons que vous avez répondu « Oui » à la question 12. Ceci indiquerait sans aucun doute que vous avez des dettes, car la plupart des conseillers financiers fixent la limite maximum supportable en matière de dettes à 20 pour cent du salaire net. Si vous avez répondu « OUI », marquez « DETTES » dans la marge à côté de la question.

Puis, si le montant mensuel de vos dettes vous cause des *soucis,* à vous ou à votre famille, écrivez aussi « SOUCIS » dans la marge. Cet exercice vous aidera à voir le genre de servitude financière vers laquelle vous *pourriez* vous diriger, et aussi ce que vous faites pour hâter les choses.

17 Cinq façons de sauvegarder votre liberté financière

Il fut un temps où l'imbécile était vite séparé de son argent, mais maintenant ça arrive à tout le monde.

ADLAI
STEVENSON

Si vos réponses aux questions du chapitre précédent étaient toutes, ou presque toutes « NON », votre situation financière a de bonnes chances d'être équilibrée. Mais ceci ne veut pas dire que vous pouvez relâcher votre discipline en matière de dollars. En fait, une famille peut se retrouver asservie financièrement si rapidement, et de tant de façons subtiles, que la sagesse et la vigilance doivent devenir une façon de vivre. Un gros achat au mauvais moment, un mauvais investissement, une urgence, cela suffit parfois à transformer un budget familial « équilibré » en budget « tragique ».

Il est impossible de prédire ce qui *pourrait* arriver à vos finances familiales, mais il ne faut pas vivre dans la crainte de la tragédie si vous faites ce que vous pouvez pour empêcher les erreurs inutiles. En suivant cinq façons sensées de s'en garantir, la plupart des couples traverseront la vie tranquillement, faisant face à leurs besoins, ayant un reste à la caisse d'épargne et suffisamment d'argent en plus pour donner, s'amuser et profiter de la vie.

Garantie Numéro 1
Parlez d'argent !

Les différends sur les questions financières, ajoutés aux difficultés sexuelles, sont l'une des principales causes de mésentente chez les couples modernes. Nous parlerons de la communication sexuelle dans les chapitres suivants. Ici, nous nous occupons de ce domaine essentiel de la communication dans lequel nous, maris, devons prendre l'initiative.

Dans la saynette qui commençait le chapitre précédent, Phil et Bev ne communiquaient pas *vraiment* au sujet de l'argent. Ils avaient atteint le stade de l'explosion. Leur explosion était le résultat du processus « mijoteuse », au cours duquel ni l'un ni l'autre n'avait réussi à communiquer tout en entretenant des doutes et des différends sur leurs pratiques budgétaires. Le magazine : *Women's Day,* dans un article intitulé : « Pourquoi certains dépensent trop », voit les problèmes tels que ceux que Phil et Bev de cette façon :

> « La chose qui caractérise presque tous les couples qui ont des ennuis d'argent, c'est qu'ils discutent rarement les questions financières. Ils ont des idées tellement irréalistes sur l'argent que leur moyen de s'accrocher à leur théorie est d'éviter d'en parler. »

Et, selon l'auteur de cet article, la mauvaise communication dans *quelque* domaine du mariage que ce soit (pas simplement les questions d'argent) peut conduire aux bêtises financières.

Certains époux se punissent l'un, l'autre en achetant des choses au-dessus de leurs moyens, après une querelle sans solution. La femme « lui montre » en s'offrant un nouveau manteau de fourrure ; lui, lui rend la pareille en achetant ce bateau dont ils avaient décidé qu'il était trop cher pour eux... et l'argent s'envole. »

Le budget, comme tout autre chose dans le mariage, doit être établi grâce à un travail d'équipe suivi entre le mari et la femme. Tandis que l'un de vous *administre* les finances familiales, l'autre doit être un conseiller à temps complet. Une fois encore, tout cela se résume à l'association qu'est le mariage, et quand l'un des partenaires prend une décision coûteuse sans consulter l'autre, le chaos peut s'installer dans « l'entreprise ».

J'ai entendu plus d'une fois des maris demander : « Qui devrait s'occuper du budget familial ? » Il y a des années, j'aurais répondu : « Le mari, sans aucun doute, cela fait partie de ses responsabilités de chef. »

Récemment, cependant, j'ai eu l'occasion d'observer la façon dont plusieurs couples s'occupent d'argent, et je suis de plus en plus convaincu qu'il n'est pas indispensable que l'administrateur du budget familial soit le mari. Certains maris sont trop souvent en déplacement, ou bien trop occupés pour régler avec compétence les questions d'argent (et les autres) à la maison. D'autres maris admettent qu'ils sont à peu près aussi aptes à gérer un budget que le Congrès. Donc, j'en ai conclu que le chef de famille sage ne tient pas à administrer le budget simplement parce qu'il est le chef. Comme nous l'avons dit dans : « Qui est responsable ? », une part importante d'une direction sage est de savoir quand *déléguer* une responsabilité à la femme. Si elle est plus avisée quand il s'agit d'argent, alors, c'est *elle* qui devrait gérer les finances.

Mais il faut quand même qu'il y ait un travail d'équipe. Si vous n'avez pas discuté les finances familiales ensemble ces derniers temps, prenez rendez-vous avec votre femme pour une bonne étude de deux heures, ensemble. Parlez de vos priorités en matière de dépenses et d'économies. Déterminez dans quels domaines vous avez récemment trop dépensé, bêtement. Mettez-vous d'accord sur quelques règles que vous suivrez l'un et l'autre afin de mieux communiquer au sujet du budget familial. Notre chapitre sur : « Dire la vérité avec amour » évoque certains problèmes d'argent qui peuvent vous aider à démarrer.

Garantie numéro 2
Apprenez à gérer l'argent

Je n'ai jamais suivi de cours d'instruction civique, donc il m'a fallu tout apprendre seul. J'ai appris comment pouvoir déduire certains impôts tout en payant des impôts que j'aurais pu légalement éviter de payer. J'ai fait mon éducation sur le crédit en achetant un tout petit peu trop (pour mes moyens) avec la Master Charge. J'ai appris à dire : « Non » après avoir dit : « Oui » à trop de Monstres de l'Argent.

On dit que l'une des meilleures façons d'apprendre, c'est de faire des erreurs, mais parfois, je souhaiterais avoir vraiment *étudié* les principes de gestion de l'argent plus tôt que je ne l'ai fait. Il existe d'excellents livres sur ce sujet, et vous pourriez trouver valable d'en acheter quelques-uns qui vous éclaireraient. « *The Money Book* » de Sylvia Porter est un cours bien fait sur la gestion financière. D'autres livres traitent plus spécifiquement du budget, des impôts, du crédit, des investissements, etc.

SAUVEGARDER VOTRE LIBERTE FINANCIERE

Si vous pouvez vous permettre d'investir un peu plus, on m'a dit que la «First National Bank» de Boston offre des cours à domicile sur l'organisation des finances personnelles. Cela coûte 36 dollars. Pour de plus amples renseignements, écrivez à :

First National Bank of Boston
100 Federal
Boston MA 02241

Que ce soit par vos erreurs, ou celles des autres, par les livres ou par les cours, cherchez à faire votre éducation sur la gestion financière. Le meilleur début pourrait être Les Proverbes.

Puis parlez à des gens qualifiés, lisez et soulignez certains livres, envisagez une ou deux séries de cours. Ce n'est pas comme si vous cherchiez un moyen inavouable de vous enrichir, il s'agit plutôt d'acquérir des connaissances qui vous aideront à mieux gérer ce que vous avez déjà.

Garantie numéro 3
Evitez les grosses dettes
comme la peste

Le crédit peut être une bonne chose pour une famille qui a appris à le connaître : c'est un outil qui les aide à acheter des objets *nécessaires,* ce qui ne serait pas possible autrement. Sans crédit, la plupart d'entre nous seraient incapables de devenir propriétaires d'une maison ou de biens, et beaucoup seraient obligés de renoncer aux agréments d'une voiture.

Mais, comme de la plupart des autres «bonnes choses» de la vie, on est supposé se servir du crédit avec sagesse, sans en abuser. Chaque budget familial a ses limites quant aux dettes. Aller au-delà de cette limite, c'est se condamner à devenir «l'esclave du créancier».

« Les dettes » sont définies techniquement comme le fait d'avoir plus de passif en argent, marchandises et services que d'actif. En d'autres termes, la somme de tout ce que vous devez dépasse la somme de tout ce que vous possédez.

En organisant notre plan financier, Kathy et moi avons soupesé la définition technique « des dettes » et décidé que nous voulions travailler en sécurité. Nous avons décidé que nous essaierions de ne pas emprunter plus que ce que nous avions déjà *en liquide* (de l'argent immédiatement disponible, à la caisse d'épargne par exemple). Sauf pour une maison future ou une urgence importante. Ceci nous a aidé de deux façons : premièrement, cela nous oblige à économiser régulièrement ; deuxièmement, cela nous donne une limite, fixée par nous, de ce que nous pouvons emprunter. Ce qui nous a aidé à décider si nous avions vraiment besoin de la chose pour laquelle nous sommes tentés d'acheter à crédit.

Mais cette décision n'est que la base de *plusieurs* principes que nous avons utilisés pour parvenir à éviter de lourdes dettes. Si vous vous apercevez que votre femme et vous devez surveiller vos dépenses de plus près, peut-être ces conseils vous seront-ils précieux aussi :

Méfiez-vous des « Monstres de l'Argent ». Nous pouvons combattre l'Inflation par un budget bien fait, et les Urgences par une sage organisation, mais détourner les frères : Chose, Chose-Image, Se maintenir, Economisez ! Economisez ! et Crédit Facile exige une bonne dose quotidienne de volonté. Quand vous regarderez la télévision, lisez les publicités, ou quand vous vous promenez dans les magasins, ne laissez pas les Monstres de l'Argent vous convaincre que vous avez besoin de quelque chose qui vous est en fait inutile.

Mettez-vous d'accord sur une liste familiale de priorités — et tenez-vous y ! Ensemble, faites l'inventaire de toutes les choses dont *vous avez besoin,* le jeans neuf pour Bobby, un système de détection d'incendie, des chaussures neuves pour elle, un lampadaire neuf, un aspirateur qui marche, etc. Puis reprenez tout ça et décidez de ce qui est le plus urgent. Ecrivez 1 à côté de ces choses-là, puis classez les besoins qui restent par ordre d'importance. Alors, à moins que vous ne trouviez en ville des soldes imbattables sur un objet de moindre importance, suivez votre liste de priorités en économisant (ou en achetant sur un compte crédit et en payant dès que possible) pour *un objet* à la fois.

Vous pouvez aussi faire une telle liste pour les *choses désirées :* une machine à laver la vaisselle, un jeu de cannes de golf, des vacances exceptionnelles, etc. Mais il est important de tenir conseil régulièrement pour évaluer ce que recevront les « choses désirées » et les « besoins ».

Utilisez la liste pour faire les courses et résistez aux choses achetées spontanément. Cette technique est surtout très utile au super-marché ou dans un grand magasin, où les commerçants ont astucieusement disposé leurs produits pour qu'ils attirent le regard. Ces boissons sucrées en plus, ces paquets de chips, de gâteaux secs, de noix, de chewing-gum, ces ceintures de sauvetage et ces magazines coûtent cher. Les produits placés près des caisses sont vraiment appelés : « achats spontanés » par les cerveaux qui s'occupent de vente, car les clients prévoient rarement de vraiment les acheter, ils semblent simplement agréables sur le moment. Ne vous laissez pas détourner et limitez-vous à l'essentiel, ce qui figure sur votre liste.

Attendez le bon moment, ou la bonne saison. Pendant un moment, ça semblait inévitable. J'achetais un nouveau train de pneus pour la voiture à plein tarif, pour les voir en soldes deux semaines plus tard, avec 40 pour cent en moins. Ou bien je trouvais une occasion « spéciale » avec réduction de 10 dollars trois jours avant que le même article ne baisse de moitié. Telle est la leçon : surveillez les soldes qui peuvent vous faire faire des économies et vous éviter de grosses dettes.

Si vous savez chercher en fin de saison, achetez les skis et les vêtements d'hiver au printemps, les sacs à dos, les appareils à air conditionné, les cannes de golf et les vêtements d'été en automne. Envisagez d'acheter une voiture de l'année à l'automne, juste avant que les modèles de l'année suivante n'apparaissent. Et les semaines qui suivent les fêtes de fin d'année vous offrent des affaires dans presque tous les domaines.

Essayez de ne pas faire les magasins en possession de votre carnet de chèques ou de grosses sommes d'argent. Alors que j'aimerais penser que ma constitution est devenue plus robuste en matière de finances, il me faut bien reconnaître qu'il m'arrive d'être faible. Oui, j'aimerais « beaucoup » avoir cette nouvelle raquette de tennis. Mais il n'y a pas moyen ce mois-ci, il serait plus raisonnable d'attendre l'automne, de toute façon.

Mais il est étonnant de voir avec quelle facilité on arrive à se convaincre d'acheter quelque chose quand on a l'argent en poche (ça m'est arrivé plus d'une fois). Les coupables peuvent être plusieurs « petites choses » qui seraient « agréables-mais-pas-nécessaires », et qui peuvent s'avérer plus décevantes que de gros achats. Si votre femme et vous avez décelé une faiblesse de ce genre, essayez de diminuer le temps passé à faire les magasins, surtout si vous avez de l'argent en poche.

Crédit facile ? Attention ! A moins de pouvoir payer l'achat fait par carte de crédit à la fin du même mois, vous payez des sommes supplémentaires pour ces facilités de paiement. Avec la plupart des cartes de crédit, les intérêts atteignent 1 1/2 pour cent par mois, ce qui n'a pas l'air exorbitant, jusqu'au moment où vous pensez qu'il y a douze mois. *Ceci vous donne un pourcentage annuel de 18 pour cent !* Pour un gros achat, vous paierez probablement moins d'intérêts en empruntant à votre banque.

Votre femme et vous, devez discuter du crédit de façon exhaustive et décider des grandes lignes qui conviennent à vos revenus et à votre genre de vie. Kathy et moi, sachant à quel point nous sommes facilement piégés par une publicité à la télévision ou une bricole dont nous n'avons pas vraiment besoin, avons convenu que nous

SAUVEGARDER VOTRE LIBERTE FINANCIERE

quitterions le magasin d'abord, que nous essaierons de discuter, de prier et de « chercher le conseil de la nuit » au sujet d'un gros achat avant de nous engager à des mensualités supplémentaires.

Nous avons aussi respecté la règle selon laquelle nous n'aurions nos cartes Master Charge ou Bank Americard que pour faire face aux urgences, mais nous nous tiendrons à l'abri de dettes à tort et à travers (et de problèmes au sein du couple) en discutant et en nous mettant d'accord avant un éventuel achat à crédit qui ne pourrait pas être entièrement payé à la fin du mois.

Si un objet (ou une accumulation d'objets) peut être payé à la fin du mois d'achat, l'acheteur ne fait qu'emprunter sans intérêt et profite de sa carte de crédit en remplacement de l'argent. Même si ses achats sont assez peu importants pour être payés en deux ou trois mois, ses intérêts ne sont pas trop élevés. Mais quand il faut six mois, un an ou plus, pour payer cette nouvelle acquisition, ce taux d'intérêt annuel de 18 pour cent rend le crédit très onéreux.

Chaque couple devrait essayer d'observer ce conseil : limitez vos dettes personnelles. Comme nous l'avons déjà vu, la plupart des conseillers financiers pensent que vous allez au devant d'ennuis si vous dépensez plus de 20 pour cent de votre salaire net pour rembourser vos dettes (hypothèque non comprise). Si vous êtes déjà très endetté, il serait probablement très sage de vous en tenir à la limite de 20 pour cent jusqu'à ce que vous ayez tout remboursé. Mais si vous voulez éviter les ennuis après cela (ou tout d'abord), Sylvia Porta vous offre un moyen facile de définir ce qu'est votre limite de dettes personnelle.

« Il ne faut pas devoir plus de 10 pour cent de la somme que vous pourriez complètement payer au cours des dix-huit mois à venir, grâce à vos revenus... par exemple, si votre salaire net est de 800 dollars par mois, ceci vous donne 10 pour cent, soit 80 dollars pour rembourser des dettes chaque mois. Avec

243

cette somme mensuelle, vous pourriez payer 1.500 dollars en dix-huit mois. Votre limite de sécurité en matière de dettes serait environ 1.500 dollars.»
Trouvez votre plafond d'endettement, et tenez-vous y. N'ajoutez pas de nouveaux achats à votre liste de crédits à moins : 1) de pouvoir les payer à la fin du mois d'achat *en plus* de vos mensualités habituelles sur le même compte. 2) que cela ne vous fasse pas dépasser votre limite de dettes personnelles.

Essayez de ne pas faire de gros emprunts pour des choses qui perdent de leur valeur ou qui se consomment. Il y aura des exceptions à cela, car la voiture est une des choses qui se déprécient le plus rapidement, et peu de gens peuvent la payer comptant. Mais en général, emprunter pour des choses qui se déprécient ou se consomment est un mauvais investissement.

Et c'est déprimant. Avez-vous jamais passé un long hiver glacial à payer ces vacances de quinze jours que vous avez prises l'été dernier ? Ou bien avez-vous vu les meubles, les vêtements, ou les équipements de sport se détériorer avant même de les avoir payés ?

Si possible, décidez d'économies supplémentaires pour vos besoins à court terme de façon à pouvoir les payer comptant, ou donner un acompte substantiel. Ne vous laissez pas prendre par ceux qui proclament, avec force publicité : « Pas d'acompte » ou : « Achetez avec 10 dollars seulement ! » Ceci signifie simplement que votre endettement total sera plus important, exigeant *plus de mensualités plus lourdes.* Prenez votre temps et donnez-vous la peine d'économiser de façon à donner le plus gros acompte possible.

Garantie numéro 4
Chassez les soucis grâce
à un budget bien fait

Le meilleur moyen d'éviter d'avoir des angoisses à propos

des finances, c'est de passer du temps de qualité *maintenant* à préparer. Ceci veut dire organiser un budget réaliste qui satisfasse à la fois vos besoins courants et la nécessité de fonds de réserve pour l'avenir.

Les bons « ministres des finances » trouvent que quatre questions les aident particulièrement quand ils comparent les faits et les chiffres. Si vous n'êtes pas satisfait de votre système budgétaire actuel, je vous suggère, à votre femme et à vous, de vous asseoir, crayon à la main, devant une feuille de papier, et de vous demander :

De quoi disposons-nous chaque mois ? Ecrivez les montants de vos salaires mensuels nets, puis ajoutez tout autre revenu mensuel. Si vous attendez une somme supplémentaire, telle que des dividendes ou une prime de Noël, divisez ces sommes par douze de façon à avoir une moyenne mensuelle.

Quelles sont nos dépenses fixes ? « Les dépenses fixes » dont nous parlons ne comprennent pas les mensualités dues pour la maison, les objets personnels ou de luxe. Nous en parlerons un peu plus tard. Les dépenses fixes sont celles qui sont, chaque mois, obligatoires compte tenu de votre façon de vivre. Y figurent votre loyer, les hypothèques ; l'assurance de la maison, de la voiture, et sur la vie. plus les impôts locaux. (Vous aurez probablement des assurances ou des impôts payables tous les trois mois, ou tous les six mois, ou chaque année. Divisez-les par douze pour déterminer une moyenne mensuelle.)

Malheureusement, bien des couples, faisant la liste de leurs dépenses fixes, s'arrêtent là. Ils négligent deux choses importantes, les reléguant dans les « nous verrons s'il nous reste quelque chose après avoir payé les factures ».

Les dons et les économies.

Tous deux sont essentiels pour se sentir libre de toute servitude financière.

Les dons vous aident à éviter l'égoïsme en matière d'argent. C'est un cadeau normal que vous faites à Dieu ou aux gens qui sont dans le besoin, habituellement un pourcentage fixe de vos revenus mensuels.

L'HOMME TOTAL

Tout au long de la Bible, Dieu promet qu'il fera pleuvoir ses bénédictions sur ceux qui croient en lui, et qui contribuent, dans la foi et dans l'amour, à la construction de son Royaume. Les Proverbes 3 : 9, 10, par exemple, nous implorent : « Honore Dieu avec tes biens, et avec les prémices de tout ton revenu. Alors tes greniers seront remplis d'abondance, et tes cuves regorgeront de vin nouveau. »

Mais ces dons ne doivent pas être basés sur une intention de réciprocité. C'est plutôt une offrande à l'amour de Dieu, et un désir de répandre son amour et son pardon dans le monde. Les dons peuvent être faits à votre église, à une organisation chrétienne, ou à une mission, ou au personnel d'organisations qui doivent collecter des fonds. Et bien que ceci ne doive pas être votre motivation, de tels dons sont presque tous déductibles.

Si ce n'est pas encore le cas, découvrez la joie de donner de l'argent. Donnez dans un esprit de joie et de prière pour les gens et les causes que vous défendez. Dieu n'exige pas de sommes particulières. La plupart des Chrétiens suivent l'exemple d'un groupe de l'Ancien Testament qui donna le premier dixième de leur production à l'œuvre du Seigneur. Bien des gens apprécieront de donner davantage, comprenant avec calme et confiance que Dieu satisfera fidèlement leurs besoins.

Les économies suivent de très près les dons comme chose la plus souvent retardée (ou oubliée) lors de l'établissement d'un budget. Une bonne stratégie pour faire des économies vous aidera à vous libérer des soucis d'argent et des dettes futures.

« Mais nous n'arrivons pas à économiser ces derniers temps », ont plaidé plus d'un couple. « L'inflation nous met à sec chaque mois. Et puis, à chaque fois que nous mettons de l'argent de côté, il semble ne pas pouvoir demeurer là très longtemps. »

Problèmes courants, je le sais. Mais dans la plupart des cas, rien qu'une petite adaptation des attitudes et des priorités ne puisse résoudre.

SAUVEGARDER VOTRE LIBERTE FINANCIERE

La raison pour laquelle l'épargne disparaît à la fin d'un budget, c'est parce que nous avons tendance à placer les économies... à la fin.

Voici le secret pour réussir à économiser :

Plutôt que de servir tous vos fonds à vos créanciers, pour vous retrouver avec des miettes en poche, *considérez-vous, votre famille et vous-même, comme votre créancier principal.* Après les dons et les impôts, essayez de fixer un pourcentage de votre salaire mensuel net et mettez-le de côté *avant de payer toute facture.* Cette philosophie, qui consiste à se servir le premier, vous garantira des économies mensuelles, quelles que soient les sommes dues à d'autres.

Payez-vous d'abord !

Ceux qui réussissent à bien gérer leur argent essaient d'économiser entre 10 et 20 pour cent de leur salaire net, en tenant compte des mensualités qu'ils ont à payer. Ceux qui ont assez peu de dettes peuvent se permettre d'économiser jusqu'à 20 pour cent, peut-être même plus si cela ne paralyse pas leurs dépenses courantes. Pour les couples très endettés, les conseillers financiers recommandent souvent un plan comme celui-ci :

Après dons et impôts, attribuez :

10 % *aux économies et investissements*
20 % *au remboursement des dettes* (quelle que soit leur importance, vous pouvez presque toujours réussir à diminuer les mensualités, et à en augmenter le nombre légalement, de façon à ne pas dépasser cette limite)
70 % *pour les dépenses courantes* (dans certains cas, 70 % peut exiger de votre part encore plus de discipline).

Mais, décider de vous payer en premier n'est que la moitié de la stratégie. Au début de notre mariage, Kathy et moi nous sommes retrouvés en train de faire deux ou trois retraits pour un versement. Nous avions besoin de trop de choses ! Ce que nous avions eu tant de peine à économiser semblait disparaître en quelques mois.

En parlant de nos finances, nous nous sommes aperçus qu'il y avait plus d'une raison d'économiser. Il y a économiser pour *dépenser,* ce que nous faisions. Cela vous empêche de vous arracher les cheveux au sujet des cartes de crédit, mais, apparemment, il fallait recommencer tous les deux ou trois mois.

Puis il y a économiser pour *avoir.*
Avoir. Cela veut dire avoir des réserves en cas d'urgence en cas de chômage, de réparations, d'accident, de cambriolage, d'incendie ou de mort imprévus. Et pour ceux dont les plans de versement à des caisses de retraite s'avèrent insuffisants (pensez à l'inflation !) *avoir,* c'est disposer de fonds à long terme pour le départ à la retraite tant attendu.

Donc Kathy et moi avons décidé de partager nos économies en trois comptes séparés :

1. *Un livret d'épargne normal* (notre compte pour *dépenser*) sur lequel nous économisons à court terme pour l'avenir, de façon à payer les primes d'assurance, les échéances, aider un ami dans le besoin, préparer un voyage, ou Noël, payer des factures médicales pas trop élevées, etc.
2. *Un compte-épargne avec taux d'intérêt plus élevé et possibilité d'emprunt* sur lequel nous versons l'équivalent de trois ou quatre mois de salaire, pour les urgences. Nous le laissons accumuler des intérêts jusqu'à ce que nous en ayons besoin.
3. *Des cotisations non imposables pour la retraite,* qui, grâce au « Keugh Act » vous permettent d'économiser pour la retraite sans payer d'impôts sur les intérêts versés. Les impôts sont différés jusqu'au moment où on retire ces fonds, après l'âge de 59 ans, mais on est alors dans une tranche d'impôts moins élevée.

Il faut de la patience pour organiser cela, étant donné que nos économies vont sur trois comptes différents, au lieu d'un. Mais, une fois que le compte pour urgences atteint l'équivalent de trois ou quatre mois de salaire, nous pouvons déposer davantage sur les deux autres comptes. Nous aimons cette solution, parce qu'elle nous permet de faire face aux besoins actuels, tout en assurant l'avenir.

Les économies ont assez d'importance pour compter parmi nos dépenses fixes. Au moment où votre femme et vous préparez le budget, placez les économies en tête de liste avec les dons, le loyer, les hypothèques, les assurances et toutes les autres dépenses fixes.

Puis vient la troisième question :

Que reste-t-il pour les dépenses diverses ? Otez la somme de vos dépenses fixes de vos revenus mensuels. Ce qui reste, c'est ce dont vous disposez pour les dépenses diverses (au jour le jour).

Gardez ce chiffre en mémoire, car vous en aurez besoin pour répondre à la quatrième et dernière question sur l'organisation d'un budget :

Quelle est la façon la plus sage de dépenser cette somme ? C'est sur ce point que la plupart des couples ont des ennuis de budget. Ils ne posent pas cette question (ou n'y répondent pas), tout simplement.

Ensemble, voyons les priorités mensuelles en matière de dépenses au jour le jour.

Les dépenses diverses normales comprendront certainement la nourriture, les produits d'entretien, les services, le transport, l'équipement de sécurité de la maison, l'argent de poche et les distractions. Telles devraient être vos priorités.

Puis, selon les besoins les plus pressants d'un mois précis, *les dépenses diverses facultatives* comprendront les réparations et les améliorations, les loisirs, les meubles, les vêtements, les soins, les fournitures et les timbres, l'éducation, les accessoires et les choses « drôles ». Si vous avez dressé une liste de priorités familiales, suivez-la à la lettre en choisissant vos dépenses diverses facultatives.

Essayez de consacrer une somme précise à vos dépenses diverses normales. Les services sont d'un coût variable, alors prévoyez large. Puis en ajoutant la somme totale affectée aux dépenses diverses normales à la somme totale de vos dépenses fixes, vous pourrez déterminer ce qui vous reste chaque mois pour les dépenses facultatives (y compris les achats à crédit).

$$-\left(\begin{array}{c} \text{1. ENSEMBLE DES REVENUS MENSUELS} \\ \text{2. SOMME TOTALE DES DEPENSES FIXES} \\ \text{(dons, économies, impôts, loyer ou hypothèques,} \\ \text{assurances)} \\ + \\ \text{3. DEPENSES DIVERSES NORMALES} \\ \text{(alimentation, services, produits d'entretien, transport,} \\ \text{argent de poche, sorties, etc.)} \end{array}\right)$$

Somme mensuelle disponible pour les
4. DEPENSES DIVERSES FACULTATIVES
(Vêtements, loisirs, réparations, améliorations, soins, courrier, meubles, etc.
Ne pas inclure les achats comptant ni les remboursements de crédit mensuels.)

Attention ! Ne consacrez pas tous les fonds pour dépenses diverses facultatives aux achats à crédit vous aurez besoin d'argent. Gardez toujours à l'esprit la limite de dettes personnelles que vous avez définie plus tôt.
Maintenant vous avez une liste complète de vos revenus et de vos charges mensuels. En indiquant où vous devez faire face à chaque obligation, vous pouvez diviser vos dépenses fixes et diverses entre deux acomptes de salaire. Vous pouvez régler les factures et les besoins payables au cours de la première quinzaine du mois sur l'acompte reçu le premier, payer les dépenses de la deuxième quinzaine sur l'acompte reçu le 15 du mois.

Garantie Numéro 5
Si vous avez trop de dettes,
admettez-le et agissez

Si jamais vous deviez vous trouver endetté jusqu'au cou, *ne permettez pas* à la fierté masculine, à l'embarras, ou à la peur de perdre vos possibilités de crédit de vous empêcher de chercher de l'aide. Retarder une action corrective ne fera que compliquer vos difficultés.

Tout d'abord, reconnaissez que les choses vous échappent. Reprenez toutes vos factures, vos talons de chèques et vos retraits sur livret d'épargne, et essayez de trouver quels investissements n'étaient pas raisonnables. Etaient-ils dus à vos propres dépenses, ou au fait que vous n'avez pas réussi à communiquer le sens des responsabilités financières à votre femme et à vos enfants ? Quand vous avez admis qu'il y a un problème et que vous en avez accepté la responsabilité, vous êtes prêt pour l'étape suivante.

Deuxièmement, réunissez un conseil familial sur le budget. Tandis que vos enfants ont moins de 13 ans, ce conseil se limitera probablement à vous et à votre femme. Mais lorsqu'ils grandiront et assumeront plus de responsabilités, faites en sorte que les finances concernent toute la famille. Soyez honnête en en parlant et présentez cela comme une occasion de travail en équipe pour résoudre les difficultés. Au lieu de présenter un ordre de restrictions de façon autoritaire, demandez à chaque membre de la famille de suggérer des façons de restreindre l'argent de poche, les besoins et les désirs pendant quelques temps. Travaillez ensemble à l'élaboration d'un plan qui rétablirait l'équilibre du budget familial.

En étant un chef de famille qui mène cette réunion avec tact, vous pourrez minimiser la panique familiale. Bien sûr, il faudra déterminer à l'avance quels enfants sont assez âgés pour contribuer à l'expérience, et en tirer

251

un certain bénéfice. Ne rendez pas la situation financière plus brillante qu'elle ne l'est, en face de vos enfants. Comme l'écrit Norman Lobsenz dans un article du *Reader's Digest* intitulé « Comment gérer les restrictions monétaires » :

> « En règle générale, les jeunes acceptent mieux les privations quand leurs parents leur parlent franchement des problèmes d'argent. Selon un psychologue pour enfants : « Beaucoup de parents confondent le fait de donner de l'argent ou des choses, et le fait de donner de l'amour. Les enfants savent mieux faire la distinction entre les deux que nous ne le pensons. »

Présentez les faits en étant sûr que les choses s'arrangeront si tous participent. Priez ensemble, attendant de Dieu qu'il donne à chacun d'entre vous, sagesse et discipline. Voir Papa admettre qu'il y a un problème, et le résoudre avec Maman et eux, enseignera quelque chose de précieux à ces enfants, non seulement sur le plan des responsabilités financières, mais ils apprendront aussi l'humilité, ce qu'est le dialogue, et comment diriger.

La direction que vous prendrez dépend à la fois de la profondeur de l'eau et du temps que vous avez passé à patauger. Il est possible que vous vouliez appliquer le système 10-20-70 % mentionné plus haut, prenant contact avec vos créanciers pour diminuer le montant de vos mensualités. (Pour montrer votre sérieux, parlez-leur de votre plan de remboursement et présentez-le leur par écrit. Gardez-en une copie. Tant que vous ferez un effort, qui prouvera votre sens des responsabilités, pour payer vos dettes, aucun créancier ne peut légalement vous obliger à payer des montants que vous ne pouvez pas vous permettre.)

Si les cartes de crédit sont responsables de vos ennuis, prenez une paire de ciseaux et faites-en des confettis. Il vous faut encore payer ce que vous avez déjà acheté, mais vous serez protégé de tout achat irréfléchi. Je connais peu de magasins qui accepteront des cartes en miettes (et si vous en trouvez un qui les accepte, vérifiez la qualité de votre achat). *N'envisagez* même pas de demander de nouvelles cartes avant que toutes vos factures n'aient été payées depuis longtemps.

Que vous utilisiez le plan à 10-20-70 %, ou non, *je vous en prie,* prenez contact avec vos créanciers. Votre silence ne ferait probablement que les convaincre que vous essayez de vous soustraire. D'autre part, si vous faites preuve d'un désir sincère de remettre de l'ordre dans vos finances, beaucoup auront de la patience. A condition, bien sûr, que vous ayez pris l'initiative de les contacter avant qu'ils ne *vous* téléphonent.

Si vos malheurs financiers sont trop sérieux pour qu'une discipline décidée par vous en vienne à bout, n'hésitez pas à vous adresser à un expert.

Il n'est pas nécessaire qu'un bon conseiller financier vous coûte les 50 dollars que vous auriez été obligé de verser à un CPA ou à un avocat. Il y a de nombreuses agences de conseils en matière de crédit, sans but lucratif et dignes de confiance, dans presque toutes les parties du pays. L'une des meilleures est la « National Foundation for Consumer Credit », et en écrivant à leur siège, 1819 « H » Street, NW, Washington DC 20006, vous recevrez une liste de leurs succursales. Leurs services ne sont pas chers, et sont parfois gratuits. Vous vous apercevrez aussi que vos créanciers seront plus compréhensifs s'ils savent que vous recherchez des conseils judicieux.

Si vous vous rendez compte que vous allez vers la servitude financière, sous quelque forme que ce soit : les dettes, les soucis ou l'égoïsme, je vous invite à relire les deux derniers chapitres et à relever toute faiblesse dans votre attitude personnelle face à l'argent. Refaites les tests. Demandez-vous si vous vous êtes lié à l'un des Monstres de l'Argent. Recherchez des occasions de vous asseoir, en compagnie de votre femme et de vos enfants, pour réviser les priorités de votre budget familial.

L'HOMME TOTAL

L'argent n'est qu'un outil qui vous permet de satisfaire vos besoins, de partager des bénédictions avec d'autres et de profiter de la vie. Ne le laissez jamais prendre plus d'importance que cela à vos yeux. Mais ce que vous possédez, gérez-le avec soin. Décidez dès aujourd'hui que votre but en matière de gestion financière n'est pas la fortune, mais quelque chose de plus grand : *la liberté.*

18 Le sexe et les sourcils froncés

J'ai la vague impression que c'est l'un des premiers chapitres que vous ayez parcourus.

Si c'est bien ce que vous avez fait, vous êtes comme moi, et probablement comme n'importe quel homme normal. Chez nous, la plus infime allusion au sexe éveille la curiosité.

Rappelez-vous vos jeunes années, et votre malaise à 13 ans quand vous avez remarqué pour la première fois ces étranges sensations que vous ne pouviez comprendre. Tout à coup, toutes ces filles que nous avions juré de haïr commençaient à nous plaire. Peut-être quelques magazines douteux commençaient-ils à se glisser sous nos matelas. («Je ne vois vraiment pas *comment* ils sont arrivés là, Maman.») Nous avons commencé à nous demander à quoi «ça» ressemblerait quand ça nous arriverait, un jour.

Mais nous n'osions souffler mot à quiconque de ce que nous pensions. Ce petit mot de quatre lettres avait une façon bien à lui de faire froncer les sourcils et de faire naître des silences gênés. Donc, nos pensées sensuelles étaient secrètes, très secrètes. Et les questions étaient secrètes, très secrètes. Nous savions que nous n'aurions pas dû penser à de telles choses, pourquoi ne pouvions-nous être normaux, comme les autres ?

Ce que nous n'avions pas compris, c'est que les autres garçons vivaient le même genre de chose. Nous avons appris quelques petites choses depuis ces années de puberté. Nous sommes plus âgés, plus mûrs. En tant que maris, nous savons à quoi « ça » ressemble. Mais notre curiosité et notre imagination n'ont pas diminué d'une miette : les questions sont plus profondes, c'est tout.

Certains maris se posent des questions morales à propos de certaines attitudes et techniques sexuelles. Certains sont mal à l'aise, au point d'être impuissants, quand leur femme montre une certaine agressivité sexuelle. D'autres se rendent compte pour la première fois que leur connaissance des réactions sexuelles féminines tiendrait sur un timbre-poste s'ils essayaient de les écrire. Et certains veulent simplement rendre plus important encore l'un des aspects importants de leur mariage.

Il n'y a donc probablement pas de meilleure façon de commencer une trilogie intitulée : « Comment avoir une femme toujours satisfaite sexuellement », que d'aborder certaines questions fondamentales auxquelles les hommes pensent, mais qu'ils ont souvent peur de poser. Dans les pages suivantes, nous traiterons douze des plus courantes.

« Quel est le véritable but des relations sexuelles : la procréation ou le plaisir ? »

Fondamentalement, ni l'un, ni l'autre. Le premier but de l'union sexuelle, c'est de symboliser l'unité de corps, de pensée et d'esprit qui doit exister quand un homme épouse une femme. Dans la Genèse 2, Dieu a présenté

LE SEXE ET LES SOURCILS FRONCES

Eve à Adam. Le verset 24 dit : « Ceci explique pourquoi (lors du mariage d'un homme et d'une femme) un homme quitte son père et sa mère, et s'attache à sa femme, et qu'ils deviennent une seule chair. » Heureusement, Dieu avait à l'esprit deux avantages accessoires à cet acte symbolique. L'un des deux établissait l'acte sexuel comme moyen de procréer des enfants. *Mais il ne le limitait pas à cela.* Tout au cours de l'histoire, et même dans certains milieux contemporains, certaines personnes bien-intentionnées se sont penchées sur l'acte sexuel pour des raisons autres que la conception et l'ont considéré comme une faiblesse, donc comme quelque chose de mal. Nous avons tous entendu parler, dans les livres, de la planche qui venait au milieu du lit pour empêcher toute pensée osée. Il y a même un récit plus récent qui rapporte qu'un mari Puritain avait livré sa femme au bourreau parce qu'elle avait vraiment *souri* pendant leurs rapports.

Appliquer de telles lois, c'est faire un contre-sens sur le présent donné par un Dieu d'amour au mariage. S'il avait voulu que l'acte sexuel ne soit qu'utilitaire (un, et seulement un, par enfant à élever), je ne pense pas qu'il aurait donné tant de force aux instincts sexuels, ni qu'il aurait rendu les organes si faciles à stimuler, ni qu'il aurait rendu l'orgasme si *agréable.*

Le sens même, et la beauté de l'acte sexuel mettent en évidence l'avantage secondaire le plus important : le plaisir. L'acte sexuel a pour but le plaisir, et aucun couple marié ne doit se sentir coupable de « trop » aimer cela.

« Pouvez-vous me prouver que Dieu a voulu que l'acte sexuel apporte le plaisir ? »

L'homme et la femme décrits dans la chanson de Salomon ne discutaient pas précisément de la pluie et du beau temps. En fait, les huit chapitres de cette histoire d'amour biblique sont une approbation sincère de l'érotisme conjugal. La langue est peut-être plus imagée que celle que nous utilisons aujourd'hui, mais le message fondamental est bien : « Je t'aime. Tu me plais. Je veux te faire l'amour. »

Et dans la Genèse, nous voyons Dieu, contempler tout ce qu'il a créé. C'était à la fin du sixième jour, après avoir créé l'homme et la femme. « Et Dieu vit *tout* ce qu'il avait fait », nous raconte-t-on, « et tout était *très beau.* (Les commentaires en italique sont de moi.) « Tout » y compris ces organes sexuels avec leurs terminaisons nerveuses hypersensibles, et leur capacité illimitée de sensations merveilleuses.

Le cinquième chapitre des Proverbes ne mâche pas ses mots au sujet des plaisirs sexuels dans le mariage. Au milieu d'un traité convaincant sur la nécessité d'être fidèles pour les maris, nous trouvons ces mots : « Que votre virilité soit une bénédiction, et « fais ta joie » de la femme de ta jeunesse. Sois enivré de ses charmes et de ses tendres caresses. Sois sans cesse *enivré* de son amour » Proverbes 5 : 18,19. (Les commentaires en italique sont de moi.).

Puis, en plus de son affirmation que l'acte sexuel est « très agréable » et de son invitation à l'« enivrement » des maris par leur femme, Dieu *exige que le mari et la femme se donnent mutuellement satisfaction.* « L'homme doit donner à sa femme tout ce à quoi elle a droit en tant que femme mariée », pouvons-nous lire dans 1 Les Corinthiens 7 : 3, 5, « et la femme doit faire de même pour son mari : car une fille qui se marie n'a plus d'autorité sur son propre corps, mais c'est le mari ; et pareillement, c'est la femme et non le mari qui a autorité sur son propre corps. Ne vous privez pas l'un l'autre de ces droits. »

Les gens ont tendance à réagir avec excès quand ils entendent les quelques conseils que Dieu *a* donné sur le sexe. Beaucoup en ont conclu à tort que : « Dieu condamne les rapports sexuels. » Mais rien n'est plus éloigné de la vérité : il a réfléchi à tout cela mûrement. Et quand il l'a fait, son visage était probablement illuminé d'un grand sourire.

LE SEXE ET LES SOURCILS FRONCES

« Vous semblez être relativement détendu dans ce domaine... »

Vous parlez ! Pour trop de maris et de femmes, les rapports sexuels sont des choses qu'on fait, mais dont on ne parle pas. Je suis d'accord pour qu'on discute de la sensualité conjugale avec discrétion, mais face à face ?

Les relations sexuelles sont si importantes pour un bon mariage qu'un couple *doit* être détendu sur ce sujet, suffisamment à l'aise pour parler librement de ce qui les excite ou de ce qui ne les excite pas. Certains hommes traversent le mariage d'un bout à l'autre, pensant : « Je souhaiterais qu'elle me fasse ceci ou cela pendant les caresses d'avant l'amour, mais si je le lui demandais, elle penserait que je suis pervers... » Il est possible que leurs épouses, pendant ce temps, pensent : « J'aimerais bien que nous fassions ceci ou cela ensemble, mais il pourrait penser que j'ai l'esprit mal placé. »

Et puis, il est possible aussi que chacun *fasse* quelque chose que l'autre n'aime pas du tout. Comment sauront-ils ce qui satisfait leur conjoint s'ils sont incapables d'en parler.

Un couple doit aussi être suffisamment à l'aise sur les sujets sexuels pour pouvoir en rire. Si votre partenaire et vous essayez une nouvelle position et que vous avez l'impression de ressembler davantage à un bretzel doux et chaud, qu'à un couple sensuel, riez-en ensemble !

Si vous ne réussissez pas à avoir une érection ce soir, ne faites par l'erreur de prendre la chose trop au sérieux. Etant donné que presque tous les hommes souffrent temporairement d'impuissance due à l'anxiété et à la fatigue, une faiblesse accidentelle ne doit pas vous inquiéter. Riez-en ensemble, et pensez à la prochaine fois. Beaucoup d'impuissances permanentes viennent d'une rupture du dialogue après une ou deux déceptions temporaires. Les méditations ne font qu'accroître l'anxiété et font pression sur le mari pour qu'il « accomplisse sa tâche ». Il est possible qu'il fasse cesser rapidement et définitivement ses tentatives, simplement parce que le couple avait accordé trop d'importance à ce premier échec.

La sexualité s'apprend progressivement, c'est « un échauffement de vingt ans » comme l'a fort justement décrit le Dr Charlie Shedd. Que cet apprentissage, avec ses victoires, ses inévitables moments d'aridité et ses erreurs, provoque la joie plutôt que les larmes. Ça vaut la peine d'être détendu dans ce domaine.

« Quelle est la fréquence normale ? »

C'est une question qui intrigue beaucoup les jeunes mariés qui veulent être sûrs qu'ils sont à la hauteur, ou qu'ils surpassent la moyenne nationale. « Tous les combien ? » peut aussi être la question que se pose l'homme qui est marié depuis des années et qui ressent la nécessité de renforcer son sens de la virilité.

La vérité libératrice, *c'est que ce qui vous fait plaisir à votre femme et à vous est normal.* Que vous fassiez l'amour une fois par jour ou une fois par mois, la fréquence des rapports sexuels n'a jamais été censée permettre d'étalonner les capacités d'être homme ou la virilité.

Il n'y a aucune raison de laisser les normes de qui que ce soit envahir l'intimité de votre chambre à coucher. Le seul critère important est : êtes-vous *l'un et l'autre* satisfaits de la fréquence de vos rapports sexuels ? Si oui, ça va ! C'est le seul modèle dont vous ayez besoin.

« Combien de temps cela doit-il prendre ? »

De combien de temps *disposez-vous* ?

Vous pouvez « avoir des rapports sexuels » qui prennent entre deux et cinq minutes (et malheureusement, il y a beaucoup de couples dans ce cas). Cela peut suffire à soulager un mari trop ardent, mais ne comptez pas satisfaire votre femme dans ce laps de temps. Encore mieux, si vous n'avez que cinq minutes, n'y pensez même pas.

LE SEXE ET LES SOURCILS FRONCES

De *bons* rapports sexuels exigent autant de temps qu'il en faut pour satisfaire tant le mari que la femme par l'orgasme. Il faudra encore plus de temps pour des rapports sexuels *formidables.*

« Cela m'ennuie si ma femme me fait des avances. N'est-ce pas le rôle de l'homme ? »

Nous les hommes, n'avons pas le monopole des désirs sexuels et de l'imagination. La seule façon d'expliquer les ventes considérables de *The Sensuous Woman,* des livres de Masters et Johnson *The Total Woman* et *The Joy of Sex,* c'est de se rendre compte que les femmes ont enfin commencé à se libérer suffisamment pour admettre qu'elles veulent l'excitation sexuelle et le plaisir, et qu'*elles en ont besoin.*

Regardons les choses en face, nos femmes lisent. Elles découvrent leur vaste potentiel de plaisir sexuel, potentiel que les maris peuvent ne pas satisfaire encore. Et plus elles en apprennent, plus elles pensent (et elles ont raison) que les droits à la vie, à la liberté et à la recherche d'orgasmes multiples sont un dû.

Il y a des hommes qui sont tellement préoccupés des rôles au sein de la société que des avances de la part de leur femme les troublent profondément. Le mari n'a aucune raison d'en éprouver du ressentiment ou de se sentir diminué si sa femme prend l'initiative de le séduire sexuellement. En fait il devrait apprendre à considérer la chose comme une bénédiction, car l'assurance féminine en matière de sexualité peut être tout à fait provocante.

Il est intéressant de noter que pour le *clitoris,* ce petit organe féminin capable de produire des explosions d'extase, la médecine moderne n'a pas découvert d'autre fonction que le plaisir féminin. De toute évidence, nos épouses ont été faites pour être émoustillées et comblées sexuellement, et les recherches ont aussi montré que leur capacité d'orgasmes est bien plus élevée que la nôtre.

Donc le mari qui ne fait pas preuve de l'amour et du sang-froid nécessaires pour satisfaire sa femme, ne fait que la voler. Et si faire des avances fait partie de sa sensualité, il ne faut pas qu'il se sente menacé, mais au contraire qu'il se réjouisse que sa femme soit si active sexuellement.

« J'ai lu des rapports qui parlaient en termes flatteurs de la longueur qu'un pénis devrait avoir pour donner le maximum de sensations à la femme, mais le mien en est loin. Quelle est la vérité sur la taille du pénis ? »

« Plus il est grand mieux c'est. » Ce dicton est trompeur. En réalité, la taille intervient peu dans une sexualité satisfaisante, et la vérité, c'est que les hommes qui ont des organes sexuels gigantesques sont l'exception plutôt que la règle. Le marché de la pornographie est à l'origine de multiples mythes sur la nécessité d'avoir un énorme pénis, et il est temps de corriger tout cela.

La recherche a montré que le pénis, au repos, a une longueur variable d'un homme à l'autre, mais la moyenne se situe entre six et huit centimètres. En érection, tous, ou presque, ont entre quinze et dix-huit centimètres de longueur. Ce qui suffit amplement à assurer une excellente pénétration et la stimulation de votre partenaire, car seuls les cinq à huit premiers centimètres de son vagin réagissent de façon significative à la stimulation du pénis.

Alors, inutile de vous croire mal nanti, on nous a donné, à tous, plus qu'il ne fallait pour atteindre le résultat désiré.

« Quels actes sexuels sont admis, et lesquels sont moralement condamnables ? »

Cette question fait toujours froncer les sourcils, car à chaque fois qu'on traite de différences de ce genre, il y a controverse. Si vous êtes marié, et que vous vous êtes engagés l'un et l'autre de façon irrévocable, vous pouvez abordez la question de ce qui est bien ou mal dans une chambre à coucher, le cœur léger. Celui qui a créé le sexe vous a aussi donné toute liberté d'en user.

La Bible précise que seuls quatre actes sexuels sont considérés comme des péchés devant Dieu, et tous quatre sont liés à des actes sexuels avec quelqu'un (ou quelque chose) d'autre que votre épouse. *L'homosexualité :* avoir des rapports sexuels avec une personne de votre genre. *La bestialité :* avoir des rapports avec un animal. *La fornication :* avoir des rapports sexuels entre célibataires des deux sexes. Et *l'adultère :* avoir des rapports avec une personne mariée autre que votre épouse.

A l'intérieur du mariage, cependant, Dieu ne fait aucune restriction sur les caresses et les rapports. Votre femme et vous avez toute toute liberté quant à la façon de vous exciter. Dans son excellente étude sur cassettes intitulée « Les problèmes et les techniques sexuels dans le mariage », le Dr Ed. Wheat déclare : « Il n'y a rien qui puisse être mal dans les relations sexuelles conjugales, tant que le mari et la femme ne se choquent pas et ne se mettent pas mal à l'aise mutuellement » Ces casettes, avec leur présentation médicale exhaustive et leurs conseils bibliques, sont recommandées par plusieurs responsables chrétiens de premier rang et par des conseillers conjugaux.

Soyez créatifs, ensemble, en toute liberté ! Tout acte privé que votre épouse et vous *appréciez ensemble* en matière de séduction, de jeux amoureux et de rapports sexuels est moralement sain. Vos seules limites sont votre imagination et vos goûts personnels.

« Et l'utilisation de films érotiques ou de photos pour stimuler l'ardeur mutuelle ? »

Côté positif : certains psychologues pensent que si un homme et sa femme ont des difficultés à faire l'amour ou à parler de sexualité le fait de voir des films et des photos suggestifs peut contribuer à leur ouvrir les portes de l'excitation et du dialogue.

Mais, ajoutent la plupart d'entre eux, une telle stimulation visuelle ne peut avoir qu'un effet temporaire.

Sachant comment les hommes ont tendance à réagir à de telles scènes, je suggère de ne pas recourir à de telles pratiques. Plutôt que de produire l'effet escompté (un désir accru de rapports sexuels avec votre femme), le fait de regarder un autre couple occupé à cela en film ou en photo entrainera très probablement des fantasmes adultérins (désir pour la femme du film ou de la photo). L'adultère mental ne fait pas le moindre bien à votre mariage.

Votre femme et vous, vous amuserez beaucoup plus à créer votre *propre* érotisme, comme nous le verrons dans le chapitre suivant.

« L'autre jour, j'ai entendu dire que les maris devraient se préoccuper de l'hygiène sexuelle autant que leur femme. A quoi devrais-je faire attention ? »

L'hygiène sexuelle pour les hommes peut se résumer en trois mots : lavez votre pénis. Un bain régulier et total des organes génitaux est essentiel, non seulement à cause de l'odeur, mais pour éviter les maladies telles que le cancer du pénis ou de la prostate (pour vous) et le cancer cervical (pour elle).

Vérifiez que vous avez bien nettoyé la partie qui se trouve juste au-dessous du gland du pénis, car c'est là que les bactéries et les impuretés s'accumulent le plus facilement.

« Je reconnais qu'il faut satisfaire les besoins sexuels d'une femme, mais je m'aperçois que ce n'est pas aussi simple que ça en a l'air. Qu'est-ce qu'implique la satisfaction des désirs sexuels de ma femme ? »

Plus vous connaîtrez votre femme, plus vous vous

LE SEXE ET LES SOURCILS FRONCES

apercevrez qu'elle a tout une série de façons de vous séduire qui sont caractéristiques de sa personnalité. L'une des quêtes les plus agréables et les plus stimulantes de votre vie, devrait être de découvrir les atmosphères, les humeurs, les mots, les vêtements et les attitudes propices à son excitation, afin qu'elle en dispose autant que possible.

Il est une chose dont vous pouvez être certain : le genre de rapports sexuels bâclés en cinq minutes par le mari n'est rien d'autre que de l'égoïsme animal. La femme contemporaine, qui jouit d'une éducation ne le supportera pas, et vous devriez en avoir honte si tel est votre cas.

La satisfaction des besoins sexuels de votre femme exige de votre part un engagement à vie, à lui *donner* du plaisir, autant qu'à en recevoir. Pour que la flamme continue à brûler dans les foyers, il faut séduire de façon créative, c'est l'art de rendre le voyage vers la chambre à coucher aussi prometteur d'extase que possible. L'autre moyen c'est de savoir quoi faire une fois que vous y êtes.

Les deux chapitres suivants sont dédiés à ces objectifs et à son bonheur sexuel.

19 Ce qui allume, ou bloque une femme

Je suis de plus en plus convaincu que le mâle américain moyen pourrait probablement faire l'amour et atteindre l'orgasme en plein milieu d'une dispute, d'un bombardement ou du film *Les dents de la mer.* Quand ce désir nous prend, l'humeur et les circonstances n'y peuvent pas grand chose.

Nous, les hommes, pouvons souvent isoler la sexualité des autres émotions en la plaçant dans l'un des nombreux « compartiments » de la vie. Il y a l'heure du travail. L'heure du culte. L'heure du plaisir. Nous agissons quand nos emplois du temps ou nos tendances humaines nous obligent à une certaine activité.

Mais pour la femme, la sexualité suit un autre schéma. Elle a tendance à considérer que la sexualité fait intégralement partie de son être, Réussir dans ce domaine, pour elle, c'est plus que d'atteindre l'orgasme, *« c'est la disposition d'intimité qui entoure son mariage. »*

L'HOMME TOTAL

L'organe sexuel le plus important chez votre femme n'est pas génital. Son organe sexuel le plus vital est *son esprit*. Si vos relations sont intimes, s'il y a dialogue et amour, son esprit lui dit : « Tous les systèmes sont bons ! » Son abandon rendra sa joie plus complète encore. Mais si quelque chose ne va pas, ailleurs dans le mariage, vous pouvez parier que cela changera sa conception de la sexualité.

Et pour la même raison, *les dispositions et l'humeur* à partir desquelles vous allez vers l'union sexuelle sont primordiales pour elle. Tandis que le mari peut passer directement d'une dispute acharnée à l'intimité sexuelle (ça marche toujours dans les films), son esprit lui dira : « Non, mais, tu plaisantes ! » L'acte sexuel, selon elle, doit naître dans une atmosphère d'amour et de tendresse.

Le mari qui prouve continuellement son amour, puis prend le temps d'instaurer l'humeur qui convient (même quand tout va bien), apportera beaucoup plus de plaisir sexuel à la femme qu'il a épousé, et à lui aussi d'ailleurs.

C'est précisément le sujet de ce chapitre. Avec un peu de bon sens de pensée créatrice, vous pouvez faire en sorte que la séduction et les rapports soient pour elle une exquise aventure.

Mais avant d'aborder les détails, arrêtons-nous un instant. Certains d'entre nous gâchent tout avant même que ça ne commence.

Avant d'étudier quelques-uns des moyens d'allumer une femme, nous ferions mieux de penser à certaines façons précises de la *bloquer* sexuellement qui nous ont été suggérées avec conviction par plusieurs épouses expérimentées. Ces exemples peuvent nous paraître futiles, et c'est pourquoi beaucoup d'entre nous les illustrent. Mais vous pouvez être certain qu'ils sont en tête de liste des « choses qui douchent la sexualité avant même que ça ne commence ». Si nous ne faisons pas preuve d'intelligence, nos tentatives de séduction à la Casanova lui paraîtront aussi provocantes que l'indice des prix.

Qu'est-ce qui bloque une femme ?

Gardez à l'esprit quelques-unes de ces atrocités courantes :

Sentir mauvais et une mauvaise haleine. Si elle se trouve mal en votre présence, il se pourrait que ce ne soit pas à cause de votre parfum. Peut-être essaie-t-elle de vous faire comprendre quelque chose. L'odeur corporelle affecte son comportement sexuel, tout comme une douche glacée affecte le vôtre. Alors n'espérez pas la séduire avec une transpiration séchée après un match de volley, ou une haleine qui pourrait mettre KO Mohamed Ali.

Un menton qui gratte. (En matière de sexe, on l'appelle aussi chaleur à épines.) Pour se faire une idée de ce que les poils de barbe ont d'excitant, prenez un morceau de papier de verre No 4 et frottez-en votre visage. A moins qu'elle ne vous ait donné son accord pour une barbe longue et douce, faites en sorte que votre menton lui soit doux. Que diriez-vous si elle prenait une éponge métallique pour *vous* tamponner le visage ?

Les yeux baladeurs. Le mari et la femme sortent ensemble, à la plage, au restaurant ou en tout autre endroit où on trouve des femmes ; et il ne peut s'empêcher de les dévisager avec une évidente satisfaction. Parfois, il exprime même certains de ses sentiments à voix haute. Et après, il n'arrive pas à comprendre pourquoi sa femme n'est pas très empressée à satisfaire son brûlant désir. La vérité, c'est qu'un succédané de relations sexuelles ne l'intéresse pas le moins du monde.

Les cheveux gras. Passer ses doigts dans une chevelure grasse est aussi agréable que de caresser Crisco. Celui qui a les cheveux gras oublie de se faire un shampooing pendant trois ou quatre jours et laisse la substance s'accumuler, ou bien il utilise encore les pommades, les crèmes et les brillantines qui dégoulinaient de la télévision pendant les années 50.

Il n'est pas nécessaire d'avoir l'air mouillé en cette époque de séchoirs à main et de laques. La plupart des femmes en arriveraient à appeler le Ministère de la Protection de l'Environnement à la vue de ces secrétions grasses.

Le tripoteur. Il essaie de prouver son amour, mais au mauvais moment, c'est sûr. J'ai été coupable de cela à plusieurs reprises, alors que Kathy et moi allions sortir et qu'elle avait passé une heure entière à se coiffer, à s'habiller et à se maquiller.

« Tu es très jolie », lui dis-je. Jusqu'à présent, ça va. Mes compliments lui font plaisir. Puis, toujours décontracté, je la serre dans mes bras et pose un long baiser passionné sur ces douces lèvres.

Son sourire s'altère. D'un seul coup, j'ai réussi à l'ébouriffer, à fripper ses vêtements et à la barbouiller de rouge à lèvres. La seule chose qui présente quelque « fraîcheur » dans cette situation, c'est le regard glacé qu'elle jette à la glace pour constater les dégâts.

Le froid. L'accord presque unanime des épouses fait savoir qu'*elles ne supportent pas le froid quand elles font l'amour.* Donc si vous avez des idées légères en tête pour l'avenir, et qu'elle vous a dit qu'elle n'avait pas très chaud, dépêchez-vous, mettez une autre bûche dans le feu.

Le môme. Toute épouse s'est aperçue, à un moment ou à un autre, qu'elle en avait épousé un. Le môme commence à tripatouiller dès qu'il en a envie, mais si la chose ne lui convient pas — à elle — à ce moment précis, il pleurniche, exige, il fait la moue, il boude, il se met en colère et retient son souffle, prêt à éclater. L'argument favori du môme, c'est : « Après avoir passé une dure journée au bureau, à gagner de quoi te nourrir et t'habiller, le moins que tu puisses faire c'est de me *donner* un petit quelque chose. Il arrive que ces tours réussissent, mais seulement pour aboutir à un moment morose où il fait l'amour à sens unique. *Elle* pourrait trouver la chose plus agréable au réveil.

Le mauvais moment. Très proche du tripoteur et du môme, le mari qui a tendance à choisir le mauvais moment ne comprend pas l'importance de préparer l'humeur d'avance. Ses passions sont aussi bienvenues que les lasagnes qui débordent dans le four ou le Petit Chéri qui dessine Mona Lisa au crayon sur le mur de la salle de bain. Surtout si c'est vingt minutes avant l'arrivée d'une de ces dames qui vient prendre le thé. Si ça vous prend à un moment comme celui-là, il vaudrait peut-être mieux faire quinze « pompes ».

Les mains rugueuses. Tout comme une barbe dure, des mains rugueuses et calleuses peuvent faire ressembler les caresses d'avant l'amour à de la chirurgie dermatologique. Vos mains sont importantes dans la stimulation sexuelle, et il n'est pas du tout contraire à la virilité de les garder douces avec une crème spéciale. Pendant que vous y êtes, vérifiez vos ongles. Il est essentiel qu'ils soient courts et propres dans les moments d'intimité.

Eh bien, tels sont les moyens de bloquer une femme auxquels ils vous faut faire attention. Un dialogue très profond entre celle que vous aimez et vous peut en amener d'autres, et c'est très bien. De plus, vous comprendrez certainement mieux ce qui l'excite *vraiment*. Ce qui est encore mieux.

Qu'est-ce qui allume une femme ?

Comme nous l'avons dit dans le chapitre précédent, chaque femme réagit à sa façon, et plus vous essaierez de partager vos découvertes sensuelles, plus vous en saurez sur la façon d'éveiller et d'assouvir l'appétit sexuel de votre femme.

Mais il y a plusieurs choses qu'un mari peut faire et qui

plaisent presque à toutes les femmes. Si vous deviez poser la question à votre femme, elle vous dirait probablement : « Oui, bien sûr, j'*aime* ça ! » Mais ne lui en parlez pas, faites-lui la surprise. Rappelez-vous que pour elle, la sexualité comprend l'intimité totale qui doit imprégner votre union. Soyez imaginatif. Prenez le temps de la mettre dans de bonnes dispositions. Vous vous apercevrez peut-être que vous avez épousé une tigresse. Qu'est-ce qui allume une femme ?

L'homme qui répond à ses besoins en tant que femme : L'un des meilleurs moyens de vous préparer à des rapports sans soucis, c'est de considérer que lui donner satisfaction sur le plan des émotions est une priorité absolue dès le premier jour du mariage.

Pourquoi ? Eh bien, avez-vous déjà essayé de faire l'amour pendant que la bouilloire siffle ? C'est gênant, non ? Surtout pour elle. Avant qu'elle ne se laisse aller à vos embrassades masculines, il faut qu'elle se lève et qu'elle s'occupe de cette chose dans la cuisine.

C'est exactement la même chose quand les choses ne vont pas très bien dans vos relations. S'il y a un désaccord qui n'a pas été réglé et qui n'a pas été pardonné ; si vous avez fait preuve de compréhension et si vous l'avez encouragée, mais avec parcimonie, faire l'amour ne l'intéresse pas le moins du monde. Ces faiblesses dans les relations la bouleversent trop. Avant de faire l'amour avec vous, elle veut être sure que tout va bien.

Essayez de donner satisfaction à toutes ces aspirations féminines que nous avons mentionnées plus tôt, non pas en disant : « Que me donneras-tu en échange ? », mais par *amour* sincère et généreux. Son épanouissement émotionnel est le premier pas vers son épanouissement sexuel.

L'homme bien vêtu. Bien rares sont les femmes qui n'apprécient pas, et ne sont pas excitées, quand un homme porte des vêtements propres et à la mode. Ce qui ne veut pas dire qu'il faut dépenser la moitié de vos revenus annuels pour ressembler à une gravure de mode du

272

CE QUI ALLUME, OU BLOQUE UNE FEMME

Gentleman's Quarterly. Faites au mieux de ce que «pouvez» vous permettre. Achetez des pantalons, des chemises et des vestes coordonnés. Surveillez de très près les soldes dans les bons magasins de vêtements pour hommes. Et si vous voulez vraiment lui faire plaisir, emmenez-la, elle vous aidera dans vos achats.

Rappelez-vous, elle aime voir son mari porter de beaux vêtements, cela l'excite. Trouvez ce qui lui fait de l'effet en lui demandant de vous montrer le genre de style qu'elle aime particulièrement.

La propreté. «Les meilleurs aides sexuelles jamais inventées», m'a dit une épouse, «sont le savon, le dentifrice, le déodorant et le shampooing.» Toutes les femmes interrogées sont d'accord avec elle. «Qu'est-ce qui me fait de l'effet?», a commencé une autre, «Eh bien! parmi bien d'autres choses, un air de propreté. Ça peut ressembler à de la publicité, mais je veux qu'il ait l'air net et qu'il sente le propre. Sinon, ce n'est pas la peine. Envoyez-le prendre une douche.»

Nous avons affaire, Messieurs, à un odorat qui est beaucoup plus sensible que le nôtre. Avez-vous jamais remarqué comment votre femme parcourait la maison, humant l'air et disant : «Qu'est-ce que cette odeur?» Et comment vous avez répondu : «*Quelle* odeur?» Chez nous, Kathy est capable de sentir le salami qui se trouve dans le frigidaire (d'une autre pièce) à chaque fois que j'en ouvre la porte. Je suis incapable de le sentir, même si je l'ai sous le nez.

L'odorat très fin de la femme, combiné à son besoin inné de propreté, peut détecter les aisselles douteuses bien longtemps avant que nous ne fassions le moindre geste.

Mais elle peut aussi être sensible.à la fraîcheur qui accompagne la (ou les) douche quotidienne, à l'haleine fraîche après les repas (améliorée par un rinçage), la protection d'un bon déodorant *demandez-lui* si le vôtre lui convient, et les cheveux propres grâce à un shampooing régulier. Nous, maris, nous passons une bonne demi heure à nous préparer à *la quitter* le matin, pourquoi ne pas consacrer quelques minutes à la fin d'une journée de travail à vous préparer *au retour* près d'elle ? Nous pouvons lui rendre le baiser de bienvenue à la maison encore plus agréable en ayant au bureau un peu d'eau de Cologne ou de déodorant pour effectuer quelques retouches en fin d'après-midi (nos camarades de travail ne s'en plaindront sans doute pas non plus).

Non seulement la propreté apaise les femmes, mais cela les attire aussi. Ça vaut la peine d'y consacrer du temps.

Faites-lui la cour. Une cour incessante est si importante pour un bon mariage que nous lui avons consacré un chapitre entier : « 101 façons de donner à votre femme l'impression qu'elle est extraordinaire. » Si vous me comprenez bien, il y a un temps pour la cour, et il y a un temps pour la « Cour ».

Quand vous sentez que l'humeur est en faveur d'une soirée passionnée, envoyez les enfants à l'oncle Arthur, à l'autre bout de la ville, et organisez un dîner en tête à tête aux chandelles, « à la maison ». Si elle *veut* préparer un bon dîner, très bien ; autrement, libérez-la de la cuisine en préparant quelque chose vous-même ou en rapportant quelque chose à la maison. La cuisine n'a pas autant d'importance que l'ambiance.

Après une conversation détendue pendant le dîner, de la musique de fond, le dessert est le moment propice à un petit cadeau intime. Les meilleurs magasins sont pleins de toutes sortes de choses que vous pouvez acheter pour lui assurer qu'au plus profond de vous-même, vous avez toujours envie d'elle. Vous pouvez lui offrir le bikini le plus coquin que vous puissiez trouver. Ou bien une chemise de nuit moulante avec un décolleté qui pourrait faire rougir Cher. Ou bien un chemisier transparent « à ne porter qu'à la maison ». Il est possible que cela la laisse sans voix pour la première fois depuis que vous êtes mariés, mais elle adorera ce cadeau. Et vous aussi.

Et il n'est pas indispensable que vos attentions vous

coûtent cher. Même une carte spéciale, un billet doux ou une seule fleur seront pour elle des messagers : elle est extraordinaire. Elle est la personne que vous préférez. Et vous désirez qu'elle vous soit proche maintenant, encore plus que jamais.

Puis, faites-lui l'amour en paroles (vous pouvez commencer l'après-midi, par un coup de téléphone du bureau). Dîtes-lui combien elle vous a manqué pendant la journée, que vous l'aimez ; qu'elle est belle ; combien il est merveilleux d'être seul avec elle ; ce qu'elle est pour vous. Et si elle est d'une humeur particulièrement imaginative, dites-lui exactement ce que vous aimeriez faire avec elle plus tard.

Marya Mannes a écrit que : « Tous les grands amoureux parlent, et la séduction verbale est le chemin le plus sûr pour atteindre la vraie séduction. » Ces mots, messieurs, sont écrits par une femme à notre intention.

Les aphrodisiaques naturels. Par aphrodisiaques naturels, nous entendons ces choses simples qui plaisent tant à la sensualité d'une femme.

S'asperger généreusement d'eau de Cologne dans le cou (maintenant, vous connaissez probablement ses goûts en la matière).

Des vêtements doux, faciles à déboutonner (pour elle comme pour vous).

De l'encens (vous en trouverez quelques bâtons pour quelques centimes dans la plupart des boutiques à cadeaux. Assurez-vous seulement que vous les faites brûler en un endroit sûr, sinon la soirée risque d'être plus chaude que prévu).

De la lumière douce (il y a quelque chose de presque mystique dans les bougies et les feux de cheminée).

De la musique de fond (de la musique *instrumentale douce,* gardez Madame Butterfly et les Grands Hymnes de la Foi pour d'autres occasions).

Des fleurs (vous pouvez les lui faire livrer dans l'après-midi).

L'esprit d'aventure sexuelle. Bienheureux est le couple qui découvre ensemble que la variété est l'épice de la vie, surtout celui de la vie sexuelle. Ne mésestimez pas votre femme à ce sujet. Elle peut être plus encline à l'aventure que vous ne le pensez.

Tout comme les hommes, la plupart des femmes sont excitées par le sens du *risque* dans la sexualité conjugale, tant que l'aventure est *de bon goût.* Ceci exclut l'infidélité, la cruauté sous toutes ses formes, et pour des raisons pratiques, il est possible que vous ne souhaitiez pas trop faire ça sur la table de cuisine de votre belle-mère, ou debout dans un canoë. Mais faire preuve de bon goût dans votre aventure sexuelle ne vous empêche pas d'avoir encore beaucoup de possibilités en la matière.

Quelles sont les choses que vous avez toujours voulu faire ensemble et que vous avez hésité à mentionner ? La meilleure façon de le savoir, c'est d'en discuter ensemble un soir, quand vous avez baissé la lumière et fait grimper la libido. (Si vous vous êtes toujours demandé ce qu'était une «conversation stimulante», vous ne vous le demanderez plus longtemps).

En même temps que les fantaisies tentantes que vous pouvez l'un et l'autre proposer, vous pouvez envisager quelques mises en scène et idées que des couples apprécient depuis des siècles.

Moments différents, endroits différents. Si vous êtes prisonniers d'une habitude de rapports sexuels à heure fixe (seulement au moment d'aller se coucher, seulement au lit), faites-vous un petit plaisir et libérez-vous de cela un moment. Voyez si vous pouvez vous réserver la maison (n'oubliez pas de fermer les portes à clé) pour faire l'amour de jour, sur le canapé ou le tapis du salon. Ou bien faites en sorte que le tapis (agrémenté de quelques coussins moelleux) vous serve de lit après ce séduisant dîner aux chandelles. Autant que possible, laissez la spontanéité diriger les choses en matière de lieu et de moment où faire l'amour.

Le couple sensuel est presque toujours encore plus ex-

CE QUI ALLUME, OU BLOQUE UNE FEMME

cité à la vue d'une chambre de motel. Il serait intéressant d'étudier ce phénomène psychologiquement, mais que la chambre d'hôtel leur rappelle leur lune de miel ou un rendez-vous clandestin, cette petite entorse au train-train peut être amusante (et bonne pour le cœur).

Donc, un jour prochain, convenez d'une date avec votre femme, et allez passer un week-end croustillant et de première classe dans un hôtel agréable.

Tandis que vous l'organisez ensemble, aidez-vous mutuellement à choisir les vêtements, sous-vêtements et parfums qui vous plaisent le plus, et mettez-les dans vos valises. Veillez à bien vous libérer de toute obligation de façon à être entièrement détendu et disponible pendant les moments que vous passerez ensemble. N'oubliez pas les petites choses telles que l'encens, les bougies et peut-être un transistor à modulation de fréquence. Et, si vous en avez les moyens, surprenez celle qui vous aime avec un aphrodisiaque hors du commun : le satin. Dans les magasins de luxe, vous pouvez trouver des draps et taies d'oreiller de satin de toutes couleurs, depuis le rose vif jusqu'au noir.

S'habiller, se déshabiller. L'image digne de l'histoire pornographique où l'homme arrache le chemisier de la femme est quelque peu irréaliste. Premièrement, votre femme ne peut se permettre de vous laisser déchirer ses vêtements à chaque fois. Mais, bien plus important, elle souhaite vivement cette stimulation «d-e-l-i-c-i-e-u-s-e-m-e-n-t l-e-n-t-e» qui commence par les pensées et la cour, puis continue par des regards très intimes, de légères caresses, un déshabillage sensuel, des jeux amoureux nombreux et l'extase elle-même.

Tandis que vous commencez à la déshabiller et à l'explorer, elle peut vous rendre la pareille. Qu'elle le fasse, car désormais l'excitation visuelle et tactile prend possession de sa conscience.

La nudité du corps humain bien soigné est l'une des plus belles créations qu'on puisse imaginer. Mais quelquefois, le bon vêtement (ou son absence) peut enflammer l'imagination du conjoint.

Au lit, il n'est pas nécessaire de se défaire de tout vêtement. Vous pourrez éventuellement apprécier de continuer à faire jouer l'imagination pendant les rapports, en gardant la chemise ou le chemisier déboutonné, les bijoux (encore que les montres et les bagues puissent griffer la peau ou accrocher les cheveux), ou d'autres articles au choix. S'habiller de façon sensuelle est tellement affaire de goût que vous devriez vous sentir libres d'exprimer mutuellement vos préférences en la matière.

Les rôles multiples. La variété en matière de sexualité va au-delà des mécanismes de « positions » vers l'identité que votre femme peut souhaiter assumer une fois que vous avez abordé les préliminaires. Un soir, elle peut souhaiter être « conquise », totalement soumise à votre agressivité ; le lendemain, elle peut avoir l'impression d'être la tigresse dominatrice, affamée de votre corps, et ne craignant pas de le montrer ; la troisième fois, elle peut souhaiter une attitude intermédiaire où vous et elle serez tour à tour soumis ou dominateurs pour vous exciter. Ces trois rôles peuvent lui faire beaucoup d'effet si vous lui permettez de s'exprimer librement avec vous.

Etcaetera... Les seules limites à votre aventure sexuelle sont votre imagination et vos goûts. Certains couples recommandent vivement de partager le bain ou la douche, d'autres ne jurent que par un éventuel interlude musical ou des lumières colorées. Quelle que soit la mise en scène que vous choisissez, assurez-vous que vous appréciez la chose *l'un et l'autre*. Ce soupçon de risque ne doit jamais devenir une fin en soi, mais simplement un moyen d'intensifier votre désir de vous satisfaire mutuellement.

Je me rends compte que certains d'entre vous peuvent considérer certaines des idées ci-dessus comme trop osées. Mais, quand votre femme et vous commencerez à évoquer vos *propres* idées sur le sujet, celles-ci seront bien timides en comparaison. Ce qu'il est important que nous comprenions, c'est que nos femmes ont des aspirations et de l'imagination sexuelles, et que nous réussirons mieux à satisfaire leur esprit d'aventure en prenant l'initiative du dialogue et de la créativité.

Il y a une chose de plus dans notre étude de « Ce qui allume une femme ». Trop d'hommes l'ignorent. Certains, que vous le croyiez ou non, ne s'en rendent même pas compte. C'est peut-être la plus grande exaltation physique que vous puissiez lui apporter : l'orgasme. Tout le reste de la séduction est bien mièvre à côté.

C'est pourquoi cela mérite qu'on y consacre un chapitre entier.

20 Donner satisfaction à votre femme

Voici le moment (si tout va bien, l'heure) de la vérité. Vous avez créé l'ambiance, organisé la mise en scène, murmuré quelques douceurs à son oreille. Elle est prête et consentante. Jusqu'à présent, la soirée a été merveilleuse.

Bon, faire l'amour dans une chambre où se trouvent des miroirs n'est peut-être pas ce que votre femme et vous avez choisi. Mais, imaginons un instant. Disons que vous avez installé un miroir géant au plafond juste au-dessus de vous.

Alors que vous, « El Suavo », vous mettez à faire l'amour à votre femme, que verriez-vous :

a) Un homme dont l'amour est si fort que répondre à *ses* besoins sexuels est prépondérant ? ou bien :

b) Un homme qui ne pense qu'à faire « l'étape contre la montre », et dont l'égoïsme ou la maladresse (ou les deux) la laissent déçue et insatisfaite ?

La sexualité peut être très révélatrice, et je veux parler d'autres choses que de la chair et d'organes génitaux. La façon dont vous faites l'amour à votre femme révèle étrangement la véritable qualité de l'amour quotidien que vous lui vouez.

Maintenant, soyez honnête. Qu'ont révélé les miroirs ? Votre amour dans le lit conjugal est-il une sorte d'amour égoïste, qui dit en fait : « Moi d'abord » ? Ou bien l'amour que vous éprouvez pour votre femme vous amène-t-il à lui apporter la satisfaction sensuelle dont elle a besoin ?

On a dit qu'il n'y a pas de femmes frigides, mais seulement des hommes maladroits. Bien sûr, il y a des exceptions, mais un nombre inquiétant de mariages malheureux viennent aujourd'hui à l'appui de cette affirmation. L'égoïsme ou l'ignorance de la part du mari *peut* finalement conduire la femme à détester les contacts sexuels.

Le secret, pour éviter pareille misère conjugale, est double :

Tout d'abord, assurez-vous que l'amour *agape* sincère habite votre cœur, même au lit. *Agape* est cette qualité d'amour qui ne se laisse pas démonter qui trouve autant de plaisir à donner qu'à recevoir. Lié à un *Eros* qualifié (amour sensuel) *agape* est certain de débarrasser la vie sexuelle de tout égoïsme.

Deuxièmement, sachez ce qui plaît à votre femme en matière de stimulation sexuelle *et faites-le.* Comme pour toutes les autres phases de la séduction, elle aura ses petits secrets sur ce qui la prépare le mieux à l'orgasme, et le moment où cela doit se faire. C'est pourquoi il est important de connaître *la personne,* et pas seulement la méthode.

Mais, comme c'est le cas pour la séduction, il y a aussi quelques principes de base sur les réactions féminines, et sur lesquels la plupart des femmes sont d'accord. Pour explorer convenablement ces principes, nous envisagerons l'acte sexuel dans chacune de ses cinq phases.

Première phase
Préparation

Que faut-il préparer ? Tout d'abord, *son esprit.* Si vous avez utilisé quelques-unes des suggestions du dernier chapitre, vous êtes déjà bien parti vers la phase de préparation d'un acte sexuel réussi. *Prenez donc le temps de la préparer !* Faites en sorte que le passage des pensées quotidiennes aux pensées érotiques soit à lui couper le souffle. Ceci fera que son esprit sera fixé sur vous, ou sur le menu du dîner de demain.

Il est une chose que presque toute femme désire quand elle fait l'amour, c'est d'être sûre d'avoir de l'intimité. (Il faut que les enfants apprennent à respecter une porte fermée comme faisant partie de l'intimité familiale.) Vous pouvez mettre des lumières tamisées dans le boudoir en apportant les bougies allumées, ou en installant des variateurs dans vos interrupteurs (cependant, ne vous mettez *pas* à en installer un *maintenant*). Et c'est le moment, plus que jamais, de décrocher le téléphone. Il n'y a rien de plus anti-extase que d'avoir un appel de la Présidente du club de vente de gâteaux pour l'église juste au moment où les choses deviennent intéressantes.

On n'insistera jamais assez sur le fait qu'il faut préparer sa femme *lentement mais progressivement* à ce moment d'union si on veut être un séducteur habile. Ceci est particulièrement vrai au moment crucial où la préparation devient...

Deuxième phase
Jeux amoureux

C'est la phase qui, messieurs, décide du succès ou de l'échec de l'orgasme féminin. Venez-y dans un esprit de générosité.

L'HOMME TOTAL

Au cours de ces jeux amoureux, le mot d'ordre essentiel est : *la tendresse*. Ceci implique un dialogue ininterrompu entre vous deux sur ce qui favorise ou nuit à l'excitation. La tendresse exclut la possibilité de saisir sauvagement les seins et de les pétrir, ou de malmener tout autre zone érogène, ou de mettre son coude n'importe où. Tandis que son degré de ravissement s'élève, la pression exercée peut être progressivement augmentée, surtout au niveau du clitoris, mais pas dès le début. Abordez les jeux amoureux avec toute la tendresse de paroles et de gestes qui vous a conduit jusque-là.

L'objectif final des jeux amoureux est de stimuler le *clitoris,* ce petit organe érectile et sensible qui se trouve juste au-dessous des lèvres de la vulve.

Le clitoris est l'équivalent féminin du pénis mâle, celui qui devrait vous en dire long sur sa façon de réagir à une stimulation bien faite. Bien qu'il n'y ait pas d'éjaculation, la stimulation le gonfle de sang et il grossit sous l'action de l'excitation sexuelle, c'est de lui que dépend son orgasme.

Mais ne faites pas l'erreur d'aller directement à l'objectif final. Faute d'une pré-excitation suffisante, la vulve et le clitoris peuvent être trop sensibles au toucher et votre hâte pourrait causer plus de malaise que de joie.

Le mari qui recherche le modèle idéal de jeux amoureux sensuels ne peut se tromper en lisant la citation qui ouvre ce chapitre : « Sa main gauche est sous ma tête », dit la femme dans la chanson de Salomon, « et de sa main droite, il me caresse ». Le mari est allongé près de sa femme, apparemment, et il peut facilement la câliner de sa main droite. La femme, sur le dos, a les deux mains libres pour caresser le pénis de son mari. C'est une bonne idée, qui permet toutes sortes de stimulations mutuelles possibles.

Presque tout le corps féminin répond à l'effleurement amoureux, mais il y a plusieurs « zones érogènes » qui peuvent l'exciter davantage. Utilisez cette main libre pour

DONNEZ SATISFACTION A VOTRE FEMME

caresser *lentement et doucement* ces zones, tout en descendant vers le clitoris :

Les paupières : Quand elle a les yeux fermés et que vos mains sont occupées ailleurs, couvrez doucement ses paupières de baisers. L'un des favoris (qui entraîne habituellement un petit gloussement) est le « baiser papillon », qu'on ne fait pas avec les lèvres mais avec les cils. Battez simplement des cils sur ses paupières fermées, et vous verrez ce que je veux dire.

Les oreilles et les lobes : Chez certaines femmes, ces chatouillements sont plutôt amusants que stimulants ; alors, assurez-vous que votre femme apprécie cela. Le dicton populaire : « Souffle-moi à l'oreille, je te suivrai où tu voudras » a pris une signification sexuelle à juste titre : quand elle entend (ou sent) la progression de votre excitation dans votre respiration, l'ivresse est transmise à son cerveau par son canal auditif. Si elle semble aimer cela, combinez les caresses, les petits mordillements et les coups de langue sur le lobe.

La bouche. Vous aurez envie de revenir à cette zone érogène pendant les jeux amoureux et les rapports. La gentillesse est encore à la mode, encore que, au fur et à mesure que les passions s'amplifient, ses lèvres deviendront plus expressives grâce aux vôtres. Attention à bien poser vos lèvres sur les siennes de façon à éviter de la blesser avec vos dents. Ne lui faites *jamais* de petits bisous, comme si vous étiez en retard pour le bureau, ne lui donnez pas non plus un baiser si long qu'elle ne puisse plus respirer. Mêlez les doux baisers affectueux et les baisers plus appuyés.

Le cou. Le souffle, les baisers-papillons et les baisers affectueux à cet endroit, lui donneront des sensations similaires à celles que lui fait éprouver l'oreille.

Les seins. Les femmes réagissent de façon très différente à la stimulation des seins, mais la plupart d'entre elles admettent que c'est un endroit qui vaut la peine que le mari s'y attarde. Tandis que je ne suis pas d'accord avec toutes les opinions du Dr Alex Comfort, son passage sur

L'HOMME TOTAL

« Les Seins » dans *The Joy of Sex* nous apprend ce qu'est l'opinion d'une femme :

Elle dit : « Les hommes ne comprennent toujours pas au sujet des seins, ou bien ils sont trop pressés de descendre plus bas ; contrairement à celles des hommes, les pointes des seins féminins sont directement liées au clitoris... Les caresses avec les paumes, les baisers-papillons, les coups de langue... peuvent faire des merveilles. Les orgasmes qu'on peut obtenir de cette façon bouleversent l'esprit, sans porter atteinte le moins du monde aux rapports qui doivent suivre. *S'il vous plaît, prenez votre temps.* »

Le ventre : Octroyez-lui un léger massage et un doux baiser en descendant vers...

... *Les cuisses* : C'est l'endroit où, par de légers baisers et les caresses de la main, en passant lentement de l'intérieur d'une cuisse à l'intérieur de l'autre, vous la ferez frissonner de délice. Petit à petit, accentuez votre flirt avec les lèvres de sa vulve en caressant doucement cet endroit de vos doigts. Après quelques minutes, son clitoris devrait brûler de désir d'être stimulé directement. Le moyen le plus simple de le localiser est de placer votre paume sur son ventre, les doigts vers le bas, et de descendre la main vers le bas jusqu'à ce que votre majeur atteigne le milieu du mont de Vénus. Grâce à une légère pression, vous sentirez la protubérance durcie du clitoris du bout des doigts. (Si vous avez des difficultés à le trouver, demandez à votre femme de guider votre main.)

L'expérience vous dira quelle intensité de pression ou de caresse convient le mieux à votre femme, mais il est une chose agréable avec le clitoris, c'est qu'il a un plafond de douleur bien plus élevé que le pénis. Certaines femmes préfèrent la douceur ici aussi ; mais la plupart préfèrent de loin une stimulation appuyée, par un mouvement de haut en bas (ou d'un côté à l'autre) du bout du doigt.

Il est cependant une règle importante : évitez de prolonger trop longtemps le même genre de manipulation, car le clitoris peut devenir insensible si on abuse des bonnes choses. Vous pouvez entretenir sa lubrification en glissant parfois le doigt entre les lèvres du vagin, là où son corps fabriquera lui-même sa propre substance lubrifiante à ce moment-là.

Le Dr Comfort indique une technique supplémentaire pour la préparer à l'orgasme, et qui, chez certaines femmes, peut intensifier le plaisir (mais prenez la précaution d'en discuter avec votre femme d'abord, et d'expérimenter avec tact) :

> Pour préparer votre femme, aussi bien que pour provoquer l'orgasme, mettez la main à plat sur la vulve, le majeur entre les lèvres, le bout entrant et sortant du vagin, pendant que la paume appuie fort juste au-dessus du pubis. C'est probablement la meilleure méthode. Un rythme régulier est prépondérant, adaptez-le aux mouvements de ses hanches...»

Vous pouvez amener votre partenaire à l'orgasme grâce à la seule stimulation habile du clitoris et du vagin (rappelez-vous cela *au cas où* vous auriez une éjaculation prématurée, ou bien pour lui donner deux ou trois orgasmes, pour un chez vous). L'introduction du pénis n'est pas tellement nécessaire à l'excitation du clitoris, car il y a une certaine distance entre le clitoris et l'entrée du vagin. Le mari qui est perplexe parce qu'il stimule difficilement le clitoris de sa femme par son pénis peut être sûr qu'il n'est en rien « anormal ». En fait, le pénis est à peu près aussi efficace qu'une genouillère. C'est la raison pour laquelle le Créateur a dit : « et de sa *main* droite, il me caresse » dans son guide.

Le dialogue intime verbal ne devrait jamais cesser au cours des jeux amoureux ou des rapports, bien qu'il soit compréhensible que vos paroles deviennent petit à petit des exclamations, plutôt que des murmures. Mais continuez à l'assurer, du mieux que le peut votre esprit enflammé, que vous l'aimez, que vous aimez son corps, que vous aimez ce moment passé ensemble. Il faut qu'elle se sente libre d'exprimer des sentiments semblables à votre égard, ainsi que différentes indications techniques qui vous feront savoir si vous stimulez les bons endroits. Et comme nous le verrons bientôt, le dialogue joue aussi un rôle vital dans chacune des trois phases qui suivent.

Troisième phase
Pénétration

Il n'y a qu'un seul bon moment pour faire pénétrer votre pénis en érection dans son vagin, *c'est le moment où elle est prête à vous recevoir.* La pénétrer avant qu'elle ne soit suffisamment excitée pour lui causer quelque désagrément à cause d'une lubrification insuffisante, et cela augmentera aussi le risque d'une éjaculation prématurée de votre part. Décidez ensemble et d'avance, qu'elle vous préviendra de l'instant où elle se sentira prête pour la pénétration, tant mentalement que physiquement.

Quatrième phase
Orgasme

Il est un mythe qui plane depuis longtemps au-dessus des lits conjugaux et selon lequel un acte sexuel vraiment satisfaisant implique *un orgasme simultané,* dans lequel l'homme et la femme atteignent l'extase au même moment. La vérité c'est que, si l'orgasme simultané est agréable, il n'est en rien nécessaire à la satisfaction totale. Il n'est pas aussi fréquent non plus que certains voudraient nous le faire croire.

Le but à atteindre aux cours des rapports sexuels, c'est *l'orgasme mutuel,* par lequel l'homme et la femme éprouvent cette nette détente sexuelle. Pour atteindre cet objectif, vous voudrez peut-être revoir quelques notions de base sur la façon dont la femme réagit.

DONNEZ SATISFACTION A VOTRE FEMME

On en sait beaucoup plus sur l'orgasme masculin que sur l'orgasme féminin. Quand nous atteignons l'orgasme, il y a éjaculation de fluide séminal qui, s'il n'est pas recueilli dans le vagin, peut être projeté à une distance de trente à soixante centimètres. Un violent spasme musculaire accompagne l'éjaculation et culmine en de grands coups de pelvis. Après l'orgasme, il faut entre vingt minutes et un à deux jours, à la plupart d'entre nous pour récupérer et être prêts pour une seconde érection et un second orgasme.

Il est bien plus difficile d'exprimer ce qu'est l'orgasme féminin. Dans : *Reproduction, Sex, and Préparation for Marriage,* les auteurs déclarent :

> Les femmes qui ont vécu un orgasme sont à peu près aussi capables de le décrire en termes physiques que pourraient l'être les hommes, s'il n'y avait pas d'éjaculation à décrire. L'orgasme féminin produit des contractions au bord du vagin, avec, peut-être, des spasmes des muscles du vagin. L'utérus se déplace légèrement vers le haut. Il y a un relâchement général du corps, des organes génitaux et de la tension émotionnelle ; elle éprouve le besoin de montrer de la tendresse et de l'affection à son partenaire.

Bien que l'expérience soit difficile à décrire, il est bien connu que *les possibilités* d'orgasme de la femme sont bien supérieures à celles de l'homme. Elle peut éprouver des orgasmes *d'intensités différentes.* Et, entre les orgasmes, elle n'a pas besoin d'autant de temps qu'un homme, en fait, on a connu des femmes capables d'avoir trois ou quatre orgasmes, ou plus, en quelques minutes.

Le fait que les hommes aient besoin de plus de temps que les femmes pour récupérer devrait nous amener à la méthode qui s'impose : *essayer de l'amener à l'orgasme la première.* Si elle atteint l'extase avant vous, vous pouvez pousser et vous enfoncer autant que vous voulez pour la rattraper. Pendant ce temps, il est possible qu'elle atteigne encore un ou deux orgasmes.

Mais si jamais *vous* éjaculez avant son orgasme, vous ne serez pas bon à grand chose pendant un certain temps. Quand le pénis devient mou, continuer les mouvements du pelvis peut être assez peu confortable.

Pour éviter de jouer aux devinettes, en matière de sexualité, *parlez-vous* pendant les jeux amoureux et les rapports. Si les caresses de sa main vous ont amené au bord de l'orgasme trop tôt, dites lui (d'une façon affectueuse et élogieuse) que vous êtes à la limite. Ceci devrait l'inciter à réduire la stimulation pendant un certain temps, et vous devrez utiliser cet instant d'accalmie pour continuer à l'exciter. Si vous êtes déjà en elle, vous pouvez retarder ce grand moment en vous arrêtant quelques secondes, immobile, ou en adaptant vos mouvements corporels de façon à ce que le contact se fasse à la *base* du pénis (frottant contre le clitoris) plutôt qu'au niveau du *gland* ultra-sensible.

Il faudrait alors qu'elle vous prévienne lorsqu'elle sent venir *son* orgasme, en disant tout simplement : « Je viens... » Ces mots seront pour vous une douce musique, car ils témoignent de ce que vous avez bien tenu votre rôle.

Quels que soient vos efforts, cependant, il peut y avoir des jours où vous ne pourrez vous empêcher d'avoir un orgasme avant elle (pour des raisons évidentes, l'objectivité de chacun dans ces conditions est quelque peu embrumée). Si vous éjaculiez prématurément,* *ne la frustrez pas*

* Si les éjaculations prématurées devenaient systématiques, votre femme et vous pouvez résoudre ce problème par un travail d'équipe, fait dans l'amour, et avec patience. Comme pour tout autre problème de sexe, la pire chose à faire est d'abandonner. Procurez-vous *Human Sexual Response* de Masters et Johnson, qui indique en détail comment un couple peut, ensemble, remédier à l'éjaculation prématurée, à l'impuissance, à la frigidité, etc. Peu de difficultés sexuelles relèvent directement des organes, et par conséquent il y en a encore moins qui ne peuvent être surmontées grâce aux tentatives et à la compréhension mutuelles.

en l'abandonnant au bord de l'orgasme. Ayez immédiatement recours à la stimulation manuelle et digitale du clitoris et du vagin, car elle peut encore atteindre un orgasme
satisfaisant grâce à ce second effort amoureux.

Cinquième phase
Soleil couchant

C'est peut-être le moment où elle a le plus besoin d'être
tendrement rassurée, peut-être plus qu'à tout autre moment du mariage. C'est aussi le moment où un nombre
déprimant de maris se retournent et s'endorment. Ne mi-
nimisez pas l'importance « du soleil couchant », pour elle,
il fait partie de l'acte d'amour autant que l'orgasme lui-
même.

Serrez-la dans vos bras, étendus tous deux dans ce
bien-être complet que rien ne bouscule. Dites-lui combien
ne faire « qu'un » avec elle est merveilleux. Couvrez-la de
doux baisers en la remerciant de vous avoir tout donné
d'elle-même. Continuez à la toucher et à la caresser, elle
appréciera votre gentillesse et votre affection plus que jamais.

Comme le disent les auteurs de *Reproduction, Sex and
Preparation for Marriage, « c'est le moment où la femme
fait provision de force, de sécurité et de sérénité grâce à
l'amour que lui voue l'homme ».* (Les commentaires en italique sont de moi). Alors, restez éveillé. Faites-lui savoir
que vous ne donneriez cette dernière heure pour rien au
monde.

C'est ainsi que se passe l'acte sexuel qui apporte l'épanouissement mutuel, c'est le plus beau et le plus satisfaisant tableau de l'amour conjugal que Dieu ait pu créer.
Bien sûr, il y a des jours où l'un des partenaires n'a pas envie de faire l'amour, incident tout à fait normal qui n'a aucune raison de vous inquiéter. Mais si ce partenaire voit
que le conjoint a besoin de détente sexuelle, il ne doit pas
hésiter à lui proposer de le stimuler jusqu'à l'orgasme. Le

conjoint ne doit pas non plus être trop égoïste quand on l'excite de cette façon, car voilà le but du mariage : *répondre aux besoins de l'autre. L'aimer. Le satisfaire.*

Je n'ai pas l'intention de vous faire suivre les conseils de ces chapitres comme des lois absolues. Ce serait comme de vous demander de garder votre code à la main pour vous y référer sans cesse pendant que vous foncez sur l'autoroute.

Je suggère plutôt que vous utilisiez ces principes pour *vous libérer* de la monotonie qui a pu s'installer dans votre vie sexuelle conjugale. Utilisez-les pour apporter à votre femme l'épanouissement qu'elle mérite lorsque vous exprimez de façon émoustillante votre engagement et votre amour.

21 # 101 façons de faire en sorte que votre femme se sente exceptionnelle.

N'est-ce pas là le vrai sentiment romantique : ne pas désirer échapper à la vie, mais empêcher la vie de vous échapper ?

THOMAS WOLFE

Je viens de lire l'histoire d'une jeune femme économe qui s'inquiétait de la prodigalité dont son amoureux faisait preuve envers elle. Après un dîner coûteux, elle demande à sa mère : « Comment puis-je empêcher Tom de dépenser autant d'argent pour moi ? »

Sa mère lui répondit : « Epouse-le ! »

Généralité de mauvaise foi ? Ou bien commentaire intuitif sur l'état d'homme marié qui, après une cour éblouissante et la conquête, se transforme en Don Juan décrépit ? Pourquoi laissons-nous souvent la courtoisie princière, les cadeaux romantiques et les clins d'œil séducteurs disparaître dans le train-train quotidien ?

Il est vrai qu'après avoir vécu plusieurs années avec elle, et après avoir été témoin de certains moments peu reluisants, le Roméo aux yeux doux s'abandonne à un amour plus rationnel et moins émotionnel. C'est normal.

Mais la femme est une créature romantique. En même temps que cette intuition étrange et cette tournure d'esprit que vous seriez stupide d'ignorer, Dieu a donné à votre femme ce grand désir d'être aimée et d'être constamment *assurée* de cet amour.

Voilà pourquoi le mariage ne devrait pas sonner le glas de la cour que vous lui faites, mais au contraire, il doit en célébrer le début.

Aussi ravies que soient les femmes lorsqu'elles entendent les mots : « Je t'aime », elles préfèrent voir des *expressions* de cet amour. Le petit cadeau plein de délicatesse qui dit: « Je pensais à toi aujourd'hui. » Le dîner aux chandelles, en tête à tête, qui lui dit : « Tu es ce que j'ai de plus cher au monde. » Ou simplement, mettez-vous au travail à la maison. Quand vous proposerez de l'aider à faire un de ces interminables travaux de ménage, elle saura que vous la considérez comme une femme extraordinaire.

Kathy, comme toutes les femmes, est émerveillée par « les petites choses ». Et comme je n'ai pas autant besoin qu'elle d'être rassuré, j'ai toujours eu tendance à garder mes explosions de romantisme pour les grandes occasions : anniversaires de mariage, anniversaires ou St Valentin. De plus, est-ce que je ne finirais pas par être fauché si j'étais trop souvent romantique ?

Heureusement, je ne suis pas resté ignorant trop longtemps. Un jour, je suis allé prendre le café au « drugstore » avec un ami qui avait onze ans de mariage de plus que moi. Lowell regardait le rayon des parfums, de plus en plus enthousiaste. « Pammy *adore* ce truc », dit-il, « ce sera amusant de lui en faire la surprise ». En regardant Lowell choisir et acheter ce flacon de parfum pour sa femme, je voyais bien qu'il se réjouissait d'avance.

Ça m'a donné une idée. « Allons à côté chez le fleuriste », lui dis-je. Ce n'était même pas notre anniversaire de mariage. Et nous ne nous étions pas disputés depuis trois mois. Je voulais simplement lui faire savoir que je l'aimais, que je me souciais d'elle, et que je pensais qu'elle était la plus formidable.

QUE VOTRE FEMME SE SENTE EXCEPTIONNELLE

En passant la porte ce soir-là, et en offrant mon unique rose à longue tige, je sus par les exclamations ravies de Kathy que la surprise valait mille fois la dépense. Le baiser reconnaissant et le large sourire pendant le dîner réussirent à me convaincre que je serais un éternel romantique. Le mari total libéré sait reconnaître les bonnes choses. Ce sont les « cadeaux » qui prouvent à sa femme, à ses enfants et au monde entier, qu'il est amoureux d'elle, irrévocablement et sans s'en excuser. J'utilise les guillemets parce que ces « présents » n'ont pas besoin d'emballage-cadeau. Parfois, ce peutêtre votre temps, votre aide, votre empressement à l'écouter. Mais le cadeau doit toujours, sans exception, impliquer *vos* sentiments les plus forts. Vous devez y mettre beaucoup de *vous-même*.

Je connais quelques maris intelligents qui n'ont jamais cessé de courtiser leur femme. Et tout comme le mien, leur mariage est une suite de résultats heureux. Quand je leur ai demandé de me donner quelques exemples de petites choses qu'ils aiment faire pour que leur femme se sente aimée, je ne m'attendais pas au déluge d'idées qu'ils me donnèrent. En même temps que plusieurs qui me sont personnelles, voici : « 101 façons de faire en sorte que votre femme se sente exceptionnelle ». Utilisez-les pour en trouver vous-même.

1. Commencez à lui laisser des billets doux, à l'occasion, quand vous partez au travail. Le premier pourrait être sur la table ou sur le comptoir. Puis trouvez des endroits qu'elle ne verra que plus tard dans la journée, comme le fond du panier à linge ou l'intérieur du compartiment à glaçons, etc.

2. Demandez-lui de faire une liste de réparations et d'améliorations nécessaires dans la maison. Commencez à les faire, une à une. Vous serez surpris de voir à quel point elle apprécie cette nouvelle étagère dans la réserve ou la fuite qui ne coule plus.

3. Si elle est dans la pièce d'à côté, en train de coudre, de lire ou de travailler allez-y et prenez-la dans vos bras, donnez-lui un gros baiser. « Je me suis déplacé spéciale-

ment pour venir t'embrasser » amène toujours un sourire.
   4. Videz la poubelle sans qu'elle vous le demande.
   5. Dites-lui que ses coups de téléphone sont *toujours*
les bienvenus pendant que vous êtes au bureau. J'ai eu
une fois un patron qui prenait toujours les communications de sa femme, même pendant une réunion. A plusieurs reprises, mes collègues et moi écoutions, assis, tandis qu'il mettait un terme à une conversation sur un : « Je
t'aime, Chérie », sans aucune gêne. Je l'en respectais. Et
je suis sûr que sa femme était fière de savoir qu'il considérait qu'elle avait « la priorité absolue ».
   6. *Ecoutez*-la quand elle vous parle. Regardez-la dans
les yeux, et ne regardez pas votre assiette ou la télévision.
Réagissez de façon *positive* à chaque fois que vous le
pouvez. Montrez-lui que vous vous intéressez à ce qu'elle
a à dire.
   7. Téléphonez-lui du travail, simplement pour lui dire
combien vous l'aimez. Interdit de parler d'affaires.
Donnez-lui cet instant exceptionnel et inattendu, prélevé
sur votre temps, et laissez le problème de la garde des enfants, du courrier ou de la facture d'électricité pour un
autre appel.
   8. Dites-lui : « Tu es ma meilleure amie. » Si c'est *Joe*
qui est votre meilleur ami, ne lui racontez pas d'histoires.
Mais je vous suggère de choisir une de ces deux solutions : quittez votre femme et épousez Joe, ou bien passez
plus de temps de qualité avec votre femme (vous vous
apercevrez que la deuxième est bien plus payante).
   9. Continuez à lui donner « rendez-vous » pendant tout
le temps de votre mariage. Donnez-lui rendez-vous vendredi soir et dites-lui que vous passerez vers huit heures.
Trouvez quelqu'un pour garder les enfants. Le grand soir,
après vous être habillé, sortez en douce de la maison et
venez la chercher à la porte. Puis, en l'accompagnant à la
porte ensuite, coincez-la et laissez tomber timidement :
« Puis-je entrer ? » Ce qui suivra dépend de vous.
   10. Libérez-la fréquemment de la vaisselle. Quelle que
soit ma fatigue après une journée de travail, je sais que

QUE VOTRE FEMME SE SENTE EXCEPTIONNELLE

Kathy est aussi crevée. Elle adore que je lui dise : « Chérie, je vais faire la vaisselle, pourquoi ne te reposes-tu pas un peu ? Tu le mérites. »

11. Ecrivez-lui des poèmes. Il n'est pas nécessaire que vous soyez Rod Mc Kuen, il suffit d'exprimer simplement vos sentiments sur quelque chose qui vous touche de près l'un et l'autre. Une récente promenade dans les bois. Une dispute, qui, une fois réglée, vous a rapprochés. Ce que vous voyez en elle : l'amour, la beauté, les dons. Quand une femme reçoit un poème original de celui qui l'aime, la dernière chose à laquelle elle pense est la critique littéraire. Cela vient de *vous,* vous y avez consacré et révélé une partie de *vous même* à son intention. Il n'est rien qui puisse autant émouvoir une femme.

12. Faites-lui la surprise d'un petit déjeuner au lit. Et pas seulement le jour de son anniversaire ou de la Fête des Mères. Si elle demande : « En quel honneur ? » alors que vous lui arrangez l'oreiller, souriez et dites : *« Rien de particulier, je t'aime, tout simplement. »*

13. Attention à votre habitude bien masculine de plaisanter sur l'intelligence des femmes, les femmes au volant, les commères, les femmes quand elles font les courses. Elle est femme elle-même, et ces calomnies sans fondement la dénigrent elle aussi. Si telle est votre habitude, mettez-y un terme.

14. Eloignez la fréquemment de la maison et des enfants. Un de mes cousins est courtier en assurances, et il est devenu un mari très intelligent. Chaque mercredi après-midi, il rentre à la maison s'occuper des enfants pendant que sa femme fait une longue promenade à bicyclette, une heure de lèche-vitrine, ou bien une visite tranquille à la bibliothèque. Sortir est pour elle une bouffée d'air frais. Pour lui, c'est du temps qu'il passe agréablement avec les enfants, et il n'échangerait pas cet après-midi à la maison contre la commission que lui rapporteraient cent contrats d'assurances. Si vous ne pouvez vous libérer pendant la journée, pensez à une soirée par semaine, ou peut-être au samedi matin.

15. Ne critiquez pas ses parents ou sa famille. Accordez-leur le bénéfice du doute, comme vous voudriez qu'elle le fasse à l'égard des *vôtres*.

16. Faites un calendrier personnel des « jours exceptionnels » de vos relations, et organisez des surprises pour les fêtes. On s'attend aux anniversaires de mariage, aux anniversaires, à la Fête des Mères et à Noël, mais imaginez à quel point elle serait ravie si vous preniez l'initiative de fêter l'anniversaire de votre premier rendez-vous, de vos fiançailles, de la fin de l'hypothèque, etc.

17. Quand les enfants sont à l'école, téléphonez-lui et convenez de vous retrouver pour le déjeuner, ou pour une pause-café prolongée. Utilisez ce temps pour parler de votre vie commune, des projets au sujet de la famille ou de l'avenir, ou de tout ce qu'elle a à l'esprit. Cela lui remontera le moral de voir qu'une fois encore, au milieu d'une journée bien remplie, vous la considérez toujours comme étant de première importance.

18. Aidez-la à faire le courrier de la maison.

19. Respectez ses amis, et faites preuve d'intérêt en demandant à les connaître. Si Irène, la voisine, vient la voir, ne quittez pas la pièce et n'allez pas vous recroqueviller en face de la télévision.

20. Si vous lui accordez un budget style « jambon-salade », ne vous plaignez pas si on ne vous sert pas d'entrecôte. Ou bien vous lui donnez plus d'argent à dépenser en nourriture, ou bien commencez dès à présent à apprécier le fait qu'elle fait preuve d'imagination, autant que le lui permettent ses moyens.

21. Après qu'elle ait passé une dure journée à la cuisine, servez *la* pendant le repas. Beaucoup d'épouses, et la plupart des mères, sont obligées de manger froid parce qu'elles quittent sans arrêt la table pour subvenir aux besoins de chacun. Que votre femme s'asseoie et apprécie les mets pendant que vous allez chercher une autre serviette pour le petit, ou du thé glacé pour vous. Et si vous ne le faites pas encore, vous pourriez commencer à impo-

ser cette règle familiale : Chacun (y compris Papa) débarrasse son couvert de la table.

22. Suite du 21 : Lavez vos propres assiettes après un « en-cas ».

23. Quelquefois, le samedi matin,* ou un jour de semaine si vous pouvez vous arranger écrivez : « Allons au parc d'attractions aujourd'hui », ou bien : « Allons à la plage, nous deux, tous seuls », sur un bout de papier, glissez-le dans une petite boîte et faites-en un paquet-cadeau. Offrez-le lui, accompagné d'un baiser, au petit déjeuner.

24. Quand vous êtes ensemble à une soirée ou à une réunion, retenez son regard d'un clin d'œil ou d'un sourire. Le fait de flirter avec elle en public l'assure que, de toutes les femmes présentes, elle est celle qui vous importe le plus.

25. A cette même réunion, prenez-la par la main, et murmurez-lui à l'oreille : « *J'ai hâte* de te ramener à la maison... » Elle peut faire semblant d'être gênée, mais au plus profond d'elle-même, elle sera enchantée.

26. Ne la comparez *jamais* à d'anciennes petites amies, à votre sœur, à maman ou à qui que ce soit.

27. Voilà une idée valable : quand vous lui dites : « Je t'aime », donnez-lui une *raison* particulière. Regardez son visage s'illuminer tandis que vous décrivez ce qui, en elle, vous enchante.

28. Restez à l'affut des choses particulières qu'elle aime faire : aller au théâtre, au concert, au cinéma, en pique-nique, etc. et prenez l'initiative de faire ces choses ensemble. Un de mes amis, assez malin, garde un carnet dans lequel il note :

La couleur favorite de Diane : le bleu.

Elle aime les ballets, les roses et le football.

A toujours voulu faire des randonnées.

Au cours des années, il sortait une de ces remarques et la mettait à exécution. La réaction de Diane est toujours : « Comment savais-tu que j'avais toujours eu envie de faire cela ? »

29. Veillez à ce que la voiture soit toujours en bon état. Alors que certaines des femmes contemporaines deviennent de bons mécaniciens de leur propre chef, la plupart sont encore complètement désorientées quand le truc sous le machin fait p-f-f-f-t-t. Et, même si votre femme ne voit aucun inconvénient à se servir à la station-service, elle préfèrerait ne pas le faire quand elle porte un ensemble élégant. Les vapeurs d'essence ne vont pas avec le Channel n° 5.

30. Faites le lit le matin pendant qu'elle est dans la salle de bain, ou pendant qu'elle prépare le petit déjeuner. Une petite tâche rayée de la liste par un mari attentionné lui fera commencer la journée de meilleure humeur. Mais attention : Rappelez-vous quel jour vous êtes. Un de mes amis s'était récemment affairé dans la pièce, faisant le lit pendant que sa femme était à la cuisine. Comme il s'asseyait pour le petit déjeuner, impatient de voir la surprise de sa femme, elle dit à leur jeune fils : « Jimmy, peux-tu aller retirer tous les draps des lits, vite. Si je peux me dépêcher et faire la lessive... »

31. Priez ensemble. Rien ne donnera plus de sécurité à votre femme que de savoir que vous vous consacrez entièrement à Dieu. Allez vers lui ensemble pour lui rendre grâces, le louer, et lui demander une solution à vos problèmes.

32. Tandis que vous priez ensemble, prenez sa main et remerciez Dieu de vous l'avoir donnée comme épouse. Si vous la regardez du coin de l'œil (je ne pense pas que Dieu vous en voudra), vous verrez qu'elle sera probablement en train de sourire.

33. Surveillez les petites choses que vous pouvez faire à la maison et qui rendront sa tâche moins lourde. Si vous terminez le lait en poudre, préparez-en d'autre. Si vous terminez le jus d'orange, faites-en d'autre. Remplacez le rouleau de papier hygiènique. Enlevez une toile d'araignée.

34. Donnez à manger au chien.

35. Donnez à manger au bébé.

QUE VOTRE FEMME SE SENTE EXCEPTIONNELLE

36. Changez les couches (du bébé).

37. Si le petit a découvert le truc qui consiste à réclamer Maman en hurlant en pleine nuit, laissez Maman se reposer. Avec le petit derrière elle toute la journée, elle le mérite. Occupez-vous de lui. La fermeté de Papa réussit souvent à convaincre le petit qu'il n'a pas besoin de brailler, après tout.

38. Si vous devez avoir de la visite et qu'elle est débordée, proposez de l'aider si vous le pouvez.

39. Prenez l'initiative de laver les carreaux ou de cirer le plancher. N'est-ce pas étonnant que cirer le sol de la cuisine est catalogué dans notre esprit comme un travail strictement féminin ? Je suppose que la plupart des hommes ne savent pas à quel point ce travail est dur. Un de ces jours, essayez donc. Peu importe ce que peuvent en penser vos amis, vous êtes libéré de cela, rappelez-vous !

40. Suspendez les serviettes de toilettes et les vêtements quand vous avez fini de vous en servir. J'ai réussi à éviter à Kathy de beaucoup se baisser, ce qui arrive quand une femme doit ramasser les affaires de son mari. Mais j'ai encore un point faible : les chaussures. Je ne peux les supporter aux pieds plus qu'il ne faut. Donc, quand je rentre, les chaussures volent et atterrissent bruyamment, habituellement près du fauteuil du salon. Et ça n'est souvent que lorsque je vois Kathy se baisser pour prendre mes chaussures et les porter dans la penderie, que je me rends compte que j'ai encore beaucoup de chemin à parcourir dans le domaine de la susceptibilité. Il n'y a aucune raison qu'une jolie femme soit obligée de se baisser constamment pour ranger mon propre désordre.

Trois surprises qui seront pour elle comme une bouffée d'air frais :

41. « Allons dîner quelque part. »

42. « Allons t'acheter une nouvelle robe. »

43. « Partons pour le week-end, rien que nous deux. »

44. Si elle est au régime ou si elle s'est mise à faire de la gymnastique à outrance, *encouragez-la.* Les grosses plaisanteries sont tout à fait mal venues. Si vous consta-

tez une amélioration, aussi infime soit-elle, faites-lui en la remarque. «Chérie, ça va de mieux en mieux.», provoquera un sourire et renforcera sa détermination. En passant, le meilleur moyen de l'encourager est de *vous* y mettre aussi.

Et pendant que nous y sommes, à propos d'encouragement :

45. Consacrez-vous à *construire* plutôt qu'à *détruire*. Je connais d'innombrables foyers et d'innombrables amours que les traits acérés de l'insulte empoisonnent. La «claque» est l'outil de celui qui manque d'assurance et qui heurte les sentiments de l'autre, simplement pour attirer l'attention sur son «esprit». Cela la blesse, même si elle en rit. Il n'est pas de sourire, de gloussement ou de : «Je plaisante, Chérie» qui puisse apaiser l'offense intérieure.

Souvent, le mari rabaisse sa femme, parce que c'est sa façon la plus créative de rendre la pareille à sa femme qui a pu faire quelque chose de mal. Ce n'est pas forcément verbal : ce peut être un regard méprisant, un soupir impatient qui dit, en fait : «Je souhaiterais que tu sois n'importe quoi d'autre.» Il est peu de choses qui démolissent les fondations d'un mariage plus rapidement que l'époux «Je vaux mieux que toi» qui passe sa vie à vous chercher des poux dans la tête. Ne le faites pas !

C'est cela *construire,* construire une fondation qui résistera à tout orage et à tout tremblement de terre ultérieurs. Un époux qui ne pense qu'à construire admet que tout un chacun a ses défauts, et partant de là, il ne cherche que ce que les autres ont de bon. Il a le compliment facile et n'aime pas se plaindre. Faites-le !

A l'intention des maris qui ont l'impression que ces paragraphes s'adressent à la mauvaise moitié de la vie conjugale, une suggestion qui vaut la peine qu'on la retienne : l'acte de participer à la «construction» de quelqu'un d'autre est toujours contagieux. Si votre femme est coupable quand il s'agit de s'entre-déchirer, ne lui rendez pas la pareille. Cela semble être l'attitude la plus naturelle, c'est aussi celle qui trahit le plus la faiblesse. Réagissez positivement. Souriez. Soyez constructif. Si vous concentrez votre attention sur les qualités admirables que peut avoir votre femme, elle essaiera encore plus d'être à la hauteur de ce que vous dites d'elle. Et petit à petit, elle commencera à comprendre à quel point il est agréable d'être constructive aussi.

46. *Baissez* la lunette des toilettes quand vous avez fini de vous en servir.

47. Envisagez des loisirs et des sports qui les feront participer, elle et les enfants. La soupape de sécurité a son importance pour l'homme contemporain qui fait huit heures-cinq heures, mais l'atelier ou le terrain de golf peut devenir une obsession, donc une barrière vous empêchant de passer du temps avec les vôtres ou de leur parler. Ce n'est pas nécessaire. Les plus grands moments d'intimité que j'ai eu avec les miens, en grandissant, c'était les instants de détente. Mon père avait toujours su la valeur du camping en famille, il savait à quel point montrer à ses fils comment construire un abri pour les oiseaux, une niche ou des voitures de courses avec des boîtes à savon dans l'atelier, pouvait être instructif.

48. Si vous êtes celui qui s'emporte dans la famille, aidez-la à participer à la conversation. Quand nous sommes avec des amis, j'ai tendance à dominer ce qu'a à dire le clan Benson dans la conversation, ne permettant même pas à Kathy de donner son opinion sur le sujet. Elle réfléchit toujours un moment avant de parler. Je parle souvent avant de réfléchir. Mais je me rends compte qu'elle est intérieurement ravie lorsque je lui demande de faire connaître son point de vue. « Et *toi,* qu'en penses-tu chérie ? », montre que vous pensez que son opinion a de l'importance.

49. Dites souvent à vos enfants combien vous aimez leur mère. Qu'ils le voient chaque jour par vos actions. Si vous la traitez comme une reine, ils voudront le faire aussi.

50. Prévoyez avec les enfants des façons créatives de surprendre Maman : le petit déjeuner au lit, la maison nettoyée pendant qu'elle est sortie, un cadeau exceptionnel,

le restaurant. Que ce soit eux qui offrent. Ce sera un agréable moment familial, et elle sera fière des talents de père dont vous faites preuve.

51. Décrochez le téléphone avant et pendant le dîner. Chez nous, le moment du dîner est consacré à la famille, et malheur au représentant qui l'interrompt par un grossier coup de fil.

52. Au cours des années, continuez à lui prendre la main. C'est une de ces petites choses dont les femmes ne se fatiguent jamais. Lorsque vous êtes assis, ou que vous marchez ensemble, cherchez sa main, et serrez-la dans la vôtre.

53. *Exception :* Evitez ce qui est recommandé ci-dessus quand elle fait sécher son vernis. Votre affection ne sera pas appréciée à sa juste valeur.

54. Si vous aimez ce qu'elle porte, dites-lui « *Tu* mets cela très en valeur. »

55. Si vous n'aimez ~~pas~~ ce qu'elle porte, ou sa coiffure, elle veut le savoir. Elle veut vous plaire. Mais, même dans ce cas, l'homme total est plein de tact et ne dira pas : « Qu'est-il arrivé à tes cheveux, tu as touché une clôture électrique ? »

J'aime la coiffure de Kathy, elle a les cheveux longs, tombant sur les épaules, qui lui entourent le visage de façon adorable. Mais à l'occasion, quand il fait chaud, elle les tire et les enroule en chignon au sommet du crâne. Ce n'est pas exactement la coiffure que je préfère. Un jour, elle a dû le remarquer. « Est-ce que tu aimes que je me coiffe comme ça ? » m'a-t-elle demandé.

Bien sûr, telle n'était pas son intention, mais elle m'avait quand même posé une question-piège, et j'ai été obligé de réagir vite : « Bien sûr, chérie, je *t'*aimerais même si tu devenais chauve », lui ai-je assuré. Sa coiffure, que je l'aime ou pas, n'a rien à voir avec l'amour que j'ai pour *elle*.

L'ayant rassurée, il me fallait encore répondre correctement à sa question. Je crois l'avoir fait : « Chérie », lui dis-je, « je vais te dire honnêtement que je pense que tu as un beau visage. Et des cheveux *splendides* pour l'encadrer. Je pense que Dieu les a créés pour se complémenter, tout comme le cadre met le tableau en valeur. » Etant artiste elle-même, Kathy a très bien compris ce que je voulais dire.

Il est possible que vous éprouviez quelque difficulté à être aussi poétique que moi, mais voici un principe qui vaut la peine qu'on s'y arrête. Quand vous commentez des vêtements ou une coiffure « indésirables », faites une nette distinction entre vos sentiments pour les vêtements et vos sentiments pour elle. Ce faisant, faites *lui* des compliments, à *elle.* Par exemple : « Chérie, tu as un corps (ou un visage) tellement attirant que cet ensemble qui poche (ou cette coiffure ébouriffée) ne te met pas en valeur. »

56. Surprenez-la sans cesse par ces petites choses qui peuvent avoir tant de portée :

> Une fleur (rapportez-en une à la maison),
> un bouquet (faites-le livrer par le fleuriste pendant la journée),
> une plante,
> une bougie parfumée,
> une chemise de nuit moulante (aller l'acheter est déjà la moitié du plaisir),
> un album de son chanteur ou de son groupe préféré,
> un livre qu'elle veut lire,
> du parfum,
> une carte romantique ou humoristique,
> un travail manuel sur lequel vous, elle et les enfants, pouvez travailler ensemble,
> une bague ou un collier.

57. Encore mieux, faites-lui la surprise de quelque chose que vous avez réalisé vous-même.

> de la menuiserie,
> une sculpture,
> un tableau,

une carte (avec un poème ou un dessin original,) des bougies.

Parce que vous y avez mis de vous-même, le cadeau fabriqué par le mari est inestimable. Longtemps après avoir jeté la bouteille de parfum vide, la carte de vœux achetée, ou la fleur fanée, elle gardera votre cadeau fait à la main comme un trésor.

58. Que ces mots : « Je t'aime », accompagnent le cadeau, et non pas : « C'est parce que je veux que ça marche ce soir au lit. », ou même : « Parce que tu as fait ceci ou cela pour moi. » Simplement : « Je t'aime. » L'amour n'attend absolument rien en retour.

59. Pendant que nous y sommes, au sujet des cadeaux : beaucoup de femmes ont des réactions différentes des nôtres quand il s'agit de Noël, des anniversaires, ou des anniversaires de mariage. Alors que je serais ravi d'avoir une perceuse électrique, Kathy aurait du mal à s'enthousiasmer devant une poêle à frire. Pourquoi ? Parce que *ça sert*. C'est comme de recevoir des chaussettes pour son anniversaire. Six ou sept paires. Des chaussettes noires et maigres !

Bien sûr, la poêle à frire et les chaussettes noires, ça peut aller. Ce que je veux dire, c'est que les jours exceptionnels doivent la *tirer* de la routine, non l'y replonger. Mettez ces dates à profit pour détecter ces petites extravagances qui lui diront qu'elle vaut la peine d'être épatée.

60. Téléphonez-lui quand vous rentrez du travail avec un certain retard.

61. Téléphonez-lui d'avance si vous invitez un ami à dîner. Et *demandez* lui, ne le lui *imposez* pas.

62. Utilisez souvent le téléphone quand vous êtes en voyage d'affaires. Même les femmes les plus fortes se posent ces questions pendant que vous n'êtes pas là :

Est-il en sécurité ?
Est-il fidèle ?
Est-il en bonne santé ?
Est-ce que je lui manque ?

QUE VOTRE FEMME SE SENTE EXCEPTIONNELLE

Je connais des maris intelligents qui appellent leur femme tous les soirs quand ils voyagent. Non pas par obligation et soumission, mais par amour et désir d'assurer à leur femme qu'ils ont grande hâte de rentrer. Les femmes s'en portent mieux, et les foyers en sont plus heureux. Certaines entreprises, en fait, commencent à rembourser les communications longue-distance des hommes d'affaires qui appellent leur femme. De toute évidence, ils considèrent ce dialogue plus suivi comme un bon investissement.

63. Evitez-lui tout souci inutile : Si elle est allée faire une course et que vous soyez obligé de sortir, laissez-lui un mot lui disant où vous êtes, et à peu près combien de temps il vous faut.

64. Appréciez-la, intérieurement *et* en paroles. Une épouse m'a dit à quel point elle avait été touchée, au début de son mariage, lorsque son mari lui avait dit, en présence de sa mère — rien que ça ! : « Chérie, tes tartes aux cerises sont absolument fantastiques. »

65. Est-ce que vous vous accordez une certaine somme pour vos dépenses personnelles ? Très bien. Et elle ? Attribuez-lui une somme équivalente, et qu'elle en fasse ce qu'elle veut. Ceci a des avantages certains :

Ceci prouve que vous avez pris au sérieux le fait d'être partenaires.
Ceci l'aide à avoir une certaine indépendance au sein d'un mariage heureux.
Ceci vous aide à rester dans les limites du budget en ayant des sommes précises à consacrer aux dépenses libres.

66. Pour toutes les raisons citées plus haut, envisagez de lui ouvrir un livret d'épargne et un compte en banque, où elle pourra déposer ou retirer l'argent qu'*elle* gagne. Faites-lui en la surprise. Dites-lui que ce sera à elle de gérer ces comptes comme elle l'entend (il est possible que sa sagesse vous surprenne).

67. Si quelque chose a besoin d'être réparé, chez vous, ne l'obligez pas à sa bagarrer avec cela pendant des jours. Faites le nécessaire tout de suite.

68. Quand vous revenez du bureau, cherchez-la et donnez-lui un long baiser. A faire en premier. Avant même de vous asseoir pour lire le journal ou d'aller aux toilettes. Faites en sorte que votre femme sente que votre retour auprès d'elle est la meilleure partie de votre journée.

69. Mettez de côté quelques minutes, une demie heure ou plus, chaque jour pour gamberger ensemble. Attendez que les enfants soient occupés ou couchés, quand la vaisselle est faite et qu'elle a eu le temps de se détendre. Après avoir décroché le téléphone, parlez ensemble des choses auxquelles vous pensez... des buts... des rêves. Je connais des parents de six enfants qui y ont réussi, et qui, il y a longtemps, ont placé un canapé le long du mur de leur chambre à cet effet. Là, presque tous les soirs, après avoir bordé les enfants, ils s'asseoient, se tiennent la main et parlent en tête à tête. Maintenant, les enfants sont presque tous mariés, et ils ont eux-mêmes des enfants. Mais leurs parents continuent à avoir rendez-vous sur le canapé, le soir. C'est l'un des mariages les plus réussis que je connaisse.

Ne permettez pas même aux invités de vous priver de cet instant passé ensemble. Un séjour prolongé de Jack et Harriet peut être le moment où votre femme a le plus besoin d'être avec vous.

70. Trouvez-lui un diminutif qu'elle aime, un qui exprime l'amour et le grand respect que vous avez pour elle.

71. Faites son éloge. *Dites aux autres* ce que vous appréciez chez votre femme. A chaque fois que je lis le Proverbe 31, sur la femme vertueuse, je vois une excellente raison pour laquelle elle a si bien réussi : avez-vous jamais remarqué ce que faisait son mari ? « Il fait son éloge aux portes », là où siègent les anciens et là où ils font commerce. Et les enfants ? « Ils se lèvent et la disent heureuse. » Avec ce genre d'encouragement, il n'est pas éton-

nant qu'elle ait été aussi motivée, ni qu'elle ait aussi bien réussi !

72. C'est vrai, une maison, ça sert à y vivre. Mais faut-il que vous y soyez toujours négligé ? Le fait de flâner continuellement en T-shirt taché et en bermudas de 1961 est à peu près aussi passionnant pour elle, que le fait de la voir avec des rouleaux sur la tête, pour vous. Surveillez votre tenue autant qu'à l'époque où vous aviez rendez-vous avec elle.

73. Accompagnez-la quand elle va faire les provisions, surtout si elle doit y aller quand il fait nuit.

74. Ne vous sentez pas menacé à l'idée d'aller acheter des vêtements de femme ou du tissu avec elle. Intéressez-vous aux choses qui lui plaisent. Donnez-lui honnêtement votre opinion quand elle vous montre quelque chose (revoir le n° 55 !).

Il est étonnant de voir comment le phénomène d'acculturation moderne a formé l'esprit des hommes dans ce domaine-là aussi. Un jour je me suis assis, dans notre centre commercial, à un endroit d'où je pouvais voir les portes de différents magasins. En quelques minutes, j'ai compté douze couples qui entraient dans un magasin de vêtements pour femmes. Sept des douze hommes avaient hésité avant d'entrer, en fin de compte, après un « Boff ! » embarrassé. Quelques autres attendaient leur femme, debout à la porte. Plusieurs femmes seules sont entrées, puis un treizième couple est arrivé. La moitié masculine de ce duo ne réussit même pas à entrer. Il était debout, dehors, à l'entrée, à rouspéter comme un enfant impatient, pendant que sa femme jetait un coup d'œil aux vêtements.

Ajoutez quelques membres à la société Archie Bunker !

75. Essayez d'être logique quand vous appréciez son travail à la maison. Quand vous rentrez, montrez que vous avez remarqué que les chambres sont rangées et propres, vos chemises repassées, et que ce qui cuit sent bon. Complimentez-la et remerciez-la en l'embrassant.

Elle ne se fatiguera jamais de vous entendre dire :

76. « Tu es belle aujourd'hui. »

77. « Je suis heureux de t'avoir pour femme. »

78. « Tu es la personne que je préfère. »

79. Au téléphone ou dans une lettre, ou de vive voix, dites à ses parents combien vous aimez leur fille. Vous pouvez être sûr qu'on le lui répètera.

80. Faites *toujours* passer le temps que vous consacrez à votre famille, avant le temps passé devant la télévision.

81. Quand elle essaie de vous parler, posez le livre ou le journal que vous lisez.

82. Faites votre part d'éducation des enfants. Bien que ce soit le père qui doive en principe être le chef dans ce domaine, bien trop nombreux sont les hommes qui se sont déchargés des problèmes de discipline sur leur femme. Ce qui ne veut pas dire que Maman n'est pas à la hauteur, mais, si elle est la seule à manier la trique, Papa apparaît au petit sous les traits d'une femmelette sans autorité. Il y a fort à parier que le petit lui ressemblera en grandissant. Faites appliquer les règles en vigueur chez vous, avec amour mais fermeté. Rappelez-vous les sages paroles de Salomon : « Si vous refusez de punir votre fils, c'est que vous ne l'aimez pas, car celui qui l'aime n'hésitera pas à le corriger. » (Proverbes 13.24).

83. Apportez-lui votre soutien lorsqu'elle *doit* faire régner la discipline. Si elle a pris une décision pendant votre absence, il ne faut pas la contredire en rentrant. L'inverse est valable pour elle. Soit dit en passant, ou devrait dire aux enfants que Papa et Maman se soutiennent mutuellement quand il s'agit de décisions ou de mesures disciplinaires. Ne laissez jamais les enfants se servir de l'un de vous contre l'autre, pour obtenir un verdict favorable.

Surveillez l'apparition de son sourire quand vous dépoussiérez ces « manières » qui, à ce qu'il paraît, ne sont plus à la mode depuis une dizaine d'années.

84. Ouvrez-lui la porte de la voiture (même si c'est elle qui conduit).

85. Aidez-la à prendre place à table.

86. Après l'avoir fait, donnez-lui un baiser sur la joue et murmurez : « Je t'aime. » (Quand les enfants sont témoins de ce genre de choses, leur respect pour Maman grimpe en flèche. Les gronder de temps en temps ne leur fera pas de mal non plus).

87. Tenez-lui la porte et laissez-la entrer la première. (La prochaine fois que vous serez en ville, regardez autour de vous ; cette pratique a tendance à disparaître.)

88. Quand vous marchez à ses côtés, laissez-lui le haut du pavé. Autrefois, les hommes marchaient côté rue, mais aujourd'hui, avec les trottoirs modernes et les chaînes de protection, il est bien difficile de donner une règle précise. Dans bon nombre de villes, les zones d'ombre et les recoins au ras des maisons présentent plus de danger que l'automobiliste le plus téméraire.

89. Il y a quelques années, j'ai lu quelque chose sur cette idée de cadeau et j'ai décidé de mettre la chose en pratique à la St Valentin :

J'ai demandé à un pharmacien une boîte de gélules vides. Après m'avoir regardé d'un air soupçonneux, il m'a demandé : « A quoi vont-elles servir ? »

« Je veux faire un cadeau à ma femme », lui dis-je. Le gars est resté planté là ! « Je veux y mettre des billets doux », ajoutai-je très vite, « et elle en ouvrira une par semaine toute l'année à venir. »

Il n'a toujours rien dit, mais son expression signifiait : *« Oui, oui, bien sûr, bien sûr ! »* Après un long moment (pendant lequel je m'attendais à le voir appeler le Bureau des Narcotiques) il m'a apporté les gélules.

De retour au bureau, j'en ai compté cinquante-deux et j'ai glissé une feuille de papier dans la machine à écrire. En une demie heure, j'avais tapé cinquante-deux textes d'une ligne, tels que :

« Un film au choix à voir avec ton petit mari. »
« Deux soirées sans vaisselle. »
« Soirée pizza. Date à fixer. »
« Une longue et agréable promenade ensemble. »

« Un petit déjeuner ensemble au restaurant. »
« Une promenade ensemble sur la plage. »
« Un nouveau vêtement au choix. »
« Une chemise de nuit neuve (que *je* choisirai). »
Certains impliquent une dépense, d'autres du temps, mais tous exigent *que nous soyons ensemble.* Je me suis armé d'une paire de ciseaux, j'ai découpé la feuille, puis j'ai roulé chaque billet et l'ai glissé dans une gélule.

Quand Kathy a ouvert ce petit paquet, l'ordonnance qui accompagnait le flacon disait : « RX, du Dr Dan Benson, pour Kathy Benson : pour éviter un mariage ennuyeux, prendre une gélule par semaine pendant un an. »
Ce cadeau fut à l'origine d'instants très drôles passés ensemble. La moitié du plaisir que j'en éprouvais venait de l'envie qu'avait Kathy de les ouvrir toutes à la fois.

90. Variante de la précédente : Quand vous en avez envie, mettez une de ces gélules au milieu de ses vitamines, le matin. (Il vaut mieux que vous soyez présent pour qu'elle ne l'avale pas au même temps que la vitamine C.) Qu'elle ait droit à l'activité ou au cadeau le jour-même.

91. Ne la dénigrez pas devant qui que ce soit, qu'elle soit présente ou non. Toute chose déplaisante chez la femme que vous aimez ne regarde que vous deux, et doit être discuté lors d'un dialogue honnête, et avec amour.

Mettez en pratique ces neufs qualités de l'homme total quand vous êtes avec elle :

92. *Amour...* recherchez pour elle ce qu'il y a de mieux. N'oubliez pas que l'opposé de l'amour n'est pas la haine, mais *l'égoïsme.*

93. *Joie...* un bonheur si profond qu'il ne risque pas d'être déraciné par les caprices du sort. Réjouissez-vous en cas de victoire. Soyez optimiste dans l'adversité.

94. *Paix...* une assurance tranquille, quelles que soient les circonstances, que celui qui vous aime tous deux désire lui aussi que vous ayez ce qu'il y a de *mieux.* Considérez les problèmes comme autant d'occasions.

95. *Patience...* accordez-lui toujours le bénéfice du

doute. Mettez-vous à sa place. Allez au-delà des *faits,* et cherchez *pourquoi.*

96. *Gentillesse...* donnez de vous-même, simplement pour lui apporter la joie. Soyez à l'affut et essayez de rendre sa tâche plus légère grâce à votre aide.

97. *Bonté...* créez une atmosphère dans laquelle le mal n'est pas à sa place, de toute évidence. Telle est l'attitude base d'où jaillissent les preuves de gentillesse.

98. *Fidélité...* fidélité de corps, de pensée et d'esprit, motivée par un amour inébranlable et inconditionnel pour elle.

99. *Douceur...* ayant suffisamment confiance en votre virilité pour savoir que se préoccuper des vôtres, leur parler et les écouter, exprimer des émotions ou jouer avec les enfants n'est pas en contradiction avec le fait d'être un homme, mais le rehausse.

100. *Sang-froid...* ne permettez à aucune activité, à aucun appétit, de remplacer Dieu ou votre femme dans vos affections. Reconnaissez que votre tempérance en matière de nourriture, de dépenses, de travail et de jeu l'affecte, *elle*, autant qu'elle vous affecte, vous.

101. Rendez-vous compte qu'aucun homme ne peut mettre en pratique ces neuf qualités de l'homme total grâce à sa seule force, car de nature, il a tendance à être égoïste. Comme je l'ai dit plus haut, l'apôtre Paul a identifié la source de ce qu'est l'homme lorsqu'il a appelé ces neufs attributs : «les fruits de l'Esprit.». Il parlait de l'Esprit de Dieu, d'où jaillissent toute bonté et tout dynamisme. Ce n'est qu'en remettant quotidiennement votre vie aux mains de «Dieu», de façon à ce que l'amour, la joie, la paix, la patience, la gentillesse, la bonté, la fidélité, la douceur et le sang-froid deviennent des excroissances naturelles d'un homme intérieurement pur.

C'est donc Dieu qui est chaque jour à l'origine de toutes les qualités et créations de l'homme total. Et le cheminement tenace du mari aux côtés de Dieu sera la source où sa femme puisera la sécurité.

Chapitre 1 « *Why Men Won't Seek Help.* » James Lincoln Collier. *The Reader's Digest,* septembre 1975.

Chapitre 2 « *The Changing Success Ethic* », rapport après enquête AMA, Data Tarnowski, 1973.
« Culture and Coronaries », *Time,* 18 août 1975.

Chapitre 3 « The Search for a New American Dream », John Peterson, *The National Observer,* 10 janvier 1976.

Chapitre 4 *Managing Your Time,* Ted Engstrom et Alec Mac Kenzie, Zondervan, 1968.
« Type A Beharior indicted Again », *Reader's Digest* février 1976.
« How to Make the Most of Yor Time », interview de R. Alec Mac Kenzie, *U.S. News and World Report,* 3 décembre 1973.

Chapitre 5 « *You can Do it !* » William Proxmire ; Simon et Schuster 1973.
« *The New Aerobics,* Kenneth Cooper, M. Evans Company, 1970.
Total Fitness, Laurence E. Moorehouse et Leonard Gross ; Simon et Schuster, 1975.
Dr Atkins' Diet Revolution, Robert C. Atkins ; Mc Kay, 1972.
« Neurosis ? No, Caffeine », *The Reader's Digest,* Mars 1975.

Chapitre 6 *Royal Canadian Air Force Exercice Plans for Physical Fitness,* Pocket Books ; Simon et Schuster, 1972.
The Problem-Oriented Practice, Hopital Méthodiste, Indianapolis, 1976.
« 25 New Tips to Help You Lose Weight », Jean Nidetch, *National Enquirer,* 9 décembre 1975.

L'HOMME TOTAL

Diet Tips and Tricks, Dell Purse Book ; Dell Publishing Company, 1975.

Sleeping Without Pills, Mangalore N. Pai, Dell Purse Book ; Dell Publishing Company, 1974.

Chapitre 7 « Death of a Tycoon », *Time,* Mars 1975.

Chapitre 9 « People », *Worldwide Challenge,* Campus Crusade for Christ International, 1975.

Chapitre 11 *How to Get Control of Yor Time and Your Life,* Alan Lakein, The New American Library, 1973.

Chapitre 14 « A Good Spat... Best Thing for Your Marriage », Gary Stemm, *National Enquirer,* 22 décembre 1975.

Chapitre 15 *Cherishable : Love and Marriage,* David W. Augsburger ; Herald Press, 1971.

« Checklist for Fathers », John M. Drescher, *Eternity,* octobre 1972.

« Fathers Wanted ! » Paul Popenoe, origine inconnue.

Hide or Seek, James Dobson ; Fleming H. Revell, 1974.

Between Parent and Child, Halm Ginott ; The Macmillan Company, 1965.

Chapitres *How to Succeed with Yor Money,* George M. Bowman ; Moody Press, 1974.

Sylvie Porter's Money Book, Sylvia Porter ; Doubleday, 1975.

« Are You Over Your Head in Debt ? » *Better Homes and Gardens,* juin 1975.

« Why Some People Spend Too Much », *Women's Day,* juin 1974.

« Managing the Money Squeeze. » Norman Lobsenz, *Reader's Digest,* février 1976.

Chapitres *The Joy of Sex,* Alex Comfort ; Crown Publishers, 1972.

Reproduction, Sex and Marriage, Laurence Q. Crawley, James L. Malfetti, Ernest J. Stewart, Nini Vas Dias ; Prentice-Hall, 1964.

« Sex Problems and Sex Techniques in Marriage », Ed. Wheat (série de bandes magnétiques).

Marabel Morgan

Best Seller 1 Partout

La Femme Totale

ÉDITIONS SÉLECT

3,000,000 d'exemplaires
vendus aux États-Unis

$6.95

En vente chez votre marchand habituel
ou chez

PRESSES SÉLECT LTÉE
1555 ouest, rue de Louvain
Montréal, Qué.

Imprimé au Canada